ROTBUCH KRIMI

PIEKE BIERMANN, geboren 1950 in Stolzenau, lebt als freie Schriftstellerin und Übersetzerin in Berlin. Veröffentlichungen im Rotbuch Verlag: *Potsdamer Ableben* (Rotbuch Krimi 21, 1987 und 1990), *Violetta* (Rotbuch Krimi 22, 1990).

Berlin-Mitte, Februar 1992
»Jedenfalls kann ich *die* einfach *alle* nicht riechen!« raunzt KHK Roboldt, Detlev. Er meint *die* Ossis und ahnt noch nicht, daß er einen von ihnen bald verdammt gut riechen können wird. Der heißt auch Detlef, stammt aus Sachsen und ist schwarz. Sonst regieren die engen und kalten Herzen. Größe und Wärme sind rar in der deutschen Hauptstadt. Es stinkt vieles zum grauen Himmel zwischen Rosa-Luxemburg-Platz und Oranienburger Straße. Ein Kind ist ermordet worden, die ost-westlichen Eltern sind verschwunden. Das MI/3 schlittert auf unbekanntem Grund durch dunkle, klamme Gegenden. Das Herz der Mulackei ist tot. Die MIGRÄNE hat die Nase voll von vielem, aber vor allem von einem, der seine Duftmarke allzu deutlich setzt. Und ausgerechnet der Erste Kriminalhauptkommissar Lietze, Karin, träumt: »Die Polizei rufen. Sinnlos. Wozu. Gegen das hier?« Berlin ist größer geworden. Und enger.
»Die handwerkliche Genauigkeit, mit der Pieke Biermann schreibt, macht ihre literarischen Figuren farbig, plastisch, einfach lebensecht, und daß es oft ziemlich knallige Typen sind, bringt das Großstadtpflaster mit sich.« *Barbara von Becker, Süddeutsche Zeitung.* »Die Offenbarung des deutschen Kriminalromans der 90er Jahre.« *Le Journal du Dimanche.*

Pieke Biermann

HERZRASEN

Rotbuch Verlag

Umschlagmotiv von Hendrik Dorgathen
Gesetzt vom Offizin Andersen Nexö

ISBN 3 88022 100 6

INHALT

Für Ida Krüger und die Schöne Vera, für Fritz Brandt,
für Minna Mahlich, geb. Levinthal, und ihren Mann Alfred
und für alle großen Herzen des ringvereinten,
scheunengeviertelten Undergrounds.

Für Sam Njankouo Meffire, den beherzten Sachsen,
und Wilhelm Krützfeld, den beherzten Preußen.

Für Heinz Knobloch und die »Dragonervasen«.

Für Charlotte von Mahlsdorf, deren Leben lehrt,
daß Courage von Herz kommt.

TODAY'S GREY SKIES
TOMORROW'S TEARS
YOU HAVE TO WAIT 'TIL YESTERDAY'S HERE.

TOM WAITS

OUVERTÜRE
Ein Traum kein Leben

So hielt sie sie hin. Der Schmerz fing an, ihr das Bewußtsein wiederzugeben. Wen kann man damit noch hinhalten. Wie lange. Noch hatten sie das Treppenhaus vor sich. Es war ihr gelungen, von dem Platz wegzukommen. Das Haus dazwischenzuschieben. Die Mauer. Die Tür. Sie kamen näher. Sie hatte sie gerochen. Dicke krachende Motorräder. Ein sauberes Dutzend. Männer darauf. Sie bremsten scharf. Gleichzeitig. Sie wirbelten Staub auf, Bierdosen, Pappteller mit Senfresten. Und es roch nach Enge und nach kaltem Herz. Sie schob die Arme geschmeidiger unter das kopflose Kind und versuchte aufzustehen.
Jetzt stiegen sie aus. Aus blitzsauberen, stinkenden roten *Porsches*. Keine Helme mehr. Auch keine Glatzen. Blonde Löckchen, die ohne Umweg über irgendeine Stirn von Schädeldecken in Augen hingen. Kleine enge kalte blaue Augen. Und der Platz wurde größer. Enger.
Sie wich zurück. Aber da waren keine Häuser mehr in ihrem Rücken. Keine Türen. Nur Fenster mit heruntergelassenen Rolläden. Die Männer formierten sich zur Schlachtreihe. Langsam. Ganz langsam bewegten sich ihre Hände zu den Maschinenpistolen an ihren Schultern. Sie schrie nicht.
Wen sollte sie rufen? Der winzige Junge hing in ihren Armen, die gebrochenen Knochen zerfasert wie Äste nach einem Orkan. Die Polizei? Sinnlos. Wozu. Gegen das hier. Wer sollte die rufen. Die Leute, die eben noch anfeuernd geklatscht hatten, waren verschwunden. Die Telefone gingen nicht. Gingen nie. Außer, es war nicht dringend. Außer, es sollte nur in irgendeinem gemütlichen Heim eine Hausfrau informiert werden, daß sie das Kotelett in die Pfanne hauen konnte, weil der Mann jetzt Feierabend hatte. Sonst nicht. Schon gar nicht, wenn jemand, dem gleich das Herz bersten würde, mit angstklammen Fingern 110 zu wählen versucht. Und dann 112. Wenn nicht bloß zerbrochene Fensterschei-

ben in Sofas und Holzdielen stecken, sondern die Brandflaschen ihr Vernichtungswerk schon durch die Zimmer trieben.
Sie hatte es grölen hören. Applaus, vor dem Haus. Sie hatte die Gesichter gesehen, über vollgepißten Trainingshosen. Unablösbar klebten sie auf den Brandflaschen. Designeretiketten. Handsigniert. Für den besonderen Tropfen. Persönliche Duftmarken. Den Mittfünfziger, kaltes Herz und gespaltene Zunge. Seine Brillengläser, klobig wie die ersten Fernsehtruhen der Republik. Das böse Zucken um seinen Mund, als er einen tiefen Schluck aus der Flasche nahm und den anderen Zuprostenden zuprostete. Sein Gesicht jetzt fernsehgroß. Bildschirmfüllend. Wie er der Nation erklärte, daß der Ball eckig ist und der Brand nur dadurch gelöscht werden kann, daß man beim »Feuer!«-Schreien besonders viel Wind macht.
Und mit den Bierschwaden und den Schnapsfahnen war er hereingeweht. Der Gestank von herzlosen Helden und Haß. Der Pesthauch der Ohnmacht. Sie konnte sie riechen. Und das Benzin. Und verbrannte Haut und Haare. Und noch einmal sah sie den dürren alten Mann mit dem zerschlissenen langen schwarzen Mantel vom Himmel fallen.
Bevor er zwischen die Schutthalden auf den Sandboden im Hof prallen konnte, faßte sie sich ein Herz. Sie wußte nicht wie. Sie zerrte die Kleine mit dem dicken schwarzen Zopf aus dem Bett. Halbverbrannt. Riß ihr die verkohlten und noch brennenden Nachthemdfetzen vom Leibchen. Drei Jahre alt. Vier vielleicht. Barg die zarten Gliedchen unter ihrem Mantel. Brach durch die Reihen der johlenden Ersatznymphchen und Notkonfirmanden mit dem aufgenähten Versprechen, die Welt zu verwesen. Sah einen torkeln. Umkippen. Liegenbleiben auf dem plattgetrampelten Rasenstück. Sturzbesoffenes Bügelbrett. Nur die übergroßen Springerstiefel staken zwischen ein paar Grashalmen hervor. Die Zukunft der Nation zeigte grotesk Profil.
Sie wußte, die Applaudierenden hinter ihren Rolläden bestiegen ihre Motorräder. Noch waren sie nicht fertig mit ihrem Feierabend. Noch lange nicht.
Sie rannte und stolperte vorwärts. Nur weg. Weit weg.

Es roch nach Angst und Braunkohle. Das Herz schlug ihr im Hals. Seit wann schlug es wieder? Seit die Kleine unter ihrem Mantel sich zu rühren angefangen hatte. Ihr die Ärmchen um den Leib geschlungen hatte. Zitterte. Wimmerte. Sie blieb stehen auf dem großen leeren Platz. Kein Mensch war zu sehen. Aber es war nicht vorbei. Sie streichelte dem winzigen Jungen mit dem zertrümmerten Köpfchen und den verdrehten Gliedern über den Rücken. Ein Fetzen löste sich aus dem Loch, das einmal sein Mund gewesen war. Und feine dunkle Locken ringelten sich jetzt neben seinen Ohren. Der Hut! Sie mußte den Hut suchen. Schwarz. Mit einer breiten Pelzkrempe. Er mußte irgendwo liegen. Er mußte mitgeflogen sein. Der Blick in sein Gesicht eine zärtliche Frage. Die Kleine riß die dunklen Augen auf und zuckte mit den blauen Lippen. Aber es kam kein Ton. Nur ein Geruch. Aus der schwarzgeränderten Wunde auf ihrem Hals unter dem dicken schwarzen Zopf. Ein Gestank. Wie. Damals. In der Toilette des Rasthauses Ziesar. Transit Helmstedt-Berlin Halbzeit. Wo der alte Drachen sie nicht aufs Klo ließ, weil sie nur noch eine einzige Blase war und darüber vergessen hatte, Kleingeld einzustecken. Der Gestank von Sauberkeit. Lysol.
Jetzt. Da waren sie. Direkt vor der Tür. Pißten in die Ecke an die Wand. Sie witterte es. Jemand kotzte gegen die Tür. Sie roch es. Sie wußte es. Sie würde die Kleine nicht wieder ruhig kriegen. Jetzt trat sie blind um sich. Bäumte sich unter dem Mantel. Hatte den Kopf darunter versteckt.
Wahrscheinlich hat sie Angst vor Menschen mit blonden Haaren. Nur noch Angst.
Die Tür splitterte unter einem einzigen Tritt. Es war, als ginge er in gerader Linie in ihren Bauch. Etwas implodierte. Ihr ganzer Schmerz wachte jetzt auf und legte sich in ihr Herz. Sie riß die Augen auf. Die herzlosen Helden fielen in sich zusammen wie Sternenstaub.
Es dauerte seine Zeit, bis es ihr nicht mehr unangenehm war, daß sie nicht auf dem Kopf gehen konnte. Noch störte der Gewehrkolben, der zweimal auf den Kopf der hinkenden kleinen Dame niedergegangen war. Das nächtlich schwarze Kanalwasser, das sie verschlang. Noch behinderte der Roll-

stuhl, der eigentlich Schades Frau gehörte. Sie hatte keine Ahnung, wozu das alles gut sein sollte. Sie wußte nur, sie mußte dringend den Kobold warnen, denn der war ja dann auch in Gefahr –.

Ach was, Quatsch! Alles, was du mußt, ist aufstehen und den Liter Wein aus dem Bauch kriegen, den du beim Essen in dich hineingeschüttet hast. Gestern abend. Den 15. Jänner. Hängt Lang eigentlich den Südstaatler wieder raus, seit er in Dresden hockt?

Auf dem Weg zum Klo konstatierte sie, daß die Wohnungstür ganz war. Mit leisem Ärger. Die Wohnung roch auch wie immer. Nach zu viel *Lucky Luciano* und zu wenig Schlaf. Und nach der Flasche *Jil Sander Man Two*, die er ihr über den Restauranttisch geschoben und die sie beim Auspacken in die Badewanne fallenlassen hatte. Wenn der mir schon mal was schenkt! Wie kommt der überhaupt auf die Marke. Und wie hat der eigentlich gegrinst? Hat das Händeflattern damit zu tun?

Sie zog die Spülung und beugte sich über die Wanne, um den Kopf unter die Brause zu halten. Das Wasser wirbelte Parfümreste auf und den Duft in ihre Nase. Sie spürte einen kleinen Stich in der Herzgegend, als sie darüber nachdachte, wie oft Lang aus Dresden wohl wegkonnte. Und wie lange er überhaupt brauchen würde da.

Sie zog den Kopf unter der Brause hervor und rubbelte unwirsch mit dem Handtuch durch die kurzen blonden Haare. Ob er recht hatte mit seiner Prognose? War es wirklich völlig offen, wer gewinnt – der Hase oder der Igel? Klar mußte man brauchbare Polizeistrukturen aus weniger als dem Nichts stampfen. Alles, was er über Dresden erzählt hatte, kannte sie selbst. Und klar ist die Abteilung Organisierte Kriminalität nicht die einfachste Aufbauübung.

Aber war er deswegen ein Hase? Waren sie alle bloß Hasen? Immer zu spät. Immer zu blöd. Hilflos. Sinnlos. Eine Arbeitsbeschaffungsmaßnahme als Valium fürs Volk?

Sie ging zurück ins Schlafzimmer und riß das Fenster auf. Die kalte Morgenluft schlug ihr entgegen.

I
Gebt uns einen Jungen

»... jedenfalls kann ich die –«
»Schschscht!«
»– einfach alle nicht riechen!« Die zweite Hälfte von Roboldts Schlußkommuniqué hallte nicht mehr wider von den schmuddelig-grünen Wänden des Treppenhauses. Vermutlich sickerte sie durch die Ritzen der abgeblätterten Türrahmen.
»Die dich auch nicht, keine Bange!« fauchte Schade. Sie blieb vor dem stummen Portier stehen, knöpfte betont beiläufig die gefütterte Lederjacke zu und gab sich Mühe, brennendes Interesse an den vergilbten Namensschildern zu demonstrieren. Aber sie schien ganz woanders zu sein.
Roboldt beachtete sie nicht, sondern stürmte zwischen ihrem Rücken und dem Treppengeländer hindurch die drei dunkelgrauen Terrazzostufen nach unten zur Haustür. »Dann weiß ich erst recht nicht, wieso die das nicht hören sollen!«
Schade schlug den Kragen hoch und trat aus dem Haus Nr. 21. Unter den grellbleichen Sonnenstrahlen, die inzwischen durch die wenigen Löcher in der Wolkendecke gebrochen waren, sah die Linienstraße noch trister aus als vor einer guten Stunde, als sie unter dem einheitsgrauen Februarhimmel gelegen hatte. Die gegenüberliegende Häuserreihe hatte nicht mehr die Farbe von abgeschabtem Blei. Sie wirkte jetzt wie eine Brandruine, rußbeschichtet, zundertrocken, obwohl der Asphalt noch immer feucht glänzte und in der Gosse noch immer graubraune Reste der dünnen Schneedecke vom Morgen lagen. Der erste Schnee dieses Winters. Flüchtig und glanzlos. Es war auch nicht wirklich kalt, obwohl der Wind jetzt stärker pfiff. Es war einfach das gewöhnliche blutleere, vor sich hin kränkelnde Winterwetter, das in alles hineinkroch. Das alles engherzig und mies machte.

Sie ging auf die andere Straßenseite, stellte sich vor ein Parterrefenster der Nr. 228a mit ehemals weißen, rissigen Rahmen und einem von jeder Farbe entkleideten Rolladen aus zerfransten Holzlamellen und starrte auf die Nr. 21. Die muckefuckbeige Fassade, die graue Haustür, die Plastikrolläden, genau wie bei den andern vier Häusern der Reihe. Hinter einem der beiden Fenster im zweiten, obersten Stock links huschte etwas und brachte die gelbstichigen Stores in eine hinterhältige kleine Bewegung. Schade verzog verächtlich die Mundwinkel und drehte sich noch einmal zu dem löchrigen Holzrolladen hinter sich, bevor sie die Straße wieder überquerte.

»Na?« rief Roboldt, der noch immer im Eingang der Nr. 21 lehnte und versuchte, sich den grünen Schal ebenso vorteilhaft wie winddicht um den Hals zu drapieren. »*Stehen* sie wieder hinter der Gardine?«

Schade verpaßte ihm einen knappen mürrischen Blick. »Detlev, wenn du nicht dauernd so brüllen müßtest, könntest du da drüben die Holzwürmer mampfen hören!«

Kriminalhauptkommissar Detlev Roboldt warf das Schalende lässig über die Schulter. Es besänftigte ihn, daß auch anderer Leute Pointen nicht immer überzeugend saßen. Er sah Schade an: »Sonja, was ist los? Sollen wir uns wirklich von solchen Voltaires die Laune verpesten lassen?«

Kriminaloberkommissar Sonja Schade riß abweisend den Kopf zur Seite und setzte sich in Marsch, Richtung Straßenende. »Dich haben sie wenigstens noch dämlich behandelt, mich haben sie gar nicht erst ignoriert. Vor allem die Dame des Hauses. Mir stinkt das hier alles genauso wie dir, das kannst du mir glauben!«

Unter den Kolonnaden eines düsteren einstöckigen Klotzes an der Ecke zur Weydinger Straße, hinter dessen verrammelter Tür sich laut Schild eine Kindertagesstätte des Bezirksamts Mitte von Berlin befinden sollte, hatte Roboldt sie eingeholt.

»Vielleicht kannten die Frauen in der Polizei nicht.«

»Hast du gesehen, wie die die Schnauze nicht aufgekriegt hat, wenn der Genosse Gatte dabei war? Sowas hab ich seit zwanzig Jahren nicht mehr erlebt. Detlev, ich will auf der

Stelle ’n Schnaps!« Schade drehte sich um die eigene Achse und suchte die Gegend nach irgendetwas ab, das nach Kneipe aussah.
»Da lang ist gar nichts.«
»Und in der andern Richtung auch nicht, da sind wir doch hergekommen«, schrie Schade. »Das ist alles tote Hose hier, verdammt nochmal!«
Detlev überlegte. Ob der Imbiß um die Ecke auf dem Rosa-Luxemburg-Platz Alkohol verkaufte? Nein, selbst wenn. Und selbst im Notfall. Der würde Schade endgültig aus den Schuhen kippen. Mit dem Namen.
»Da hinten ist doch der Hintereingang vom Theater – die müßten doch eine Kantine haben. Komm!«
Roboldt lief vor, stolperte fast über drei winzige schwarze Katzen, die aus der Grünanlage hinter der Nr. 21 gesprungen kamen, biß sich auf die Lippe, weil ihm Issiwuh einfiel, und blieb stehen, um sich nach Schade umzusehen. Die war schon auf der anderen Straßenseite und suchte die Einfahrt des massigen Gebäudes ab. Roboldt lief über die Straße.
»Noch ein Stück – ich hab da was von Bühnenpforte Volksbühne gelesen. Hier.«
Und dann standen sie vor einer Glasscheibe, hinter der eine Frau in einem braunen Dederonkittel saß und schließlich widerwillig den Kopf hob.

DIE ROSA-LUXEMBURG-STRASSE hoch fuhren nur wenige Autos, und sie fuhren langsam. Das Pflaster war noch immer naß und sah glitschig aus. Für den roten *Porsche*, der aus der Wilhelm-Pieck-Straße heruntergerast kam, schien das kein Fakt. Auch nicht, daß Linksabbiegen in die Weydinger Straße verboten war. Er schoß, nachdem er fast einen Mann überfahren hätte, der sich in letzter Sekunde am Gitter des U-Bahn-Ausgangs mitten auf der Fahrbahn festhielt und die Straße lieber nicht überquerte, zwischen einem grell bemalten *Trabbi* und einem grauen *Golf* aus der Gegenrichtung durch, geriet in der Kurve leicht ins Rutschen und kam mit kreischenden Reifen gegenüber einem Imbißwagen an der Spitze des dreieckigen Platzes zu ste-

hen, der seinen Namen ebenfalls Rosa Luxemburg verdankt.
Der etwa vierzigjährige schmächtige Mann, der ausstieg, trug einen braunen Ledermantel, um den er über dem wulstigen Bauch einen Gürtel in derrickscher Korrektheit geschlungen hatte, einen magenbitteren Zug um den Mund, sowie einen kleinen schwarzen Wachstuchsack in einer Hand. Als er die Rückwand des fliederfarbenen Imbißwagens sah, blieb er einen Augenblick stehen, fixierte das hingesprühte VIVE MOULIN! mit seinen kalten kleinen Augen, lief pflaumenfarben an und stürmte über die schmale Einbahnstraße auf den Wagen los. Er riß die Seitentür auf.
»Wer war das!« schnarrte er die Frau an, die eben ein braunscheckiges Etwas unter einer roten Pampe begraben hatte und es einem Kunden über den Tresen schob. »Ihre Körriewur- «
»Ich habe Sie gefragt, wer das war!«
Die Frau zuckte zusammen und wurde blaß. »Weeß ick ja ooch nüch. 'ck'atte an und fürsich jedacht, ick kriejet ab mit Otroc, aber ...«
Der Mann knallte den Sack mit dem Kleingeld zwischen die Schüsseln mit der gelblichen und der roten Pampe. »Zählen!«
Dann lief er wieder hinaus, drehte eine Runde um den ganzen Wagen, über dessen Tresenfront in großen schwarzen Lettern BARBIECUE stand, und untersuchte schließlich selbst die Sprühschrift auf der Rückfront.
In einem der Hochparterrefenster des Häuserblocks, der die runde Ecke Weydinger/Rosa-Luxemburg-Straße bildete, lag eine Frau auf ihren Ellbogen und ließ ihn nicht aus den Augen. »Jeschieht euch recht! Ihr habt doch vor jar nüscht Reschpeckt«, kommentierte sie schadenfroh, »ihr Wessi-Pack mit eure Scheiß-Markwirtschaft!« Als er sich zu ihr umdrehte, schloß sie das Fenster und zog die Vorhänge zu.
Das von einem Grübchen säuberlich gespaltene Kinn sah jetzt aus wie ein glänzender Babyhintern, und die nicht nur *relativ* großen Ohren schienen sich noch ein Stück weiter von der Kopfhaut distanzieren zu wollen. Daß er für einen Wessi gehalten wurde, störte ihn nicht. Was die Frau unter

Respekt verstand, interessierte ihn nicht. Respekt interessierte ihn schon lange nur noch in einer Richtung.
Zwei junge Frauen, die aus dem Babylon-Kino auf der runden Ecke kamen, grinsten ihn an und tuschelten. »... kommt davon, wenn man uff Ami-Trallalla macht und nich ma Englisch kann ...«, schnappte er auf.
Vorn am Tresen schwenkte der Kunde das braunscheckige Etwas, von dem es rot auf die Glasplatte tropfte. »Ich habe eine Currywurst bestellt und bezahlt. Das hier ist ein Stück Gartenschlauch aus euerm VEB Rote Socken, und von Curry ist überhaupt keine Spur!«
Die Frau im Wagen wischte hektisch hinter den Ketchup-Klecksen her. Als sie ihren Chef wieder auftauchen sah, bückte sie sich, holte eine Plastikfolie mit einem Etikett aus einem Müllsack und schwenkte sie ihrerseits dem Kunden vor der Nase herum. »Hier!« schnauzte sie, »da steht's druff: Körriewurscht! Dis reicht ja woll!«
Der Kunde schmiß den angebissenen Schlauch in die Schüssel mit der vergilbten Pampe und verließ die Szene. Ihm folgten vier unverkennbare Touristen, zwei Erwachsene, zwei Kinder, ein Camcorder. Das Gezeter der beiden Kinder ließ das Gesicht der Wurstfrau blau anlaufen. Sie wechselte einen Blick mit ihrem Chef, ließ die Currywurstreste weiter in die Mayonnaise sinken, schüttete den Sack mit dem Wechselgeld auf den Tresen und fing an zu sortieren und zu zählen. Ohne den Chef wirklich aus den Augen zu verlieren, brabbelte sie vor sich hin. Ein Gemisch aus Zahlen und trotzigen Duckmäuserlitaneien.
»Was war das eben!« schnarrte er dazwischen.
»Ick sahre ja bloß, dis Sie uns am Ende noch die janze Faschistenbrut hier ranziehn. Mit *den* Nahm ...« Sie biß sich auf die Unterlippe und hielt den Blick starr aufs Geld.
»Und!« Es klang schneidend, wie oantt! Er beobachtete jede ihrer Regungen. »Wenn Sie die anderen Kunden vergraulen!«
Ihre Unterlippe drohte, die Mayonnaise mit weiteren roten Tropfen zu beleben.
Er ging wieder nach hinten, stieg in den *Porsche*, riß den Telefonhörer aus der Halterung und wählte. Horchte. Drückte

einen Knopf, noch einen, horchte wieder. Auf seiner Stirnglatze erschienen Dutzende winziger glänzender Perlen. Endlich klappte die Verbindung. »Hier Jähder! Den ABV! ... Was? Mir doch egal, wie der jetzt heißt! Den Chef will ich – was? Das ist ja wohl – was glauben Sie eigentlich, wer Sie – was soll ich? Also schön: J-ä-h-d-e-r! Ja. Kriegen Sie auch noch: H-e-i-n-z K-l-a-u-s! Kann ich jetzt endlich einen Fall von üblem Rowdytum melden!«

EIN FAHLER SONNENSTRAHL kroch über das Linoleum eines Dienstzimmers im zweiten Stock einer normannischen Festung in der Keithstraße Nr. 28, kletterte den Schreibtisch hoch und legte sich ungefähr gleichzeitig über die Akte mit der Aufschrift »Kindstötung/Wolter« und das Gesicht des Ersten Kriminalhauptkommissars Karin Lietze. Seine Wärme kitzelte ihr in der Nase. Sie kratzte sich, hob verblüfft den Kopf und überließ sich einen Augenblick lang zwei widerstrebenden Gedanken. Es war seit Tagen der erste natürliche Lichtstrahl, und er tauchte, auch wenn er noch dünn und blaß war, das grausige Geschehen, das sich in dem Stapel beschriebener Seiten und Fotos zu einer trügerischen Ordnung formierte, in eine Versöhnlichkeit, die seine Grausigkeit noch schreiender machte. Auf der anderen Seite wärmte er ihr die Glieder. Sie merkte erst jetzt, daß sie völlig erstarrt über der Akte gehangen haben mußte. Sie hatte sich darauf versteift, deren Inhalt wieder und wieder und immer genauer zur Kenntnis zu nehmen und gleichzeitig nicht an sich heran zu lassen. Sie lehnte sich zurück und ließ den schmalen, sanften Streifen Freundlichkeit auf Bauch, Brust und Hals ruhen. Sie schloß die Augen. Aber die Bilder wucherten weiter in ihrem Kopf. Jeder Tod war erschreckend. Auch der natürliche. Auch der geschützte. Der, bei dem jemand herzlich aufgehoben ist zwischen denen, die ihn lieben und die übrigbleiben werden. Der angekündigte Tod, der alles und jeden chronisch in seine Nähe zieht.
Sie dachte an Schade. Einen kurzen Augenblick lang verschwanden die Bilder des ermordeten Kindes. Schade sah elend aus in letzter Zeit. Als wäre sie selbst nicht mehr ganz

von dieser Welt, seit es ihrer Freundin –, ach was: Seit es ihrer Frau so schlecht ging, daß sie angefangen hatte, ihr Leben vor dem Tode zu organisieren. Ob sie Schade in Urlaub schicken sollte? Es war vermutlich eine Frage der Zeit, daß sie zusammenklappte. Wieviel leichter war ein Tod aus heiterem Himmel – obwohl. Nein. Leicht war das nicht gewesen damals, mit ihrer Mutter. Sechs Jahre war das schon her. Sechs? Sieben fast! Und der Schock biß ihr noch immer in Herz und Magen. Der Anruf auf ihrer Antwortmaschine, als sie nachts um vier todmüde von irgendeinem frischen Tatort nach Hause geschlichen war. Als sie, schwankend vor Müdigkeit und Erregung, auf der Intensivstation ankam, war sie schon tot. Madame –. Gestorben, wie sie gelebt hatte. Getreu ihrem Motto, sie sei schließlich ein einfaches Mädel mit einem einfachen Geschmack und von daher einfach mit dem Besten zufrieden. Es war ein paarmal ein ungutes Ende dabei herausgekommen, aber Lietze d. Ä. – wie sie sich ironisch vorzustellen pflegte, seit ihre Tochter sich mit dem ihrer Meinung nach mindestens Zweitschlimmsten arrangiert hatte: *mit der Schmiere*! – hatte sich stets wieder aufgerappelt und noch jedes Ende zu einem grandiosen Anfang zu machen verstanden. Diesmal nicht. Diesmal hatte sie sich so unglücklich an einem Stück Prager Schinken verschluckt, daß sie einen totalen Atemstillstand erlitten hatte. Der Notarzt, der etwa fünfzehn Minuten später im Festsaal des Tennisvereins *Rot-Weiß* eingetroffen war, hatte nicht mehr versucht, sie wiederzubeleben.
Es war vermutlich alles vom Besten so. Auch der Schinken. Und wunderschön hatte sie ausgesehen. Trotz allem. Trotz der kühlen, grün-weiß technisierten Umgebung –. Nein. Es war besser, Schade zu beschäftigen. Jedenfalls solange Anita im Krankenhaus lag. Arbeiten hilft. Manchmal. Vertreibt die bösen Geister. Die Ahnungen vom blauen Hauch des Todes. Das Gefühl der Sinnlosigkeit.
»Denn genug zu tun haben wir wahrhaftig!« Lietze klappte energisch die Augen wieder auf, griff nach der Schachtel *Lucky Luciano* und steckte sich ein Zigarillo an.
Der Sonnenstrahl hatte sich vom Tisch auf die Wand verlagert. Wunderschön hatte sie ausgesehen, Madame Gisèle

vorm. Mademoiselle Marlene. Ganz, als hätte sie gerade eben das absolut Beste gehabt und nicht den finalen Krampf. Keine Todesangst –.
Lietzes Blick fiel wieder auf die Seiten mit dem Kopf des rechtsmedizinischen Instituts. Christian Wolter ... geboren 13. August 1990 in Berlin ... Hämatome ... Verbrennungen ... zerschmetterte ...
Sie drehte die Fotos, die auf der Nase lagen, wieder um, nahm einen tiefen Lungenzug, steckte sie zwischen den Deckel und das erste Blatt des pathologischen Befundes und schloß die Akte. Sie brauchte die Fotos nicht. Sie hatte vor drei Wochen mit ihren eigenen Augen in sich eindringen lassen müssen, wie dieses Kind zugerichtet worden war. In einem Akt der Raserei. Ein viel zu dünner, zarter zweieinhalbjähriger Junge. Mit brühendem Wasser übergossen, getreten, geprügelt und schließlich mit dem Kopf gegen die Kante seines Bettes geschlagen. Jemand hatte all das getan. Solange, bis die gebrochenen Glieder wie gesplitterte Äste von seinem Leib hingen und von dem Kopf nur noch blutverklebte Knochen- und Schleimhautfetzen übrig waren. Aber wer? Die verschwundenen Eltern? Wer von beiden? Oder beide gemeinsam?
Und niemand von der ganzen Nachbarschaft hatte irgendetwas bemerkt. Überhaupt, die Nachbarn. Das waren die seltsamsten Vernehmungen gewesen, die das MI/3 je geführt hatte! Als ob sie noch nicht mal zugeben wollten, daß sie in diesem Haus wohnten. Nicht mal dieser – Hausbuchführer! Blockwarts Wiedergänger. Vor nicht mal zweieinhalb Jahren hätte der jedem, der sich nicht sofort vorschriftsmäßig bei ihm anmeldet, die geballten Sicherheitsorgane auf den Hals geschickt! Vor allem einem aus dem Westen. Kein Wunder bei dem System, wenn die bei der Verbrechensaufklärung genau solche Ergebnisse hatten wie bei ihren Wahlen da!
Sie stand auf und ging zur Tür zum Schreibzimmer. Daß sie einen Kaffee bei sich behalten würde, schien ihr immer zweifelhafter. Sie hatte sich auch nach drei Jahrzehnten Polizeidienst und fast zwei Jahrzehnten »Delikten am Menschen« nicht an den Anblick gewaltsam Getöteter gewöhnt.

Und einen wie diesen hatte sie überhaupt noch nie in die Netzhaut geätzt bekommen. Sozusagen live.
»Sowas fällt doch nicht vom Himmel!« Wo haben die eigentlich alle hingekuckt! Wo ist denn dieser verdammte bessere Mensch! Sie straffte den Rücken und redete sich gut zu. Ruhig, Lietze. Nicht emotionalisieren. Hast du wirklich an den geglaubt? »Ach was, Quatsch!« Sie warf den Kopf nach hinten und schob eine Hand in den Hosenbund. Der Mensch, der nicht dauernd der bessere sein will, denkt auch mit dem Herzen!
Sie wußte, als sie die Klinke der sonnengesprenkelten Tür drückte, wozu das gut war.

»NA, MANN! Soll det hier ne Springflut für meine Schweißdrüsen wer'n?« krähte Helga, als sie die Tür mit dem großen Schild MIGRÄNE e. V., unter dem, leicht zu übersehen, ein winziger Zettel mit einem krakeligen »H. Pioch« klebte, hinter sich zugezogen und den Einkaufswagen vor die Klotür gerollt hatte. Ohne eine eventuelle Verteidigungsrede abzuwarten, beugte sie sich hinunter zu drei Katzen unterschiedlicher Größe und Farbe und ächzte aus der Perspektive standorttreuer Kleinraubtiere weiter. »Die wolln mir bloß den toten Maulwurf vom Kopp schwemmen, nich, Schischi? Dabei solln wir Enerjie sparn!«
Alle Katzen heißen Schischi, hatte Helga verfügt. Und wenn wir schon ma bei't Jedenken sind, hatte sie mit der Autorität ihrer pensionsreifen Jahre dazugefügt, denn heißen die, wo nach de Kinderschuh det Lockduft-Jespritze folcht, ehmt Fritz! Und da Helga zwar das größte aller mutmaßlichen Katzenherzen besaß und sich erst nach schweren Schmeicheleinheiten und Ablenkungsmanövern seitens des kompletten mittleren Kerns der MIGRÄNE auf »nur drei Viecher« im Büro, das auch ihre neue Wohnung geworden war, runterhandeln lassen, aber nicht die geringste Lust hatte, auch den Vierbeinern noch zwischen die Beine zu gehen, wartete sie eben ab, bis dieselben sich persönlich und unmißverständlich zur Geschlechtsfrage äußerten. Folgerichtig wurde Helga auch an diesem Montagmittag von einer

Schischi, einem Fritz und einem Winzling begrüßt, der einstweilen als Fritschi galt.
Nachdem sie die drei mit je einem Katzenkeks aus ihrer Manteltasche bedacht hatte, ächzte sie wieder hoch und versuchte, sich die schwarze Perücke zurechtzuzupfen. In der Tür von einem der drei Zimmer, die vom Flur abgingen, erschien eine junge Frau mit dicken Socken, Jeans, Holzfällerhemd und einem Pullover über der Schulter.
»Manu, hier is eene Bullenhitze! Det is ooch bestimmt nich jut für den janzen Hai-Teck-Meck da drinne!« Helga schälte sich unter wiederholtem Ächzen aus dem Mantel.
Manu sah ihr ungeduldig zu. »Ich sag ja, ihr sollt nicht soviel rauchen. Und wenn das Fenster auf ist, frier ich mir den Arsch ab. Ist eben nicht jeder vierzig Jahre straßenfest wie du – du *sollst* doch das schwere Zeug nicht schleppen!«
»Uff de Straße hab ick ma diesbezüchlich nich jefesticht!« brummte Helga und ließ sich auf ein kleines Sofa sinken. »Der Sack mitte Streu steht übrigens noch unten. Ick *schleppe* nemmich det schwere Zeuch nich!«
Fritschi war einen Augenblick unschlüssig, ob er Manu aus der Wohnung oder lieber den beiden ausgelernten Vierbeinern auf das Sofa folgen sollte. Ein rauher Aufschrei von Helga und eine fauchende Schnauze von Schischi beendete sein Dilemma. Fritschi sprang auf Helgas Schoß, drängelte sich unter ihre Strickjacke, und Fritz der Kater stellte das Schwanzgefuchtel ein.
Helga schloß die Augen und genoß das pulsierende Päckchen Leben an ihrem Bauch. Dessen Wärme sorgte einfach nur für wohltemperierte Verhältnisse in Helgas Körper und einen kühlen Kopf. Warum konnten Menschen nicht wie Katzen sein! Allein die schauspielerischen Glanzstückchen von Katzen, die etwas wollten ... Katzen *mochten* Huren auch! Die würden nie – »det darf doch allet nich wahr sein!«
Helga schoß in derselben Sekunde vom Sofa hoch, als die Wohnungstür aufsprang und ein rothaariger Glanz auf sehr hochhackigen schwarzen Lackstiefeln in den Flur schreiten wollte. Groß, sehr aufrecht. Helga stand da wie ein Känguruh.

»Kitty! Jut, dis du kommst!« brachte sie schließlich heraus. »Ihr ahnt ja nich, wat ick ehmt jehört hab!«
Das mit Kittys Schreiten wurde diesmal nichts, denn von hinten schubste Manu mit zwei 10-Kilo-Tüten Katzenstreu. Ein Stück schwarz-weißer Pelz plumpste aus Helgas Strickjacke, Kitty stolperte fast darüber, sackte Helga in die Arme, die schob der Ansturm einen Meter rückwärts, direkt zurück auf das Sofa, von dem sie gerade durchgestartet war. Zwei größere Stücke Pelz in schneeweiß und rotbraunschwarzweiß sprangen hoch und verließen fluchtartig mitsamt ihrem erschrockenen Azubi die Turbulenzzone. Helga hing schief zwischen Seiten- und Rückenlehne, Kitty ebenso schief zwischen Helgas Schoß und der Sofakante.
Manu drückte die Tür mit dem Fuß zu und starrte auf das Knäuel vor ihrer Nase. »Echt umwerfend, die Begrüßung!« Sie ließ grinsend die zwei Tüten auf den Boden fallen. »Kommt davon, wenn ihr immer Stilettos anhaben müßt. Sogar hier im Büro.«
Helga schnappte gleichzeitig nach Luft und der Perücke, die ihr inzwischen nach Art der Baseballkappen leger im Nacken hing und wenige feine weiße Haare auf dem Vorderkopf entblößte.
»Na hör ma!« schnaubte Kitty. »Ick komme direkt von Arbeit. Soll ick da fleicht mit Becker-Treter antanzen? Da lacht ja die Sitte!«
Sie griff Manus Arm und kam wieder auf die Beine. Dann beugte sie sich zu Helga, zog ihr mit einem resoluten Griff die schwarzen Kunsthaarlocken wieder in die Stirn und hielt ihr beide Hände hin. »So, Helga, jetze du!«
»Will wer'n Tee?« Manu war schon in der Küche.
»Ja« und »Nee« kam es gleichzeitig aus dem Flur zurück. »Muß ick bloß ständig uff Klo von!«
»Na – hast doch jetze immer n Klo inne Nähe. Helga – Mensch!« Kitty schob ihr den Arm unter und führte sie zu der Tür, hinter der Manu vorher gesessen hatte. »Du kannst dir nich dran jewöhn', dette nich mehr draußen stehst, wa?«
»Meinste?« Helga ließ sich gern schieben. »Da könnt'ste recht mit ham. Vor allning', wenn ick so wat höre!«

»Wat'n – wat hast'n jehört, nu los!«
Helga blieb stehen, drehte sich aus Kittys Arm und sah ihr direkt in die Augen. »Du gloobstet nich! Die schrecken vor nischt zurück, die Scheißkerle!«
Manu kam mit Tassen und einer Kanne ins Büro. »Was ist mit Scheißkerlen? Wieder was für die Kartei?«
Helga setzte sich an einen großen runden Tisch, an dem etwa ein Dutzend Leute Platz hatten. »Und wie! Ick weeß bloß noch nich, wer die sind! Na, jib mir ma ooch ne Tasse!«
Kitty warf ihre Teddyjacke auf einen der Stühle und setzte sich dazu. Manu schenkte ein und verschwand hinter einem Tisch mit einem Bildschirm und anderem elektronischen Gerät auf einem Drehstuhl.
»Also«, fing Helga endlich an, »irnkwer jibt Bongs aus, uff die steht *Jutschein für eemal Verkehr*, und verteilt die unter de einschwänzije Menschheit!«
»Wat is los?« Kitty hatte sich die Lippe verbrannt und keine Zeit für differenzierte Fragen.
»Ick sahre ja, det darf nich wahr sein. Is aber!« Helga pustete triumphierend in ihren Tee. »Et sind so Bongs in Umlauf. Det hab ick ehmt beim Einkoofen uffjeschnappt. Richtich echt, da sind schon welche druff reinjefallen.«
»Wer!« Manu kam so schwungvoll nach vorn, daß ihr der Drehstuhl fast unterm Hintern wegrutschte. »Mädels etwa? Oder Freier!«
»Von Mädels war nischt zu hören. Stuppen hat's erwischt. Und ick sahre dir, wenn die damit an eene von unsre jeraten sind, denn ham se hinterher nich mehr taufrisch ausjesehn. Oder kannst du dir vorstellen, uff Jutschein zu ackern, Kitty?«
Kittys Lippe war allmählich wieder fähig zu einem breiten Grinsen. Sie setzte sich aufrecht hin und erklärte, ganz Würde in Person: »Nä! Bin ick Aldi? Von mir hätte der n paar heiße Öhrchen einjefang'!«
»Siehste, det mein ick ja«, krähte Helga befriedigt. »Die Migräne schafft nicht uff Rezept! Aber wat is'n mit unsre reizende Mitmädels im Osten, hä?«
Manu seufzte auf. Kitty versuchte eine beschwichtigende

Geste in Helgas Richtung. »Ick weeß, wat du denkst. Aber, bloß weil wir immer noch keen richtijen Draht mit die ham, mußt du ja nich uff Besser-Wessi machen ...«
»Ick mach do' jaa nischt!« In Helgas Gesicht blitzte etwas nicht genau zu Definierendes auf, etwas, das ebensoviel Bitterkeit wie Mitleid enthielt. Und Melancholie. Oder Resignation? »Ick sahre bloß, wenn die partout nischt lernen wollen von uns, denn könnten se ehmt mal zu blöde sein, um –«
»Weißt du mehr?« Manu tippte auf verschiedenen Tasten herum und sah immer wieder hoch auf den Monitor. »Wie sehn die aus, die Bons? Wer soll die ausgegeben haben?«
»Weeß icke?«
»Da muß jemand hin!« Kitty ging zu Manu an den Computer. »Sowat hatten wa noch nich – oder?«
»Nähä! Gesperrte Schecks und Blüten angroh. Freier, die erst löhnen und dann die Kohle wieder klauen, auch. Aber Verzehrmarken – nä!«
»Wie weit bist'n überhaupt mit unse Arschlochkartei, Manu?« Der Tee war jetzt kalt genug. Helga schlürfte erwartungsvoll.
»Na – die Arschlöcher hab ich con tutti. Aber wir wollten ja noch n paar andre Rubriken ...«, Manu nahm drei quadratische Plastikscheiben aus einem Plexiglaskasten mit Schloß und gab sie Kitty. »Ich glaub, die Tarnung ist ganz okay, falls das Büro mal aus Versehen durchsucht wird ... Da kommen die nie drauf.«
Kitty betrachtete die drei Vierecke und las die Aufkleber. »Icke aber ooch nich – wat soll'n det sein: DNS?«
»Do Not Serves – hab ich aus Amerika übernommen. Da nennen sie die so. Ekelfreier aller Art, Geizhälse, Quaktaschen, Gummimuffel, Betrüger, Beleidiger. Eben die, die du nicht bedienst, verstehste?«
»Und hier – H^2O?«
»Wasser!« krähte Helga.
»Na – zweimal H, einmal O, ne?« Manu genoß die Verblüffung. »Steht für HurenHasser und deren Organisationen. Also, Frauen auch.«
»Manu, du bist'n Klopper, echt!« Kitty schenkte ihr ein aus-

gesprochen glanzvolles Lächeln. »Ick bin richtich stolz uff dir! Lernt man sowat inne Filmbrangsche?«

»Nö«, flötete Manu geschmeichelt. »Das hab ich mir damals schon ausgedacht, in der Intim-Bar. Ewig her.«

»ZNS«, probierte Kitty, »Z is Zuhälter, wa?«

»Hmhm.«

»N – Nieten? S – Stinktiere?«

»Nullen und Sados!« bot Helga an.

Manu kostete die Pause bis zur letzten Sekunde aus. »Zuhälter, die Nur Stören«, strahlte sie schließlich.

»Wahnsinn!« Kitty ging zum Tisch und hielt Helga die Scheiben hin. »Muß eener wie meener ja nich rin, wa? Der stört ja nicht *nur*.«

»Wenn ooch meistens!« gab Helga bekannt und besah erst die Disketten, dann Kittys Gesicht. »Außerdem«, fügte sie gnädig hinzu, »is Werner keen Luden, denn der hat die Werkstatt, wo er seine eingne Kohle mit machen kann, wa?«

»Tja«, Manu ging dazwischen, bevor die Aufmerksamkeit allzu weit von ihrem Meisterwerk abgelenkt werden konnte, »dieses, meine verehrten Mitmigränes, wenn ich mal bitten darf, ist die erste Kartei von allen, die unserem Berufsstand das Leben sauer machen. Sie basiert auf dem ständigen Informationsfluß von zirka zweihundert Kolleginnen in –.«

»*West*berlin, sahr ick ja!«

»Ja, Helga, noch!«

Helga war nicht zu überzeugen. »Und det würt ooch noch ewig so bleim! Kiek dir die doch ma an, diese Ostmädels! So'ne Enttäuschung! Die liefern ab! Die versauen die janze Brangsche mit ihre Scheißluden! Haste die einklich ooch in deine Kartei?«

Manu schnalzte. »Nee. Woher denn. Aber die krieg ich noch – mit Name, Adresse und Automarke! Wir haben nämlich noch eine Diskette – hier!« Sie tippte wieder auf Tasten herum und warf ein weiteres Plastikviereck in Richtung Tisch. Kitty fing es auf.

»WWF? Det sind doch ausstermde Tierarten.«

Manu schüttelte den Kopf und grinste. »Ah-ahm. Glaub ich nicht. Bin da eigentlich ganz optimistisch ...«

»Na, nu sach schon!« knurrte Helga.
»Wichtige und Wohlwollende Freier!« sagte Manu wichtig und wohlwollend.
»Juuut!« Kitty war wenigstens wieder ein Glanz.
»Und ich sage euch jetzt noch was, was ich auch morgen abend bei der Sitzung vom Kopfnuß-Kombinat nicht so ausbreiten werde: In allen vier Listen sind auch Bullen!«
Kitty glänzte mit einem Pfiff. »Allet Männer, wa?«
»Äh – ja sicher. Wieso?«
Kitty und Helga tauschten einen schnellen Blick. »Ja – na: Wieso frachst'n bloß sowat, Kitty!«
»Och«, der Glanz strahlte im Format Tschernobyl, aber mit lebens*rettendem* Vorzeichen. »Nur so.«

SONJA SCHADE SCHRECKTE schon beim ersten Knacken aus dem kleinen braunen Kasten über ihrem Kopf hoch. Als dann noch eine Stimme hinterherknarzte, die in jeder deutschen Behörde dienstverpflichtet werden könnte, als Erstschlagwaffe zur Abschreckung gegen eventuelle Anfragen, Anträge oder sonstige arbeitsverschaffende Ansinnen, starrte sie ein paar Sekunden lang angstvoll ins Leere und sackte wieder in sich zusammen, um ihren Blick auf das ebenso leere Schnapsglas zu fixieren. »Achtung eine Durchsage die Generalprobe ist verschoben auf Punkt dreizehn Uhr Sättschmoh sofort zur Bühne!«
Niemanden sonst in dem braungetäfelten flachen Souterrainraum schien das Kommando aus vielen Lautsprechern zu beeindrucken. Nur an einem der abgewetzten Holztische erhob sich ein schwarzer Hüne und schob gemächlich den braunen Plastikstuhl mit seinen sehr kräftigen Schenkeln nach hinten. Er war, bis auf schwarz-weiß geringelte Söckchen, auch komplett schwarz gekleidet. Oder eher gewandet – das T-Shirt floß weiträumig über seinen großen, runden Leib und die Jeans, die ihrerseits Hintern und Beine weich umspielten. Sogar die Turnschuhe wirkten wie auf Zuwachs eingestellt. Trotzdem war nichts an dem schwarzen Hünen schlapp. Im Gegenteil. Er bewegte den Stuhl hinter sich mit minutiös inszenierter Gelassenheit, steckte sich fast

träge eine neue Zigarette zwischen die Lippen und an und ging mit leichtfüßiger Eleganz zwischen Rauchschwaden und Tischen voller qualmender, schnatternder Menschen hindurch zu einer Tür an der Seite der Theaterkantine. Ein stattlicher Tanzbär, dem niemand Beachtung schenkte.
Außer Roboldt. »Ähh – soll ich dir noch einen Aprikosen-Edellikör spendieren, Sonja?« Er hatte sich wieder an ihr leeres Glas erinnert.
»Oh nee, lieber nicht«, auch Schade versuchte, sich wieder an die Gegenwart und den Ort anzukoppeln. »Einer reicht. Aber die haben doch auch Kaffee. Hast du Hunger?«
Sie stand ruckartig auf und sah Roboldt an. Der schwarze Hüne war durch die Tür verschwunden.
»Detlev! Soll ich dir was mitbringen?«
»Ja. Nee.« Er dachte an das vergilbte Schild neben der Glasschwingtür zur Kantine: Das Verlassen mit brennenden Zigaretten, Zigarren und Pfeifen ist verboten. Ob sich hier früher auch schon jemand extra eine frische Kippe zwischen die Lippen geklemmt hatte, wenn er rauskommandiert wurde? »Bring mir einen Kaffee mit.«
Er riß sich zusammen. Es mußte etwas getan werden. Diese bleierne Schwebe, in der alles zu verharren schien, mußte weg. Er wußte noch nicht, wie. Er war auch sicher, daß man an Sonjas Lage nicht viel machen konnte. Anitas Zustand hatte sich über die Jahre verschlechtert. Alle hatten damit gerechnet. Was heißt gerechnet – das war ja gerade das Tückische. Multiple Sklerose ist unberechenbar und schickt alle, die damit konfrontiert sind, durch die heftigsten Perspektivwechsel. Wochen, manchmal Monate schien alles stabil. Sonja war einigermaßen ausgeschlafen und imstande zu herzerfrischenden Bosheiten und effektiver Bodenständigkeit, was ihre Arbeit als jüngste Teileinheit des MI/3 anging. Plötzlich ein Schub. Anitas eben noch verläßliche Muskelkraft brach zusammen. Und damit, wenigstens für ein paar Tage, Sonjas Zeiteinteilung. Gott sei Dank hatte Sonja aufgehört, die Heldin zu spielen. Gott sei Dank hatte sie eines leicht melancholischen, aber warmen goldenen Oktobertags den Mund zu einem schüchternen Hilfeschrei aufgekriegt. Das gesamte MI/3 war seitdem irgendwie auch

zuständig für den Umgang mit den jeweiligen »Defekten« am Menschen Anita und deren organisierter Krankenpflege. Und Gott sei Dank hatte er selbst einen freischaffenden Krankenpfleger aufgetan, Beda für die Ämter, von denen er gelegentlich Arbeit beschafft bekam, Polette de Raclette für die Menschen, die er betreute und die ihn bei mancher *Ladies' Night* mit Phantasiekostümen in den Farben des Schweizer Landes unter einer Schaumgummiperücke in Form eines riesigen grellgelben Käses auf der Bühne erlebten. Beda-Polette war selbst positiv und, auch als sein eigenes kleines Match mit ihm wegen der Turbulenzen im Zuge der Wiedervereinigung der Berliner Polizeien abgebrochen war, begeistert, jemanden pflegen zu können, der nicht Aids hatte. Anitas Bilder gefielen ihm. Sonja hatte ihn tief ins Herz geschlossen, weil er ihr jeden Anflug von Eifersucht ersparte. Sie hatte sich sogar angewöhnt, von »ihr« zu reden, wenn sie gelegentlich berichtete, wie handfest und sanft Polette Anita auf die Toilette setzte, wusch, anzog, fütterte.
Aber zwei Tage, bevor Anita die Lungenentzündung bekommen hatte, aus heiterem Himmel sozusagen, mitten in einer völlig neuen Bilderserie, für die ihre Augen alle Kraftreserven zu mobilisieren schienen, hatte Polette das Flugzeug nach Rio bestiegen. Einmal im Leben am richtigen Karneval teilnehmen. Dem letzten vielleicht. Wozu chot man einen Sugardaddy, od'rrr?
»So!« Schades Stimme klang beherrscht. Sie stellte die Tassen auf den Tisch und warf eine Tafel Schokolade hinterher. »Du trinkst jetzt einen Kaffee für stolze 50 Pfennig und ißt was Süßes für's Herz, und dann wird gearbeitet!«
»Sonja, willst du Anita wirklich wieder nach Hause holen?« Roboldt riß das Schokoladenpapier auf.
»Ja. Nachher.« Schade steckte sich eine Zigarette an und stopfte sich Schokolade in den Mund. »Laß uns mal festhalten –.«
Roboldt seufzte, holte aber seine Notizen aus der Tasche. »Daß der Vater des getöteten Kindes vermutlich auch Christian heißt, obwohl alle immer bloß ›Chris‹ gehört haben wollen, davon können wir wohl ausgehen. Von mir aus auch

Christoph. Davon haben wir aber immer noch keinen Nachnamen.«
»Glauben wir dem Herrn Genossen Voltaire eigentlich, daß er den nur einmal live gesehen hat? Immerhin ist der sozusagen sein Schwiegersohn, und so ein – Patriarch wie ... Jetzt fang ich auch schon mit solchen Wörtern an!« Sonja knackte hektisch noch ein Stück Schokolade von der Tafel.
»Seh ich auch so. Der müßte eigentlich genau wissen wollen, was seine Tochter für Umgang pflegt.«
»Und zwar gerade, *weil* die sich mit den Eltern total überworfen hat! Das muß so einem Hundertfünfzigprozentigen wie dem doch an die Ehre gehen, wenn die Tochter von Spanienkämpfern und Antifa nix mehr wissen will. Der denkt doch als erstes, da steckt ein Faschist dahinter, der hat mein Kind gehirngewaschen. Dann nennt die sich auch noch um, weil sie nicht mit einem ›undeutschen‹ Namen rumlaufen will! Detlev, da wird der doch aktiv!«
Roboldt blätterte in seinen Notizen. »Was für Möglichkeiten hat so einer wie Voltaire eigentlich, an Informationen ranzukommen?«
»Stichwort alte Seilschaften? Genau! Keine Ahnung. Und was noch schlimmer ist, ich wüßte nicht mal, wo man anfangen sollte, das zu ermitteln.« Schade ließ sich gegen die Rückenlehne der hölzernen Eckbank fallen, schluckte das letzte Schokoladenstück runter und konzentrierte ihre Mundbewegungen auf die Zigarette. »Das Allerschlimmste allerdings ist«, sagte sie dann mit einem kampflustigen Unterton, »daß ich wahrscheinlich gleich einem Glukoseschock erliege!«
»Ein bißchen mehr hättest du mir ruhig abgeben können«, stellte Roboldt fest. »Also – der Mann ist Parteimitglied, und nicht bloß der ersten Stunde, sondern geradezu pränatal –.«
Schade kam wieder hoch und schnippte die Asche drei Zentimeter neben den klassischen Mitropa-Aschenbecher, weil sie Roboldt anstaunte.
»Na, wenn der in Spanien schon für das Väterchen mit dem Großen Bruder hinter sich unterwegs war? Da gab's noch keine sozialistische deutsche Einheitspartei, soweit mir be-

kannt ist. Dann, jedenfalls, dürfte ihm auch die widerlichste Aktivität für den Staatssicherheitsdienst seines besseren Deutschlands kaum gegen irgendeine Ehre gegangen sein. Sonja – das gibt 1A Schreibtischarbeit und Telekom-Umsätze!«

Schade drückte hastig die Asche aus. »Na dann. Immerhin können wir seine Frau Gemahlin getrost aus den Augen verlieren. So wie die den immer anglotzt und kuscht – der glaube ich aufs Wort, daß die Tochter für sie ›gestorben‹ ist!«

»Und der Enkel gar nicht erst zum geborenen Leben zählt«, ergänzte Roboldt. »Fürchte ich auch. Wir müssen sie trotzdem im Visier behalten. Wenn es stimmt, daß Dolores Wolter geb. Voltaire außer ihren Eltern keine nennenswerte Verwandtschaft aufweist und auch zu ihren alten Bekannten und Kollegen die Brücken gesprengt hat, wenn es weiter stimmt – wie weder ihr Vater noch ihre Mutter bezweifeln –, daß sie ihr eigenes Kind zumindest nicht vor diesem Tod geschützt hat, dann ist sie tatsächlich abgehauen und völlig auf ihren Kerl von Liebhaber angewiesen –«

»– und dann sitzt sie bald in der Scheiße, meinst du das?«

Roboldt nickte angewidert. Grün und blau geschlagen hatte er sie schon öfter, jedenfalls behaupteten das die Nachbarn.

»Und dann kriecht sie irgendwann reumütig in den Mutterschoß zurück? Wenn du dich da man nicht täuschst, Detlev. Außerdem – irgendwas sagt mir, daß wir über sie an ihn kaum rankommen, die macht das Maul nicht auf. Die war doch auch immer unglücklich an die Schranktür gelaufen, wenn mal ein Nachbar nach ihrem Veilchenauge gefragt hat!«

»Und wenn sie doch nur mit abgehauen ist, obwohl sie am Tod des Kindes nicht schuld ist? Wenn er ihr eingeredet hat, sie säße mit in der Falle? Vielleicht hat er sie auch erpreßt – er würde behaupten, daß sie es war. Aussage gegen Aussage. Vergiß nicht, sie ist aus dem Osten, aber er soll Wessi sein. Der kann ihr doch wunder was erzählen von West-Justiz und pipapo, da blickt sie doch gar nicht durch!« Roboldt griff nach dem grünen Schal hinter sich auf der Ablage. Er fror plötzlich, obwohl die Volksbühnenkantine überheizt war und sich mit noch mehr Leuten, teilweise in Zivil, teilweise in Handwerkerkleidung, teilweise in Kostümen und geschminkt, gefüllt hatte. Die Generalprobe schien mindestens ins neunzehnte Jahrhundert zu führen, eine Art Dorfpastor tauschte nervös Sätze mit einem bleichgeschminkten, wirrhaarigen jungen Mann in zerrissenem Wams und Bauschhemd. Es roch nach Anspannung und Hitze, es klang wie ein Bienenstock, in dem ein paar Drohnen durch betontes »Ha-ha-hah!« ihrer jeweiligen Bedeutung Nachdruck zu verleihen versuchten.

»Wo du recht hast, hast du recht«, räumte Schade ein. »Zumal unser Frl. Dorchen ja wohl auch eine Ecke älter ist als ihr Herr Bekannter! Und wenn es doch jemand anders war?«

Der grüne Schal prangte fest gewickelt wie eine orthopädische Halskrause unter Roboldts Gesicht, als der schwarze Bär wieder durch die Seitentür hereinschlenderte. Wieder nahm niemand Notiz vom ihm außer Roboldt. Und indirekt Schade, die ihrerseits davon Notiz nahm.

»Weißt du, was ich nicht begreife?« Roboldt zuppelte den Schal wieder locker, als wäre ihm plötzlich ein warmer Südwind durch die Eingeweide gefahren. »Diese Kälte!«

Schade sah ihm immer noch schweigend zu.

»Haben wir nicht überall gelesen, daß die DDR zwar arm und eng ist, aber so menschlich warm und herzlich?«

»Oh ja!« Schade verzog das Gesicht zu einem bitteren Grinsen. »Deswegen ist da auch meinesgleichen fast flächendeckend Alkoholikerin geworden ... Ich kann mir lebhaft vorstellen, wie die uns behandelt hätten, wenn ich da ins Krankenhaus gekommen wäre mit Anita-chch, Scheiße.« Sie raffte ihre Sachen auf dem Tisch zusammen, griff nach der Lederjacke auf dem braunen Plastik-und-Stahlbein-Stuhl und stopfte die Taschen voll. »Laß uns gehen!«

»Und so solidarisch miteinander –«, sinnierte Roboldt weiter.

»Jaja«, drängelte Schade. »Vor allem so international! Hör mir doch auf! Ich hab die Nase voll vom ganzen deutschen Osten seit diesen Dritte-Welt-Festspielen da in Hoyerswerda!«

»Eben. Und von der menschlich warmen deutschen Familie Voltaire!« Roboldt saß weiter auf der hölzernen Eckbank.
»Detlev – was verabreden wir jetzt? Ich muß hier raus!«
Roboldts Augen flanierten von der Theke, an der der große weiche Bär stand, in Schades Augen, die seinen gefolgt waren. »Hast du den auch gesehen? Wie der sich jetzt hier wohl so fühlt?«
Schade sprang auf und zog sich die Jacke an. »Meine Nerven, Detlev! *Frag* ihn doch. *Ich* gehe jetzt und rufe Fritz an!«

MUSS MAN SICH vom Leben alles bieten lassen? Diese Frage hatte sie umgetrieben seit ihrem dreißigsten Geburtstag. Damals hatte sie sich zum ersten Mal in ihrem Kopf festgesetzt und ihr ein unbeschreibliches Gefühl des Mißbehagens verursacht. *Muß man alles schlucken, weil das zur Geschlechtsrolle gehört, auch hier, auch heute noch – und am Ende eben auch Tabletten?*
Sie schlug das Heft mit dem grau-weiß-blauen Pappeinband zu und starrte aus dem Fenster. Sie hatte nie eine Antwort darauf bekommen, von niemandem. Die Genossen im VEB Florena hatten sie verständnislos angeglotzt, ihr empfohlen, doch wieder öfter zu den gemeinsamen Fahrten in Ferien- oder Schulungsheime mitzukommen, »damitte ma wat Anschtän'jet ssu schlucken krist, sonst erliechste noch dem Defättismus!« und dazu so hämisch gelacht und »hor-hor-hor« geschnalzt, daß ihr die Zote ja nicht entging, sondern wie kalter Stahl ins Herz fuhr. Kusch, Genossin! Du bist bloß ein Nebenwiderspruch. *Wir* sagen dir, wo's langgeht, denn *wir* haben den sozialistischen Wegweiser. In der Hose. Wo sonst!
Einer ihrer Liebhaber, der einzige, den das Thema nicht gleich aus ihrem Bett getrieben hatte, ein gescheiterter Journalist, der seinen Fuß auf keine Karriereleiter bekam, weil er immer die falschen Sachen wörtlich nahm, hatte sich aufgesetzt, eine *Karo* angezündet und ihr ein Referat über die hundertjährige Tradition von Thüringern, Sachsen und An-

haltinern in Sachen Selbstmord gehalten. »30 bis 50 Prozent über dem Mittelwert! Das darf natürlich auch nicht in unsere Medien, du weißt ja, Herzchen, in der DDR sind alle Menschen glücklich, zumindest demnächst, da bringt sich keiner um. Genau wie ja auch nicht geklaut wird und nicht gemordet und nicht ...«
Die Kugel des Fernsehturms auf dem Alexanderplatz hing bleich über den Dächern der verfallenden zweistöckigen Häuser auf der gegenüberliegenden Seite der Mulackstraße. Der ganze Himmel war ein blindes graues Aug, und die Kugel stand ganz lächerlich drin, einfältig. Wie ein Mikrofonkopf. Aber sie lachte nicht.
Thüringer! Ja ja. Sie haßte den *Karo*-Gestank. Er roch wie verbrannte Lumpen. Daß er *Karo* rauchte, war Etikettenschwindel. Ein ritueller Kotau vor dem Proletariat, dessen einzige diktatorische Errungenschaft sich im Diktieren von Geschmacklosigkeit erschöpfte. Vor der Klasse, die sich feineren Konsum ja nicht leisten konnte. Was konnten Arbeiter sich nicht leisten! Jede ruhige Kugel konten die schieben. Notfalls war eben die Anlage kaputt oder die Verteilung schlecht organisiert. Von anderen natürlich. Sie hatte es doch selbst erlebt bei Florena. Die hatten das Biedermeier industrialisiert. Oder die Industrialisierung verbiedermeierlicht. Die konnten sich alles leisten.
Später war der *Karo*-Proletkult zum Erkennungszeichen für staatsfeindliche Kräfte untereinander avanciert. Zum Verdruß von deren Schatten aus der Firma Horch, Guck und Schnüffel, die sich eigentlich auch Besseres zum Schnüffeln leisten konnten. Eliten von eigenen Gnaden. Lauter sozialistische Wegweiser.
Daß im Land der weiblichen Vollbeschäftigung auch nicht vergewaltigt wurde, hatte er in seiner unangekränkelten Misogynie vergessen zu erwähnen. Nur wieder seinen Standardwitz erzählt. Von dem Mann, der im Centrum Warenhaus in die Schreibwarenabteilung geht und ein Farbband kaufen will und von der Verkäuferin hört: »Wir haben hier keine Schulhefte. Keine Farbbänder kriegen Se'n Stock höher!«
Sie stand auf, rubbelte die Arme unter den drei Schichten

wollener Ärmel und ging durch das Zimmer, dessen Tapeten in schimmeligen Fetzen herunterhingen und graugrüne Phantasielandschaften auf den Wänden entblößten, in die Ecke mit dem hellbraunen Kachelmonstrum. Sie drückte den Bauch gegen die Kacheln. Es war das, was man hellichter Tag nennt, aber längst hatte die Dunkelheit alle Formen im Zimmer verschlungen. Bis auf das rissige Fenster, durch das feuchte, kalte Luft auf den Tisch pfiff. Sie brachte den Kugelschreiber ins Rollen. Es war alles so klein, so kalt, so naß, sie hätte sich in den Ofen setzen mögen. Und die Welt dazu.
Verdammt viel hatte sie geschluckt. Zuviel. Am meisten von Frauen. Sie hatten für die wirklichen Tiefschläge gesorgt. Allein das Wort »Geschlechtsrolle« ... Lichtjahre hatte es sie von ihnen entfernt. Sie kannten es nicht. Sie wollten es nicht kennenlernen. Sie hielten es für westlichen Luxus und den falschen Weg. Sie hatten ganz andere Probleme hier. Da. Den jeweiligen Kerl davon abhalten, daß er sich vollaufen läßt oder das Kind seines Vorgängers verprügelt, sein eigenes aber verhätschelt. Oder ihm den *Trabbi* abschmeicheln, für eine Spritztour zum Frauenaktiv XY in Cottbus. Oder Kabale und Geschiebe, wenn eine zur DVP wollte, wo doch Polizeiarbeit Männersache war. Außer im Fernsehen. Genau wie Regieren. Eine Margot macht vielleicht einen Honecker, aber keinen Staat. »Wir haben hier keine Geschlechter. Keine Rolle kriegen Se weiter oben!«
Keine dabei, die gelernt hatte, sich wie ein vernünftiger, auf die Wechselfälle des Lebens vorbereiteter Einzelmensch zu benehmen. Sie hatten alle Angst und versteckten sie hinter »Identität«. Die alte deutsche Angst vor allem, was Sicherheit und Ordnung bedrohen könnte. Und die hatte auch sie geschluckt, zuerst mit der Muttermilch, später mit jedem gescheiterten Versuch, zu anderen zu gehen, um zu sich zu kommen.
Sie drehte sich um und lehnte den Rücken an die Kacheln. Im Fensterviereck ragte ein Stück düsterer, verrotteter Fassade vom gegenüberliegenden Haus in das Grau des Himmels. Die Fenster im zweiten Stock waren neu gestrichen, aber bis zum ersten Stock hoch zerfraßen die Ein-

schußlöcher der letzten Kriegstage den Verputz. Das Haus stand frei, obwohl es kein Eckhaus war. Die Ecke zur Gormannstraße war angenagt.
Nein. Tabletten jedenfalls nicht! hatte sie weitergeschrieben. Seit jenem Tag vor über zwölf Jahren schrieb sie ihre Tagebuchsätze über sich und die Welt in der dritten Person. Zu Bewußtsein gekommen war ihr das erst einige Wochen später, als sie dem *Karo*-Liebhaber aus seinem Pankower Bett gesprungen war. Er hatte zu einer Belehrung über das ganze »Tabu Psychiatrie« ausgeholt, als sie von Halluzinationen erzählen wollte.
Sie war zu Fuß in ihre damalige Wohnung gelaufen, nachts um drei, hatte sich aufs Bett gelegt, das Heft aufgeschlagen und geschrieben, rasch und wie auf der Folter. *Sie ist keine Frau, sie existiert, und was es in ihr gibt, sind Bewegungen, die sie für immer in den Übergang heben. Die größte Ruhe findet sie in der Halluzination.*

»ET WÄR WÜRKICH SSU NETT, wenn Sie't probiern könntn, Frau Jacob!« Der kleine dicke Uniformierte hielt sich mit der einen Hand an dem schaukelnden Walkie-Talkie vor seinem Bauch fest. Mit der andern kniff er so erregt in einen fotokopierten Zettel, daß die Feuchtigkeit ein Loch ins Papier fraß. »Sie ham ja sowat – Überzeujendet! Schon rein von Ihre Stimme her.«
Mimi Jacob schüttelte den Kopf. Und rein von der Stimme her tröpfelte diesmal Nerzöl in die roten Ohren des Wachmanns.»Probieren ist gar nicht das Problem, Herr Ritter. Und Sie müssen auch keine Angst haben, es wär zuviel verlangt, wenn Sie Ihre Pensionierung gern mit dem MI/3 feiern wollen. Sie haben soviel für uns getan ...«
Ritter schüttelte den Zettel von den klebenden Fingern neben eine Glaskanne mit einem Chromdeckel und einer merkwürdigen Stabkonstruktion, die auf einem Stövchen balancierte. Er schnupperte. »Hmmmm«, brachte er schließlich hervor. »Is det jetzt der neue Kaffe-apperat?«
»Jaja, die Kaffeequetsche. Das ist schon die dritte.«
Ritter verstand nicht.

»Na, zwei hat sie schon erledigt. Man braucht ein gewisses Geschick beim Runterdrücken von diesem Sieb. Sonst rutscht die ganze Kanne weg –«
»Denn looft ja ooch die janze Lorke durch die Jejend – na, det is aber nischt für die Frau ähm, für *Lietze*!«
»Eben«, perlte das Nerzöl weiter mit der erdumspannenden Friedfertigkeit einer Liebeserklärung. »Ich hab schon gesagt, einen Wurf hat sie noch. Wenn die hier auch hin ist, kommt die braune Höllenmaschine wieder aus dem Schrank. Wollen Sie eine Tasse?«
In Ritters Herz klopfte ein Ping-Pong-Match. Er wußte nicht, ob er einfach weiter in dieser Stimme schwelgen oder staunen sollte, *was* die äußerte. An sich, im Jrunde, also einklich is det ja – Majestätsbeleidigung! »Ähm, äh, nee nee. Is lieb jemeint, aber meene Frau sacht ooch, ssuville Kaffe, da wird der Mahren sauer von!«
Mimi stand auf und goß eine Tasse voll. »Probieren Sie mal den, der –.«
Hinter Ritter ging die Tür auf. »Mimi? Erstens, wann sollten diese Zeuginnen Krause hier sein, zweitens, ist Fritz bei sich, drittens –.« Als sie Ritter erkannte, verkniff sie sich die Frage nach dem Magenbitter.
Ritter schnappte noch nach Luft für einen Gruß, der seine ganze Achtung vor dem EKHK Lietze auf einmal ausdrücken sollte, aber Mimi blätterte sofort, ohne den Blick von Kanne und Stövchen zu lösen, die Antworten hin. »Halb zwei – in seinem Zimmer ja, bei sich nein, eher bei seinen Mandeln – und: ja, für eine Tasse reicht's gerade noch.«
Lietze nickte kurz Ritter an, griff das zerknautschte Blatt und stürmte quer durchs Zimmer zur gegenüberliegenden Tür. »Ich *wollte* gar keinen Kaffee!« In der Tür drehte sie sich noch einmal um. »Ritter – Mensch! Sie haben doch, haben Sie nicht – Geburtstag?«
Die Tür knallte zu. Das Telefon klingelte gleichzeitig. Mimi drückte Ritter die Tasse in die Hand und wies mit dem Kopf auf einen Stuhl. »Der ist nicht sauer, der ist nämlich nicht deutsch gebrannt.« Beim zweiten Klingeln war sie am Schreibtisch und legte die Hand auf den Hörer. »Um

Lietze«, fuhr sie fort und riß den Hörer hoch, bevor es zum dritten Mal klingeln konnte, »kümmere ich mich. Versprochen! – Jaah?«
Ritter bugsierte seine schwerfälligen alten Knochen auf den Stuhl und hatte noch mehr damit zu tun, das schlenkernde Walkie-Talkie vor einem Schwall aus der ebenso schwankenden Tasse zu bewahren. Endlich nahm er selbst einen ersten heißen Schluck, wartete, was sein Magen dazu melden würde, und betrachtete währenddessen Mimis Rücken und ihren durch die Luft tanzenden freien Arm. Nach der halben Tasse hatte er es sich regelrecht gemütlich gemacht in den eigenartigen Melodien und Wörtern, die aus Mimis Mund perlten. Halb vertraute, halb fremde Laute. Ob det woll – ähm: »jüdisch« is?

»ICH LEG DICH UM«, sagte eine Stimme wie vom Amt.
»Hallo«, sagte die junge Frau in Fohrbeck.
»Wäs denn«, sagte ein noch jüngerer Mann in Ostberlin.
»Mann, endlich!« sagte sie. »Chris, ick –«
»Hällo?« sagte er.
»Ja? Hörste ma jetze?« sagte sie. »Ick kann dir jut hörn. Janz nah, wie uff de Bettkante. Chris? Jut so?«
»'dämmte Schaißlaitungen!« sagte er.
»Hol ma hier raus, Chris –«, sagte sie.
»Brech jetz nich *wieder* zusämm', jä!« sagte er.
»Doch, tu ick«, sagte sie. »Ick breche. Uff der Stelle, wennde mir hier nich sofort –.«
»Dech mein ich nich«, sagte er. »Ech wähl mir hier die Footn wund, bis ich äntlich mä durchkomme, und dänn brecht die Leitung zusämm'!«
»Die janze Sache hier is so –«, sagte sie, »verstehste. Wenn du mir nich holst, setz ick ma in' Zuch und –.«
»Hält mä«, sagte er. »Kommt nich enfrage!«
»Doch, mach ick«, sagte sie. »Ick brauch dir, Chris. Grade jetze. Ick komm hier nich klar alleene. Ick versteh die Leute nich ma, mit ihrn komischen Dialekt. Ick –.«
»Du mächs, wäs ech dir sage!« sagte er. »Rühr dech da nich wech, sonz –.«

»Sonst – was!« sagte sie. »Gloob jaa nich, dis du aus de Sache rauskommst ohne mir! Ick hab ooch'n Maul, und ick *muß* et nich halten. Und hierbleiben muß ick ooch nich bei deine beschissene Besserwessis mit ihrn Jesülze!«
»Liebchän!« sagte er. »Doloräs –.«
»Sach nich nochma Dolor –«, sagte sie, bevor es knackte. Der Rest versoff in einem bräunlichen Rauschen.

KRIMINALHAUPTKOMMISSAR LOTHAR FRITZ wickelte den Schal von seinem Hals und zerrte den Streifen Alufolie gleichzeitig mit einem nassen Geschirrtuch ab. Er rieb sich den Hals, drückte auf die Partien unter dem Kinngelenk, verzog das rotglühende Gesicht schmerzlich und wickelte dann den Schal wieder um.
»Das hat doch alles keinen Sinn, Fritz!« Lietze schüttelte den Kopf und schnalzte.
»Doch!« knödelte Fritz. »Ist schon viel besser geworden. Die Vernehmung kriege ich noch hin!«
»Alles, was Sie heute kriegen, ist Hausverbot«, sagte Lietze einen Ton zu scharf. »Sie können ja nicht mal richtig sprechen. Das klingt doch wie – wie – Schneeballschlacht mit Kartoffelklößen!«
»Aber das geht doch nicht, ich kann doch nicht auch noch –«, Fritz' Stimme versiegte unter dem Druck zweier mutmaßlich feuerroter, weißgesprenkelter Knödel in seinem Hals. Seine Stirn fing an zu glänzen. Er räusperte sich.
»Wieso *auch*? Ist Schade –?«
Glucksen. Ein hin- und herfliegender Kopf. Schließlich: »Öhng-öhng! Ngobollg – ingressierg schisch ma'ieda mehr hür'ng Kerng as hür'ng Morg –.«
»Was?«
»Chongjah hagg angerufm – wia müschng Voltaire ch-chchtajiemächich gurch'euchtm –.«
»Auch das noch! Sieht das wenigstens nach einer brauchbaren Spur aus?«
Was Fritz unter Aufbietung seiner letzten kommunikativen Potenz hervorknödelte, ließ Lietzes Laune um einen halben Ton milder werden. »Ich glaube zwar nicht, daß Schade viel

erreicht. So einfach bei der Gauck-Behörde reinspazieren – ich glaube, das müssen wir dann von oben aufrollen.«
Fritz nickte aufgeregt und brachte ein »Geggwangg« heraus.
»Mindestens Dettmann, wenn nicht noch weiter oben. Na dann – die kriegen wir auch auf den Teppich. Schreiben Sie mir die Stichworte auf. Und was war jetzt mit Roboldt?«
Fritz zuckte die Schultern.
»Hinter einem Kerl her? Was heißt das – wo – wer?«
Genaues wußte Fritz auch nicht, und für erotische Phantasie fehlte ihm derzeit der kühle Kopf.
»Na und?« Lietze hatte keine Lust, den Teil des Gesprächs fortzusetzen. »Hat eben nicht jeder Appetit auf fatale Fotografinnen, nicht, Fritz? Und Kobolds Faible für junge Männer und alte Damen war doch bisher immer ganz fruchtbar – oder? Ich meine, ermittlungstechnisch!«
Fritz nickte, tippte sich mit der Hand gegen die Stirn und machte eine Bewegung, als wollte er sich selbst wegwischen.
»Und das ist doch vermutlich ein Ossi, wenn der am Theater arbeitet. Also, wer weiß, wozu's – Sie wissen schon.«
Wieder nickte Fritz eifrig.
»So«, Lietze stand auf und gab Fritz den zerknautschten Zettel. »Der netteste Wachmann von allen wird morgen pensioniert, lesen Sie mal. Ich bringe Ihnen gleich drei *Virginioffs*, und alles, was Sie hier noch tun, ist, die einpacken und Ritter in die Hand drücken, wenn Sie dann gehen!«
Fritz sprang aus seinem Stuhl und kippte gleich wieder zurück.
»Und schärfen Sie ihm ein, daß er das Päckchen nicht aufmachen darf, wenn seine Frau dabei ist – die ist militante Nichtraucherin! Und dann gehen Sie zum Arzt. Entzündete Mandeln werden nämlich gern chronisch.«
Sie zog die Tür zum Schreibzimmer auf. Mimi stand über eine Glaskanne gebeugt und drückte mit beiden Händen ein Sieb darin nach unten.
»Implodieren kann *die* aber wenigstens nicht«, bot Lietze an.
Etwas wie »Toches« und »küssen« träufelte durch den Raum zurück.

»Bitte?«

»Ach, nichts«, Mimi hob fragend die Kanne in Lietzes Richtung. »Zuviel Mischpoche zur Zeit, macht einen ganz meschugge!«

Lietze nickte. »Wie lange bleiben Ihre Verwandten denn?«

Mimi schenkte einen Becher voll. »Keine Ahnung. Aber mindestens bis die gesamte Oranienburger Straße luxussaniert ist. Oder glauben Sie«, die Balsamtraufe bekam eine auch für Nichtdiabetiker lebensbedrohliche Süße, »daß deutsche Gerichte sowohl die Arisierung als auch die Prolet-Arisierung nächste Woche in klare Eigentumsverhältnisse verwandelt haben?«

»Aber die wohnen nicht bei Ihnen – oder?« Die Vorstellung, die eigenen vier Wände mit der halben Familie teilen zu müssen, rief eine leise Panik in Lietze hervor. Und sie war froh, daß Madame Gisèle das auch so gesehen hatte. Zu Lebzeiten. Familienbande hatten leicht etwas von – tödlicher Umarmung. Obwohl, umarmt hatten die den kleinen mageren Christian wohl gerade nicht –.

»Oh nee! Deshalb hab ich sie doch dauernd am Telefon! Ich weiß übrigens, wie der alte Mann hieß, den Sie neulich abend vom Tacheles stürzen sehen haben: Leonid Malkosch. Schneider aus Wilna. Meine Cousine hat die Tochter beim Rechtsanwalt kennengelernt ...«

Lietze starrte sie irritiert an.

»Tja«, Mimis Stimme klang jetzt fast rauh, »gespart hat er, jeden Rubel, er hat missen noch ajnmal im Leben zurückkimmen, nach Berlin nebbich, wo er hat gelejbt zejn Johr – ach du lieber Himmel! Karin –.«

»Reden Sie ruhig weiter, Mimi«, Lietze tastete verlegen die Taschen ihres Sakkos ab und förderte eine Schachtel *Lucky Luciano* zutage. »Ich – komm schon irgendwie mit ...«

»Na, nee. Ich kann's ja nicht mal mehr richtig! Jedenfalls war er eben auch im Wartesaal Scheunenviertel, damals, auf der Großen Durchreise nach Amerika. Und da, wo das Tacheles drin ist, da war früher eine Passage mit einem feinen Kaufhaus. Fir die schejne Sochn alle, wus er sich hat nischt kojfen kenn'. Und seine Tochter glaubt, daß er jetzt, am Ende seines –«

»– endlich mal rein und was kaufen wollte?« Lietze zog am Zigarillo und sah in Mimis Augen. »Und wie ist er –?«
»Es gibt keinen Täter. Er ist gestürzt. Vielleicht hat er's auch gewollt – fliegen ... Der Chammer! Gloibt, er mecht kenn fliegen wie n Engel von Chagall ...«
Lietze hielt Mimis Augen immer noch fest. Sie wunderte sich, daß sie keineswegs wegschwimmen wollten. Eher – zerstäuben. Sich verflüchtigen. Die ganze Existenz in Luft auflösen.
»Wissen Sie, was Malkosch heißt?« fragte Mimi endlich.
Lietze schüttelte den Kopf.
»Das ist ein Regen, der letzte, bevor der Sommer an zu sengen fängt, bei uns – äh, im Karmel –«, Mimi gab endlich den Becher Kaffee weiter. »Wenn mir bloß nicht dauernd das Wort Omen durchs Hirn schießen würde!«
»Wollen Sie etwa – weg, Mimi? Aus Deutschland, meine ich?«
Durch Mimis Körper fuhr ein Ruck. »Kommt überhaupt nicht in die Tüte!« Sie hatte auch wieder Balsam in der Stimme. Rosenöl. Mit einem leicht dornigen Geschmack. »Damit liegt mir die Mischpoche auch dauernd in den Ohren! Nä!«
»A propos Familie«, Lietze stellte wieder einmal erleichtert fest, daß eine gewisse preußische Vernunft im Verbund mit Beherztheit äußerst menschenfreundlich sein konnten, »rufen Sie ganz schnell bei Fritz zu Hause an, Mimi! Seine Frau muß ihn hier einsammeln, sonst geht der nie!«
»So schlimm?« Mimi griff zum Hörer.
»Ja! Vereiterte Mandeln, und die –«, sie drückte die Tür zu Fritz' Dienstzimmer kurz wieder auf, »gehen, wenn ich nicht irre, leicht aufs Herz!«

DER HIMMEL WAR NICHT MEHR verhangen. Wind aus dem Westen drückte sich jetzt in scharfen Böen durch die Linienstraße. Sie trieben klamme Luft unter Mäntel und Röcke und fuhren unter Autos, als wäre ihnen eben in diesem Augenblick wieder einmal eingefallen, daß die Menschen von Zeit zu Zeit gewaltsam klargemacht bekommen müßten, was für winzige Spielbällchen sie in Wirklichkeit waren und was für Tand, Tand alle Gebilde von Menschenhand.

Schade schrak hoch und knallte mit dem Ellbogen gegen das Lenkrad. Sie mußte im Wagen eingenickt sein. Sie sah auf die Uhr, dann nach draußen auf die Kreuzung Linien/Weydinger Straße und schaltete das Autoradio ein. Der Ellbogen jaulte. »... der in Böen Stärke 8 erreichte ...« Die schwarze filterlose Zigarette biß in der Lunge und überlagerte das Jaulen kurzfristig. »... in Dahlem 5° C. Die weiteren Aussichten. Auch für die nächsten Tage bleibt die kräftige nordwestliche Strömung über Deutschland erhalten ...«

Schade drehte das Seitenfenster herunter und rückte den Spiegel zurecht.

»... erst zum Ende der Woche deutet sich wieder ein Vorstoß milderer Luft von Westen her an ...«

Das mußte Haus Nr. 21 sein. Und das war auch Voltaire!

»... bis Dienstag wolkig mit Aufheiterungen, Höchsttemperatur +3° C.«

Er überquerte die Straße und kam von hinten auf das Auto zu. Schade ließ den Anlasser los, drehte das Radio leise und drückte die Zigarette aus. Sie verschluckte einen Fluch über die nicht zugefrorenen Scheiben und konzentrierte sich darauf, einfach nicht da zu sein. Unsichtbar.

Er kam näher. Sie sah, ohne sich zu rühren, in den Rückspiegel. Er hielt die Augen fest auf den Boden geheftet. Sie hielt den Atem an. Wahrscheinlich hat er Angst, daß er ausrutscht, lenkte sie sich ab. Kein Wunder, bei dem Marschtritt. Und der Jüngste ist er auch nicht mehr.

Er sah sie nicht. Er marschierte vorbei. An der Ecke zur Weydinger Straße riß er die Hand an seine Pelzkappe Modell *From Russia with Love.* Als er rechtsherum verschwunden war, ließ Schade den Wagen an und holte Luft.

Sie hätte nicht sagen können, warum sie ihm folgte. Wahrscheinlich geht der doch bloß in seine Stammkneipe. Machen sie doch alle, wenn's irgendwie eng wird. Die Menschheit greift immer zur wässrigen Lösung – die Kerle zum Sprit, die Weiber zur Träne! Halt – Stammkneipe? Auch gut,

dann weiß man wenigstens, wo hier eine ist, wenn man mal wieder eine braucht ... Detlev, du verdammtes Aas!
Der Mann mit der Pelzmütze schritt stramm über die Fahrbahn auf die linke Straßenseite.
Außerdem – eine Stammkneipe war doch der viel praktischere Weg in Voltaires Hinterland als dieser Stasiakten-Dschungel – was macht er denn jetzt? Wo geht *der* denn rein?
Schade bremste mitten auf der Straße und überlegte. Dann lenkte sie den Wagen so weit nach rechts, daß ein Uniformträger mit ein bißchen Wohlwollen auf »zweite Spur« erkennen konnte, und lief zum Eingang des großen vierstöckigen weißen Hauses, das die gesamte Ecke Weydinger/Kleine Alexanderstraße einnahm. Sie hatte schon einmal davorgestanden, auf der anderen Ecke der Kleinen Alexanderstraße, als sie sich Wohnung für Wohnung durch die Nachbarhäuser der Weydinger Str. 2 gefragt hatte. In der dünnen Hoffnung, daß irgend jemand diesen »Chris« doch näher kannte. Oder wenigstens irgendeine irgendwie weiterführende Beobachtung anzubieten hatte. Aber das Ergebnis war so niederschmetternd gewesen, sie hatte die Nase so voll gehabt von dem Mief der alten Treppenhäuser und dem Mitropa-Geruch in den Wohnzimmern, daß sie den Rest der Weydinger Straße unbefragt zu lassen beschlossen hatte. Es war nicht mal nötig gewesen, Fritz zu überreden – der hatte nur auf die Ansammlung von DDR-Karossen gestarrt, ein mürrisches »Rennpappen!« geäußert und sich den Schal über Mund und Nase gezogen.
Als sie das Schild links neben dem Eingang gelesen hatte, wußte sie auch, warum die sich um dieses Haus herum auffällig häuften – hier also saß dieser Nostalgikerverein! Diese Bruderschaft für – für – angewandtes Zuspätkommen! *Karl-Liebknecht-Haus* – da haben wir's doch schon wieder! Lauter Kerle ... Sie schnalzte und sammelte dabei zweitaktgemischte Luft für einen verächtlichen Seufzer. Dann lief sie zum Wagen zurück, zog den Schlüssel ab, fuhr sich durch das Gesicht, stellte den Kragen der Lederjacke in den Marlowe-Winkel, führte einen inneren Dialog über die Bedeutungslosigkeit vorgefaßter Meinungen und privaten politi-

schen Naserümpfens für polizeiliche Ermittlungsarbeit sowie die Zweifelhaftigkeit von Pauschalurteilen in Sachen »Heimweh nach St. Stalin« – immerhin leistete sich diese Partei einen Kleinen Vorsitzenden, der einen Hang zu Witz und westlicher Dekadenz nicht verleugnen wollte –, und drückte in dem Augenblick die Tür der PDS-Zentrale auf, als sie bereit war, sich zunächst mal über gar nichts zu wundern. Infolgedessen verlor sie keine Zeit mit Staunen über die westlich gestylte Lobby inkl. kahlen weißen Wänden, Palmen und einer Jalousie über die ganze Hinterwand. Sie speicherte augenblicklich, daß hinter einem schräg gestellten Tisch ein etwa vierzigjähriger Riese fläzte und mit einem Funktelefon spielte. Marke locker & flockig. Könnte Chefredakteur beim Popsender PUZ sein.
Den Mann, der jetzt seine sibirientaugliche Mütze in der linken Hand hielt, die rechte dagegen brüderlich auf der Schulter einer hageren Mittvierzigerin abgeladen hatte, ließ sie mit einem freundlichen »ah, Herr ähm, so eilig war das Aufwiedersehen gar nicht gemeint!« links liegen. Sie strebte den Berufsjugendlichen an. Vor dessen Tisch baute sie sich so auf, daß sie Voltaires Körpersprache aus dem Augenwinkel lesen konnte. »Guten Tag, ich – äh-m, ich hab da eine etwas dämliche Frage ...«
Der Riese mimte einen Senkrechtstarter.
Gar nicht blöd, der Sprung in die Politik, dachte Schade und hob die Stimme: »... wissen Sie zufällig, wo genau diese, ähm – Gauck-Behörde ist? Ich meine – wie komm ich da jetzt hin?«
Klasse! Voltaire *war* zusammengezuckt. Und die Bewegung, mit der er den Arm von der Schulter riß und deren Inhaberin durch die eine Seitentür drängelte, stank geradezu nach Nervosität!
Schade widmete die nächsten Minuten – ganz einer aussichtsreicher werdenden Zukunft zugewandt – dem lockeren Riesen und dessen herzzerreißenden Bemühungen, gleichzeitig ein Funktelefon mit erigierter Antenne, mehrere durch zwei Türen hin- und herhastende Menschen, einen verhedderten Stadtplan sowie seine eigene nervös röhrende Charme-Maschine zu manövrieren.

»... UFF DE GORCH FOCK ALS DIENSTSEGEL faflichtet wer'n, bei dem seine Ohrn ...«, schwirrte ihm im Kielwasser von hämischem Kichern schon durch den Türspalt entgegen. Er spürte die Unruhe wieder anschwellen und sich zu einer kantigen Bugwelle türmen. Er rang nach Luft und zerrte am Gürtel des braunen Ledermantels.
Das Kichern brach ab, sobald die Tür ins Schloß schnappte. Die junge Frau hinter dem Schreibtisch zog die Füße von der Fensterbank und flog auf dem Drehstuhl herum. »Tach, Herr Jäh-«.
»Sie kriegen Ihr Geld hier nicht, damit Sie sich privat ammesieren!« schnarrte er. »Haben Sie die Artikel besorgt?«
Die junge Frau ließ mitleidig die Mundwinkel herab. »Moment Mama, mein Chef is grade – ja, bis dann, ciao-ciao!« Dazu kicherte sie wieder, bevor sie gespielt ehrerbietig auf eine offene Tür wies. »Auf Ihrm Tüsch –.«
Die Tür schabte lautlos und wie mit letzter Kraft über den violetten Veloursboden und schaffte es nur bis kurz vors Schloß.
Jähder schaffte es bis hinter einen überplanmäßigen Schreibtisch. Er sackte in den dito repräsentativen Drehsessel aus mittelbraunem Kunstleder, der durch den Schub ins Drehen kam und ihn fast wieder hinauskatapultierte. Er verwünschte sämtliche Sesselfurzer der Nomenklatura, die ihn vorher besessen hatten. Dazu sämtliche Kunden, dank deren Soziallesatzion im DDR-eigenen Stalldung er sich im ihm-eigenen Betrieb mit Politbüro-Barock umgeben mußte. Fakt war, die diesbezüglichen Einrichtungsgegenstände waren für Dampinkpreise zu haben gewesen. Fakt war ferner: Wer Geld *brauchte*, kam eben aus dem Treuhandgebiet. Fakt war drittens: Wer da soziallesiert worden war, *hatte* den Geschmack von Wandlitz und Bitterfeld in den Hacken, selbst wenn er sie nur innerlich zusammenknallte und sich dafür hätte ohrfeigen wollen. Es funkzjenierte, er hatte es selbst gesehen. Das war Fakt!
Langsam versickerte seine Angst, daß ihm diesmal endgültig das Herz stehenbleiben könnte. Fakt war ja viertens, daß er sich mit den anderen, mit denen, die das Geld *hatten*, nebenan im Grand Hotel traf. Er wand sich im Sitzen aus dem

sperrigen Mantel, zog die Krawatte auf und öffnete zwei Hemdknöpfe. Da rissen die aus dem Westen nämlich innerlich die Hand an die Naht! Er schloß die Augen und horchte in sich hinein. Rrràp-dung rrràp-dung rrràp-durungg ... Sofort stockte ihm wieder der Atem. Das entsprach doch nicht der Norm! Diese verdammten Ärzte! Saboteure! Da war überhaupt nichts norm-nor-mal dran! Er hörte es doch! Das war doch Fakt! Andauernd hörte er es. Rrràp-dung rrràp-dung oder durùp-dung durùp-dung. In rasender Geschwindigkeit.
Mit schweißglitschigen, zitternden Händen zog er sich am Schreibtisch hoch und versuchte, sich auf einen Stapel fotokopierter Zeitungsausschnitte zu konzentrieren. Durùp-rrrap durùng-rrràp. Seine Augen rutschten immer wieder ab an den Zahlen. Du-rrràp-rrrùng. Auch beim fünften Versuch gelang es ihm nicht, die Differenz zwischen siebentausend Nachfragern und zweitausendzweihundert Anbietern jährlich zu berechnen. Bloàk-dung bloàk-dung.
Morbus was? Stand das da wirklich? Er fiepte nach Luft und riß seinen ewigen inneren Blick weg von seinen Herztönen. M-o-r-b-u-s K-a-w-a-s-a-k-i. Tatsächlich! »... gilt in Fachkreisen als ergiebigste Quelle. Mit dem Chirurgen häufig nachgesagten Sinn für makabre Scherze bezüglich ihrer für empfindsame Gemüter wohl wirklich kaum zu empfehlenden Tätigkeit bezeichnet dieser Begriff den gleichermaßen schlichten wie besorgniserregenden Umstand, daß die meisten Organe von jungen Motorradfahrern gespendet werden.«
Jähders Hand löste sich von der Tischplatte. Er wischte sich über die Stirn und schnaubte mehrmals, während er weiterlas. Wenn er es richtig begriff, hatten die westdeutschen Behörden kurz vor dem Fall der Mauer die Vorschriften für Motorradführerscheine drastisch verschärft. Das war doch wieder typisch! Er hatte den Zeitpunkt ja nie für Zufall gehalten. Seines Erachtens nach hätte es nicht der 9. November sein *müssen*. Mitnichten. Natürlich war Fakt, daß nicht jeder, der auf den volkseigenen Gehhilfen autofahren gelernt hatte, ein so verdienter Fahrer von Westmarken war wie er. So mit – wie hieß das? Mit Draif! Aber haben wir deshalb

etwa kein Recht auf ordentliche Motorräder? Andererseits – wenn dadurch die Zahl der Anbieter sinkt ... Dù-dung dù-dung dù-dung tönte es jetzt angenehm gleichmäßig und ohne Rasen. Er rechnete mit. Zürka neunzig pro Minute. Das ging. Und wenn die sank, dann vergrößerte sich automatisch sein – Marktsegment! Enorm sogar. Das hieße also nicht bloß viertausendachthundert, sondern –.
Er sprang auf, lief ans Fenster und sah hinunter auf die Friedrichstraße. »Morbus Schmorbus!« bellte er und rieb sich den nassen Babyarsch unter seinem Mund. »Hier kommt Jähder! Und den zieht keiner übern Tisch!«

DRAUSSEN VOR DER TÜR der Buchhandlung, die einen eigenen Ausgang zur Weydinger Straße hatte, stauchte ihn ein scharfer Nordwestwind zusammen. Er drückte sich die Pelzmütze fest auf den Kopf und klappte die Ohrenwärmer nach unten und den Mantelkragen hoch. Gegenüber, in der zweiten Reihe vor einem menschenleeren eingezäunten Spielplatz, stand noch immer dieser Westwagen. Eine Schande war das! Er schlich am Liebknecht-Haus entlang. Das hätt's bei uns nicht gegeben! Die Repressionsorgane des Klassenfeindes mitten im Herzen der –. Er überquerte die Kleine Alexanderstraße. Partei! Das ist doch keine Partei mehr! Mit jedem Meter, den das Haus hinter ihm ferner rückte, wurden seine Schritte wieder zackiger. Da ist doch überhaupt keine Linie drin! Er fühlte in der Manteltasche nach dem Schlüsselbund. Keine Führung. Und dann diese Kasperlefigur von Vorsitzendem! Diese Marionette. Sieht aus wie – wie dieser – Weill. Kurt Weill mit seiner Lotter-Lotte! Eine Schande ist das. Dafür haben wir doch nicht vierzig Jahre lang –. Absolut unsicherer Kantonist. Kosmopolit!
Er blieb vor dem Haus Nr. 2 stehen und zog den Schlüsselbund aus der Tasche. Intellektuelle! Keine Heimat. Keine Linie reinzukriegen. Wie damals in Spanien. Immer ne Extrawurst. Er spuckte neben dem Eingang aus und drehte sich noch einmal um zu dem Imbißwagen in dem widerlichen Fliederton. Etwas daran schien ihn anzuziehen. Dieser

ganze kapitalistische Konsumklimbim! Fallschirmspringen – hat es der Vorsitzende der Partei der Arbeiterklasse etwa nötig –. Er spuckte wieder aus. Diesmal in die Gosse vor der Rückwand des BARBIECUE. Wo gibt's denn sowas! Und dann diese lächerlichen Losungen für die letzte Wahl zum – zur – zu dieser Quasselbude da in Bonn! Großkapital und Korruption! Imperialistische Augenwischerei. Haben die Bolschewiki schon immer gesagt – kein Anschluß unter dieser Nummer! Der reine Hohn! Von seinen jüdischen US-Werbefreunden da! Was haben wir denn gekriegt? Na? Den Anschluß. Haben wir doch immer gesagt. An den Bonner Rechtsstaat. Haben wir auch immer gesagt. Ultrarechts! Marionette. Das gab's bei uns nicht. Jüdische Intellektuelle – Opium fürs Volk und Mammon für –.
Er betrachtete die rote Sprühschrift auf der fliederfarbenen Wand. Und für einen kurzen Augenblick wurde ihm warm ums Herz.

MUTTER KRAUSE hatte die Schultern jetzt noch tiefer gezogen und den Hals fast zum Verschwinden gebracht, als sie endlich die Klinke herunterdrückte und die Tür aufschob. Ihr gesenkter Kopf, genauer gesagt, das auf ihm balancierende Hütchen, unter dessen Krempe ein Lady-Di-Blick lauerte, prallte gegen einen plustrigen Anorak in den sportlichen Farben Rosa, Reseda und Riesensonnenblume und das nicht mehr zu bremsende rechte Knie kurz danach unter das Kinn einer blonden Göre im schulpflichtigen Alter.
Es dauerte eine Zeit, bis Nicole Fritz ihre Kinnlade soweit gelockert hatte, daß sie in gestanden amazoneskes Kriegsgeheul ausbrechen konnte, Jennifer Fritz, fünf Jahre älter und amazonenmäßig noch etwas gestandener, sie aus der vordersten Front gezogen hatte, Beate Fritz ihren Daunenanorak mittels Klopfbewegungen wieder aufgeplustert und Lothar Fritz seinen Alarmschrei glücklich entbunden hatte: »Ppwwoagjichgg!«
Tochter Krause war erstens geistesgegenwärtig genug, sich einstweilen vom Türrahmen fernzuhalten, und zweitens

ganz Bette Davis' Eyes. Mutter Krausens Fahrt ins Unglück nahm unbeirrt ihren Lauf. »Oh Gott Herr Major öh Herröh Frau öh –.«
Nicht einmal Mimi, die zur allgemeinen Nervenstärkung auf Kamillentimbre geschaltet hatte, kam dagegen an.
»Ach Ppwwrau Chchauhje!« Fritz witterte seine große Chance, doch heute noch nicht zum Arzt und womöglich unters Messer zu müssen. Immerhin wußte er sofort, daß Krauses die einzige ihm bekannte Wohnung des Hauses Weydinger Straße Nr. 2 bewohnten, in der es weder nach »ppwweuchtng Bbwwuffww« noch nach »Jüjohj« gestunken hatte.
»Mein Mann meint vermutlich feuchten Muff und Lysol«, dolmetschte Beate Fritz und rümpfte die Nase. Ihr Tonfall ließ keinen Zweifel daran, was sie davon hielt, wenn Frauen Schwachsinn aus Männermund sozialverträglich zu gestalten versuchten.
Frau Krause schien außerordentlich dankbar für die überraschende menschliche Wendung. »Ach Gott, daß Sie das gemerkt haben, Herröh –.«
»Fritz!« Tutti (gereizt schmetternd).
»Wir ham ja denn gleich die Schangse ergriffen, wie wir denn endlich die Freiheit hatten, nich. Ansonsten hatten wir's ja bloß ümma im Fernsehn gesehn, nich. Heimlich ja erst. Aber was war das denn doch schön, als wir's denn endlich selber – wir ham sie ja alle durchprobiert, nich. Dor und Prüll und General Proper und wie se alle heißen. Kannten wir ja außen Effeff, nich. Und Preisvergleich und alles ham wir denn auch gemacht, nich, denn Marktwirtschaft mußten wir ja erstma lernen, nich, Frau öh –.«
Der Chor der »Fritz!«-Ruferinnen hatte sich unbemerkt um einen belustigten dunklen Sopran erweitert. Der Erste Kriminalhauptkommissar lehnte in einer der Seitentüren des Schreibzimmers. Aber Frau Krause wäre wahrscheinlich nicht einmal zu bremsen gewesen, wenn sie gewußt hätte, wer da dazugekommen war, und so schob Lietze beide Hände in die Hosentaschen, knickte den Kopf leicht seitlich, damit der Rauchfaden aus dem glimmenden Zigarillo an Nase und Augen vorbeiziehen konnte, warf Mimi und Fritz

zwei Sätze Lachfältchen zu und nahm die Zeugin samt ihrer noch immer entfernten Verwandten in Augenschein.
»Det is aba allet Dreck, mit wat Sie saubermachn!« Nicole trompetete zum Gegenangriff. Jennifer verpaßte ihr eine Kopfnuß und zischte etwas wie »halt's Maul, wir wollen los!« Nicole konterkarierte mit einem gezielten Rückzieher des linken Ellbogens in Jennifers Blinddarmgegend. »Da jehn die Flüsse von kaputt! Und der Wald ooch und allet! Und wo solln wir späta ma bahn eh?«
Frau Krause fiel nichts unmittelbar zum Thema Gehöriges ein. Die kleine Pause, die sie brauchte, um sich an den Grund ihres Daseins auf diesem ungewohnten Parkett, äh: Plasteboden zu erinnern, reichte Beate Fritz, um das Kommando wieder fest in ihre Hände zu nehmen und die davon Betroffenen an Tochter Krause vorbei auf den Flur zu dirigieren.
Frau Krause schien das vorbildlich zu finden. »Josephine! Was stehst du denn so blöd rum da jetzt! Komm gefälligst rein, nich!«
Fritz' letzter Blick an Lietze war ein Gemisch aus Spottgrinsen und Verzweiflung. Lietze spürte einen leisen Herzstich. Nein – mehr ein feines Flimmern? Ja sicher! Lang hatte so aus der Wäsche gekuckt neulich abend in diesem Bistro Frugal. Als er ihr erzählt hatte, daß er nun schon drei Kollegen kannte, die exaktestens informiert waren über jede westliche Automarke und deren sämtliche Preis-Leistungs-und-Extras-Verhältnisse. Alle ehemalige DVP-Offiziere.
War das *vor* der Flasche *Jil San* –?
»In Warenkunde stecken Sie uns Wessis wohl locker in die Tasche, was?« versuchte sie, das Bild zu verscheuchen.
Frau Krause war sich nicht sicher, ob sie das als Kompliment nehmen durfte, und zuckte entschuldigend die Schultern. Sie zog das zerbeulte Hütchen vom Kopf und knöpfte den Mantel auf. Josephine schälte sich aus einem knappen Lederblouson und zeigte Taille. Eine mühsam gegürtete Wespentaille über den großzügig runden Hüften, die ihren Namen allerdings auch nicht einleuchtender machte – die abgeschnürte Freiheit nach dem Prinzip »mein Bauch gehört nicht hierher!« war doch eine Marotte späterer Zeiten?

Lietze winkte die beiden Zeuginnen an den Konferenztisch. Wenigstens, notierte sie erleichtert, während sie die Akte »Kindstötung/Wolter« von ihrem Schreibtisch holte, wenigstens klemmen die Brüste von Fräulein Josephine nicht auch noch in einer Korsage. Auf Halbmast. Denn schon vom Format her wäre die junge Dame für keinen Napoleon passend –. War Lang eigentlich wirklich geschrumpft, seit sie ihn das letzte Mal gesehen hatte?
»Wie alt sind Sie, Josephine?« fragte sie und blätterte.
»Sechzehn«, kam aus zwei Krausemündern.
Und bald süße siebzehn! Lietze! Jetzt hör auf mit dem Quatsch. Die Fotos von Tatort und Leiche rutschten auseinander und drohten herauszufallen. Sie schob sie nervös wieder zusammen und zurück zwischen Deckel und Pathologiebericht. Mußt du jetzt etwa noch mißgünstig werden? Auf die erstbeste nette junge Mädchenblüte! Bloß weil –.
»Und Sie hatten gegenüber meinen Kollegen ausgesagt, daß der Kindsvater eventuell Chris heißt, ja, Frau Krause?« Sie hatte endlich die Vernehmungsnotizen gefunden. »Mimi – können wir einen Kaffee haben?«
Mutter und Tochter Krause sahen auf das Angebot hin so desorientiert drein, daß Lietze einen Augenblick fürchtete, Mutter Krause könnte Mimi ins Schreibzimmer folgen, um dort einen Kaffeemarkenvergleich vom Zaun zu brechen. Endlich fiel ihr die naheliegendste Erklärung ein. »Ach so, entschuldigen Sie – das hab ich bei dem stürmischen Entree völlig vergessen: Das ist Frau Jacob, unsere sogenannte Schreibkraft. Mein Name ist Lietze, und ich bin *nicht* Oberstleutnant, aber das spielt ohnehin keine Rolle. Daß Sie jetzt mit mir reden müssen, verdanken sie den gebrannten Mandeln von Herrn Fritz, der wohl Ihre damalige Aussage aufgenommen hat – ja, hier, zusammen mit Frau Schade.«
»Ja, also – ja«, Frau Krause schien dankbar für die Rückkehr zum Erwarteten, »nachmittags waren die ja denn auch bei uns, nich. Das ging ja denn drunter und drüber den ganzen Tach, seit die da den Kleinen, also die – Leiche – war ja wohl der Briefträger gewesen, der die ganze Sauerei da entdeckt hat, nich? Gott, wer putzt denn das ...!«

Mimi plazierte ein Tablett, verteilte Tassen, hörte dabei zu und ging, als sie sich vergewissert hatte, daß es aus dem Hause Krause noch nichts Neues zum Mitschreiben gab, wieder hinaus.
Lietze blätterte. »Der Briefträger mit einem Einschreiben, richtig. Der seine Unterschrift haben wollte. Und die vier Treppen schon hochgestiegen war. Und gesehen hat, daß die Tür nur angelehnt war.«
»Der hat fülleicht jebrüllt! Sowat ha'ck echt nonnie jehört!«
Auch Josephine faßte allmählich Fuß.
»Nich, das ging ja denn gleich los! Tatütata und alles. Erlebt man ja auch nich alle Tage! Aber wir ham's ja an und für sich ümma gesacht. Also, der hat die ja grün und blau hat der die ja! Nich? Aber man kricht das ja denn ümma gar nich so mit. Ich meine, wir ham ja nüscht *gesehen* –.«
Mimi kam mit der Glaskanne an den Tisch und schenkte ein.
»Aber *gehört* – wenn ich das richtig sehe«, Lietze zog die Akte aus Mimis Gußlinie. Der Stapel mit den Fotos rutschte heraus und legte sich aufgefächert auf den Linoleumboden direkt neben Josephines Füße, »– daß der Kindsvater wahrscheinlich Chris heißt.«
»Ja, also, die ham sich denn ja so oft angebrüllt, er und sie, und wir wohnen ja dreckt drunter, nich – Josephine! Kind, was ist denn nun wieder mit dir –.«
Statt einer Antwort hob Josephine langsam den Kopf, hielt ihren eigentlich rosigen Teint, der unterdessen bedrohlich grünstichig geworden war, in die Runde, bewegte ihren Mund auf eine Weise, die an einen Karpfen erinnerte, der partout nicht aussehen wollte wie ein Karpfen, klappte ihn dann doch auf und kotzte in hohem Bogen über den Konferenztisch.
Lietze riß gerade noch den größeren Teil der Akte aus der Ballistik.
Mutter Krauses Gesamtvolumen entrang sich ein ebenso voluminöser Aufschrei.
Mimi glitt vor Schreck die Glaskanne aus der Hand auf die Tischkante und von da weiter auf den Fußboden.
Lietze mußte sich den Triumph entgehen lassen, daß Nr. 3

nicht von ihr erledigt worden war. »Mimi, schnell, das *Opium*!«
Josephine hustete die dritte Portion Würfel in Tunke über den Tisch und konzentrierte ihre letzten Nerven darauf, nicht noch einmal nach rechts unten neben ihren Stuhl zu kucken. Insofern kam nicht in Frage, daß sie die angedauten, sauren Inhalte ihres Magens alternativ auf ihrer eigenen Kleidung plazierte.
Mutter Krause war inzwischen aufgesprungen und nestelte aufgeregt in der Manteltasche. Sie schob ein zusammengeknülltes Taschentuch in Richtung ihrer Tochter. Josephine griff danach, stopfte es sich in den Mund, schloß die Augen und legte den Kopf zurück.
Als Mimi mit der Parfümflasche kam, hatte Lietze eine *Lucky Luciano* mit der Glut so dicht wie möglich unter ihrer Nase klemmen und Mutter Krause das Erbrochene samt Aschenbecher, Kugelschreibern und der Zuckerdose unter ihrem Wollschal begraben. Josephine fand unter der *Opium*wolke zurück zu ihrer natürlichen Schamgrenze, sprang nach links aus dem Stuhl und gestikulierte sich, mit dem Knebel im Mund, zu einer Auskunft über das nächste Klo durch. Lietze war ebenfalls aufgestanden, hatte aus dem Schreibtisch eine Packung Papiertaschentücher geholt, auf den unberührten Teil des Konferenztisches geworfen, sich eins von Mimi tränken lassen und ging mit der Atemmaske vor der Nase sämtliche Fenster aufreißen.
Josephine schien es sich zur Gewohnheit gemacht zu haben, vor Türen erstmal stehenzubleiben und abzuwarten. Diesmal allerdings zog sie vorsichtig das Taschentuch aus dem Mund, nahm einen tiefen Atemzug, wartete wieder und hauchte schließlich: »Wie det stinkt – der Gestank!«
»Kind, jetzt geh endlich, zum Kuckuck nochmal!« Frau Krauses Stimme schnitt sich erregt durch den *Opium*filter. »Damit der Gestank mal wechkommt endlich!«
»Nee!« Josephine klang wieder bedrohlich belegt. »Mama! Erinnerste mir glei'ma an – an – uhmp.«
Ganz allmählich, in heftigen Böen, wurde die Luft erträglicher. Lietze ging zurück zum Konferenztisch und sammelte die Fotos vom Fußboden. Mimi lief ins Schreibzimmer zum

Telefon. Im Schlepptau Frau Krause mit einem Schwall von Entschuldigungen.
»Glauben Sie mir, Frau Krause, *mir* wird auch noch schlecht, wenn ich sowas sehen muß!« rief Lietze hinterher.
»... schon wieder einen Gefallen. Nein. Kein Kaffee diesmal.«
Frau Krause wußte nicht, auf wen sie hören sollte, hörte aber immerhin auf zu reden.
»Nach zwanzig Jahren!« Der Sopran vom Oberstleu –, öh.
»... Herr Ritter, das ist zu und zu lieb ...« Eine Stimme wie Milch und Honig. »So«, sagte diese Stimme weiter, als der Hörer wieder auf der Gabel lag, »wir ziehen um.«
Etwa sieben Minuten später begann endlich die Vernehmung der Zeuginnen Krause.
»Woran wollten Sie erinnert werden, Josephine?«
»Ja, nemmich, der Chris, der – also det is'n Typ, sowat ha'ck überhaupt nonnich jerochn!«
Frau Krause sah ihre Tochter empört an. »Kind! Das tut doch hier nüscht, also, deswegen sind wir ja doch nich ...«
»Nee, naja, aba ick dachte – fülleicht könnte det ja wichtich sein, wa?« Josephine sah hilfesuchend zu Lietze und Mimi, die den Stenostift noch unbewegt in der Hand hielt.
»Erzählen Sie mal – so nahe sind Sie ihm also doch gekommen?«
»Nee, naja, doch. War mehr so'ne Bejegnunk der dritten Art, fastehn Sie? Also, ick komme die Treppe hoch, und der kommtse runterjerast, wa? Und ick hab ma so erschrocken – wir ham ja alle ürnkwie so – Schiß, doch, seit wir det jehört ham, also det mitten OibE und so –.«
»Deswegen sind wir ja nun auch hier, nich«, Frau Krause schüttelte ungeduldig den Kopf.
»Moment«, fuhr Lietze dazwischen, »eins nach dem andern. Also: Sie sind mit diesem Chris im Treppenhaus zusammengestoßen, richtig? Gut. Und was haben Sie gerochen? Können sie das beschreiben?«
»Naja, also so – Keesebeene!« Josephine stöhnte auf und schien einen Augenblick dem nächsten Würfelhusten gefährlich nahe zu kommen. »Echt, ick hab sowat nonnich erlebt!«

»Josephine!«
»Aba det war ja nich allet! Oben druff, also ick meine, statt der sich ma die Füße *wäscht*, wa? Nee – der muß ne janze Pulle dadrüberjekippt ham, echt!«
»Parfüm oder was?«
»Naja logo.«
»Marke?«
»Det weeß ick ooch nich – ick konntn ja nu nich frahng, wa? Bin ja froh, wenn ick den nicht bejegnen muß!«
»Denn wir ham ja doch alle ein bißchen Manschetten«, mischte sich Mutter Krause wieder ein. »Denn wie gesacht, wenn der wirklich bei de Stasi ist –«
Lietze hatte Josephine beobachtet und fuhr herum. »Was ist der? Bisher haben Sie doch alle erzählt, er ist aus dem Westen – wieso denn jetzt Stasi?«
»Ja, also, Frau öh«, Frau Krauses Kopf wanderte wieder erheblich unter die Schulterlinie, und die argwöhnisch unschuldige Lady-Di in ihrem Blick travestierte sich in schlechtes Gewissen und Zutraulichkeit. »Wir ham ja doch schon zu Protokoll geben, wie wir denn oft den Krach da oben mitanhören mußten, nich?«
»Haben Sie«, antwortete Lietze leicht gereizt. »Daher haben wir die Information über den mutmaßlichen Vornamen. Wie kommen Sie darauf, daß er mit der Stasi zu tun gehabt haben könnte!«
»Na weil die den doch n paarma anjepfiffn hat, die Woltern!« Josephine fand, daß das ihr Teil war, und ließ ihrer Mutter keine Chance. »Von wegen OibE, und sie würd sowat janz schnell verschwinden lassen und so. Ersten ham wa ja ooch nich jeschnallt, erst als ürnkwie im Fernsehn wat kam über Stasi und die janzen, wo da mitjemüscht ham. Und n Offizier im besonderen Einsatz, det is ja nich det kleenste Rad, wa?«
»Und sie hat ja ihren Namen denn wohl schon geändert gehabt, nich? Hieß ja wohl ursprünglich n bißchen anderst!«
Trotz des Triumphes in Mutter Krausens Stimme sah Lietze immer weniger, wozu das ganze Gespräch gut sein sollte. Ein Wessi als hauptamtlicher Mitarbeiter der DDR-Ge-

heimpolizei? Unfug! »Und das fällt Ihnen jetzt erst ein? Warum haben Sie das nicht vor drei Wochen schon meinen Kollegen gesagt?«
Mutter und Tochter starrten säuberlich getrennt auf den Linoleumausschnitt zwischen ihren jeweiligen Füßen.
»Was mir noch schleierhaft ist«, Lietze wechselte einen Blick mit Mimi, die eifrig stenografierte. Vermutlich Personenbeschreibungen. »Wie kommt es, daß Sie, wenn Sie so oft und detailliert ganze Streitereien mitgekriegt haben, so gar nichts von dem Mord an dem Kind gehört haben?«
»Ja, na schreien ham wir den ja denn oft gehört, den Kleinen«, Frau Krause sah Lietze mitleidheischend an, »mußte man sich ja alles gefallen lassen, nich. Und das Gebrülle zu jeder Tages- und Nachtzeit. Mein Gott, wir ham ja oft kein Auge zugetan, nich? Das war ja furchtbar! Und dann hat schließlich mein Mann gesagt, Schluß jetzt, und jetzt kommt die Satellitenschüssel doch her, denn die privaten Fernseher haben ja denn auch nachts Programm.«
Lietze fühlte eine Zornwelle in sich hochsteigen und nestelte hektisch an der Zigarillopackung.
»Wann war'n einklich der – also der Mord überhaupt?« Josephine wurde augenblicklich wieder Bette Davis.
»Am Samstag, dem elften Januar, meine Damen! In der Zeit zwischen 18.00 und 22.00.« Lietze warf einen Blick auf Mimis Block und entzifferte zwei Wörter: *Fußball* und *Familienshow*.
»Na, Sonnahmt is doch ümma Sportschau – und war det nich der Ahmt, wo du dich mit Vater inne Wolle gekricht hast, weil der so'n Edgar Wallach sehn wollte, und du –«
»– und ich Gunther Emmerlich, genau! Den ham se ja denn ooch abjewickelt!«

»VERKEHRT WÄR'T NICH«, überlegte Helga laut, während sie das Blechschild betrachtete, das am Rückspiegel des admiralblauen *Benz* baumelte, »wenn man sich ne jewisse relljöse Basis verschafft. Bei so'n Wetter – wenn der liebe Gott jewollt hätte, daß ick da aus de warme Bude jehe, denn hätter mir ooch n Katzenfell wachsen lassen!«

Sie fragte sich, seit wann da nicht mehr die Riemchenschuhe aus Lack in Babygröße hingen. Wann hatte sie überhaupt das letzte Mal in Kittys Auto gesessen? Irgendwie war alles anders, seit sie nicht mehr Tag für Tag und den größten Teil der Nächte auch auf der Tiergartenstraße stand. Als ob der rote Faden fehlte. Als ob ihr irgend jemand heimlich die Korsettstangen herausgezogen hatte. »Als ob icke je im Lehm n Korsett anjehabt habe!«
Sie starrte weiter auf das Stück Blech, das ab und zu in leichtes Zittern geriet, wenn LKWs an dem *Benz* in der zweiten Spur auf der Potsdamer Straße vorbeifuhren. Aber ihr Blick verlor sich jenseits der Frontscheibe, weit hinter der Potsdamer Brücke, im gelbstichigen grauen Himmel, der jetzt wieder so tief hing, daß er ab dem bloßgelegten Herzstück von Berlin, durch das nichts gepumpt wurde als Abgasgestank und Raserei, alles zwischen die Wolken zog, was über die preußische Traufhöhe hinauszuragen wagte.
Da hinten, n janzet Stücke gradeaus und denn irnkwann links hoch, und denn nochma rechts rin, da – da. Da ging es früher lang und heute auch wieder. Wenn man nicht mit der S-Bahn fuhr. Durch bis zum Hackeschen Markt. Also bis – Börse? Börse, genau. Marx-Engels-Platz hatten sie den dann genannt ...
»Irnkwie paßt det allet nich zusamm'!« Helga setzte sich auf und holte ihre Sehschärfe ins Auto zurück. Oder vielleicht doch? Gerade? Wann war das denn gewesen? Als sie zum ersten und letzten Mal versucht hatte, ihre Familienverhältnisse zu klären. 1948? Ach, hör do'uff jetze! Du krist bloß wieder'n Moralischen, wenn de – und Fritze Brandt hat's ooch verschmerzt, dis du nu ehm nich bei seine Beerdijunk warst! So wichtich biste nich!
Sie sah sich im Auto um und suchte etwas, das ihr den bitteren Geschmack aus den Gedanken scheuchte. Sie nahm die Parfümflasche, die zuverlässig in der Ablage zwischen den beiden Vordersitzen lag, und goß sich ein paar Tropfen *Septième Sense* in den Kaninchenkragen. Dann zog sie die Wollmütze hoch, die darunter gelegen hatte, und schrak zusammen, weil plötzlich links neben ihr die Tür aufgerissen wurde.

»Kiek ma«, Kitty warf ihr einen Stapel Briefumschläge in den Schoß, »da is wirklich wat jekommen!« Sie ließ den Wagen an.
Helga sah die Umschläge durch. Sie trugen alle die Aufschrift »Kennwort: Energisches Damenkränzchen«. Die meisten von Hand geschrieben, teilweise kindlich-krakelig.
»So'n Haufen? Ick sahre ja, det is'n perverset Land jeworn hier! Jibt eimfach zu ville Herrenmenschen!«
»Helga, Mann!« Es war nicht klar, ob Kittys besorgte Stimme der aufgebracht herumrutschenden Helga oder dem Chaos beim Einbiegen ins Reichpietschufer galt. »Helga-Maus – nu sach schon: Wat hast du?«
»Ach, is doch allet – krank!« knurrte Helga weiter. »Die janze Stadt is krank! Wat hasten hier einklich zu hängen neuerdings?« Sie gab der Blechmarke am Spiegel einen aggressiven Schubs.
»Det? Is die Hundemarke von Morris jewesen. Weeßte doch. Hat mir doch Marvin extra jeklaut jehabt, als se ne abjeschossen hatten oder wat weeß ick, wie se ne totjemacht ham da in Vietnam!« Kitty zwinkerte Helga aufmunternd zu, bevor sie den Kopf ganz nach rechts drehte, um in die Stauffenbergstraße einzubiegen.
»Und wieso hängste die jetze erst uff?«
»Na weil – irnkwie wollt ick n Zeichen setzen.« Kittys Gesichtszüge schienen unaufhaltsam an Glanz und Größe zu gewinnen. »Mir selba ersma! Ick finde, die Zeiten sind nemmich verdammt danach!«
Helga runzelte fragend die Stirn.
»Na – Morris war ja nu schwarz, weeßte ja. Und irnkwie fand ick et ne jute Idee, mir det ehmt immer vor Auhng zu führn. Also, wie so'n, so'n Schatz, wa? So'ne Art Erbe.«
Zwischen Helgas Augen und die wirkliche Wirklichkeit legte sich wieder eine unendliche Entfernung. »Meene Mutta hatte ooch bloß eene richt'je echte Liebe im Lehm – wenn ick wehnksn den Nahm noch wüßte!«
Kitty strahlte. Dann ließ sie den *Benz* mit einem eleganten Schwung links in die Tiergartenstraße gleiten und parkte, nach einem halsbrecherischen Wendemanöver, direkt vor einer sehr hochgewachsenen, sehr blonden, sehr umwickel-

ten und relativ jungen Frau, die an einem hochbeinigen Motorrad auf dem Bürgersteig lehnte.

»ORTRANS GU'N TACH ... MOMENT!«
Die Chefsekretärin des Unternehmens, das präzis aus diesen beiden Persönlichkeiten bestand: Chef und Sekretärin, hatte ihren schnippisch-mitleidigen Grundton zugunsten eines gewinnend-harmlosen abgelegt. Sie warb sogar noch mit einem Lächeln für sich, als sie – die Hand auf der Sprechmuschel – Jähder den Hörer hinhielt. »Für Sie – oder soll icket rüberlehng?«
»Kundschaft?« Jähders Kasernenhofton war nicht zu korrumpieren. »Dann rüber damit!« Er trommelte auf die Platte ihres Schreibtischs. »Und –!« schnarrte er sie an, bevor er sich in Richtung Chefzimmer aufmachte, »– merken Sie sich eins: Wir hatten Kónsens über Ihr Gehalt. Wenn Ihnen das nicht mehr paßt –. Und wenn Sie noch einmal ORTRANS wie Deutrans aussprechen, dann fliegen Sie sooweso!«
Diesmal krachte die Tür ins Schloß.
»Was wollen Sie – ach so, wegen der Verkaufstätigkeit!« Er schien enttäuscht. Oder verärgert, weil er vergessen hatte, daß er heute schon jemanden gefeuert hatte. »Wie heißen Sie! Aha. Russe, was? Dann vergessen Sie die Sache mal ganz schnell wieder, junger Mann! Russen saufen mir zu viel!«
Auch der Hörer krachte auf die Gabel. Aber er riß ihn gleich wieder hoch und kommandierte seine Chefsekretärin herein. Sie kam, mit einer Illustrierten in der Hand und einer brennenden Zigarette im Mund. »Hier is'n janz interessanter Artikel über Ümbißketten –.«
»Warum haben Sie mir nicht gesagt, daß das kein Anruf für die ORTRANS war, sondern für BARBIECUE!«
»Na weil – ick soll mir ja imma bloß mit ORTRANS melden ...« Die Stimme bekam wieder einen feinen Hauch Hinterfotzigkeit.
»Und wie oft muß ich Ihnen noch sagen – für uns sind sooweso und ausschließlich *deutsche* Anbieter interessant! Ein

für allemal. Besoffene Russen kann ich nicht gebrauchen, desgleichen stinkende Bulgaren, klauende Rumänen –.«
»Und arrogante Wessis, wa? Die *sooweso* zu faul sind, wa? SOOWESOOO!« Sie imitierte sich in Rage. »Sehn Se, Herr Jähdermann, da kriehng wir nie KÓNSENS, nicht ma KONSÉNS! Meen Job könn' Se ooch glei' mitverticken. Ick jehe nemmich zum neechsn erstn!«
Jähder lief blau an und glänzte augenblicklich im ganzen Gesicht. »Das ist ja – was *bilden* Sie sich eigentlich ein, Sie – und Sie *wagen* überhaupt, hier zu rauchen! Obwohl Sie genau wissen, daß ich *herzkrank* bin! Sie sind – gekündigt! Fristlos!«
»Aba jern! Löhnen müssen Se allerdings trotzdem bis Ende Februar!« Sie lächelte triumphierend. »Mit Se die SITTEATZION janz klar sehn: Et jibt nemmich jewisse Jesetze zum Schutz der WERKTÄÄTJEN BEVÖLKERUNK inne Marktwirtschaft!« Sie warf ihm die Illustrierte auf den überdimensionalen Cheftisch und ging.
Die Tür scharrte hinter ihr, flog aber gleich danach nochmal auf. »Und glaum Se bloß nich, ick weeß nich, wat Ihre Deutrans war, Verehrtester! Und warum Sie damit nich in een Topp jeschmissn wer'n wolln. Schnapsschmuggel, Waffenschieberei und sonstwat für leckere Dinger, ne? Staatsbetrieb, wa? VEB Dreck'je Footn! Aber davon würd *Ihr* Lahn hier ooch nich koscher ...«
Die Tür glitt ins Schloß wie ein Skalpell ins Gewebe.
Rrràp-dung rrràp-dung durùp-bloak. Jähder griff nach der Illustrierten und fächerte sich Luft zu. Die Hände klebten fest am Papier. Dùrup-dung dùrup-dùp. Er fuchtelte sie auf den Tisch zurück. Angst, jeden Augenblick zu zerspringen, stieg in ihm hoch bis unter die Glasglocke, die sein Kopf war. Bloak-dung bloak-durùp. Er befahl seinem Hirn, sich auf die aufgeschlagene, feuchte Illustriertenseite zu konzentrieren. Er starrte minutenlang auf Wörter und Absätze. Was? Nahkampfelite der Ich-Ära? Sollte er das sein! Was hat das mit Imbißbuden zu tun! Bloak-dung. Durúp-durúng.
Rrrüüüttt. Rrrüüüttt.
Sehr fern.

Rrrüüüttt.
Hinter der Tür.
Rrrüüüttt.
Die war – diese verdammte – die ging noch nicht mal mehr ans Telefon!
Rrrüüüttt! Er sprang auf und raste ins Vorzimmer. »Jähder!« Japsend. »Deutsch? – Gesund? – Wie alt? – *Was* äh nein: Nieren!«
Bloak-durùp-bloak. Andererseits –. Wieso eigentlich nicht! Das würde seine eigenen Probl –. »Ja, Nieren und – nein! Müssen Sie selber sehen, wo *Sie* ein Herz herkriegen!«
Er sank vor dem verwaisten Empfangstisch auf den Boden. Dù-dung dù-dung dù-dung. Wie wär denn das? Wie kommt man denn da dran? »Denn das ist Fakt!« bellte er das Tischbein an. »Herz ist Bück-, ähch! Mangelware!«
Die Wände hallten ihm nüchtern den Ton nach, daß es zu spotten schien.

SIE WÜRDE DIE NICHT SCHLUCKEN. Diese Tabletten nicht und sonst auch nichts. Sagen würde sie es ihm nicht. Er hatte die Gratisschachtel *Betacor* extra aus dem Musterschrank geholt. Wahrscheinlich hatte sie skeptisch gekuckt, als er das Rezept ausstellen wollte. Ein hastiger Blick auf den Krankenschein. Da, wo der Arbeitgeber anzugeben ist. Wo bei ihr »Arbeitsamt« stand. Und schon wußte er Bescheid. Und zeigte Verständnis. Es hatte keinen Sinn, ihm zu erklären, daß sie *nicht* zu arm war, die Rezeptgebühr zu bezahlen. Es hatte keinen Sinn, ihm zu erklären, daß es keinen Sinn hatte, Tabletten zu besorgen, um sie nicht zu nehmen. Ärzte verstanden nicht, daß ihr Verständnis vom Leben und vom Tod nicht das einzig mögliche war. Und möglicherweise nicht mal das sinnvollste.
Das Leben ist eine Krankheit, die zum Tode führt.
Wann hatte sie das aufgeschrieben?
Sie steckte die Schachtel in die Schultertasche und stand auf. Der Arzt reichte ihr das Attest, hielt es aber weiter fest. »So, Frau Hall – das geben Sie einfach dem Arbeitsamt. Dann geht das seinen –«, er lachte. Lachen ist die beste Medizin,

jahaha. »Ach nee, seinen sozialistischen Gang geht ja nichts mehr! Aber vielleicht geht's wenigstens schneller so. Kopf hoch – Sie kriegen Ihr Geld weiter. Machen Sie sich keine Sorgen!«
Sie steckte das Attest ein. Um Geld machte sie sich keine Sorgen. Aber auch das würde sie ihm nicht zu erklären versuchen. Sie hantierte ausführlich am Reißverschluß der Tasche, um dem obligatorischen Händeschütteln zu entgehen. Aber er stand schon in der Tür zum Wartezimmer. Ihre Hand hielt er noch länger umklammert als die Klinke. Solange, bis er ihr zum letzten Mal in väterlicher Penetranz unter die Nase gerieben hatte, daß »mit so einer Diagnose nicht zu ulken« sei. Auch das Wort »Lebensgefahr« blieb nicht ungesagt. Schließlich hatte er den Händedruck verstärkt und ihr fast komplizenhaft empfohlen, sich doch einfach mal wieder »was fürs Herz« zu suchen. Dann komme sie auch mal raus aus ihrer Mulackstraße. Das sei doch eine zu finstere Ecke.
Vor zwanzig Jahren mußte es gewesen sein. Und dieser Satz war ein Versuch gewesen, endlich fertigzuwerden mit Mödlareuth. Das heißt, mit ihrem Vater. Mit ihrem Haß auf ihn. Ihrer Angst vor ihm. Ihrem Ekel davor, wie sie ihn kleingemacht hatten. Wie er sich hatte kleinmachen *lassen*. Immer. So klein, so eng, so kalt. Gibt es ein Leben vor dem Tod, hatte sie sich gefragt, als sie im Zug nach Berlin saß. Schnell wieder weg. Aus der Enge. Nachdem sie das letzte Mal versucht hatte, ihre Mutter rauszuholen. Aus ihrer herzlosen Starre. Aus dem zerhackten Dorf. Berlin war wenigstens groß und atmete lupenreinen Dreck. Manchmal. Kurze Stöße Glück. In Berlin sah man die Mauer nicht. Sicher, in Leipzig oder Dresden oder Erfurt sah man sie erst recht nicht. *Klein-Berlin* hatten sie ihr Dorf tituliert, die Mödlareuther. In fügsamer Heimlichkeit. Bloß weil sie da auch mitten durch ging.
Erst in Berlin ließ der Druck auf der Brust, mit dem sie aufgewachsen war, immer wieder nach. Berlin hatte ihr das Leben gerettet. Für sie war es ein Glück gewesen, daß der Parteisekretär ihren Vater von Herzen haßte. Und daß er der gelungenere Nazi war. Er hatte die Kollektivierung durch-

geboxt. Er hatte die Drähte gezogen, an denen sie in die Hauptstadt gekommen war. Als Kind. Auf die besten Schulen. Damit sie etwas lernt für unser aller Zukunft. Um ihn zu demütigen. Zu brechen. Ihren Vater. Der sein Land nicht hergeben wollte. Der zu vierschrötig war, um in ein rotes Wendemäntelchen zu passen.
Plötzlich war er ganz weggewesen, dieser Druck. Einmal. Eines Morgens, im Chemieunterricht. Die Lehrerin hatte mit Schwefelsäure hantiert. Es hatte gestunken. Normalerweise war sie überempfindlich für stinkende Substanzen. Sie haßte Chemie. Sie gab sich die größte Mühe, sich nicht für das Chemiestudium zu qualifizieren, das man in Mödlareuth für sie geplant hatte. Damit sie die Landwirtschaft mit Siebenmeilenstiefeln voranbringen konnte. Später mal.
Sie trat aus dem Haus, in dem die Praxis lag. Es war fast dunkel, aber noch brannte keine der wenigen Straßenlaternen. Aus der Linienstraße fauchte ihr eine Bö ins Gesicht. Sie überquerte die Bartelstraße und ging links die Weydinger hoch. So ein Wetter mußte es gewesen sein, an jenem Morgen. Im Januar 1963. Scharfer Nordwestwind, der die Nebelbänke zerfetzte und den starren toten Leib am Birnbaumast hin- und herwarf. So hatte ihre Mutter es beschrieben, in dem einzigen Brief, den sie je von ihr bekommen hatte. »Ich bin dann raus weil am Schuppen ein Geklapper war. Ich wollt ja sehen was das war. Und da seh ich ihn da hängen. Und hui und hui, wie der Kranz bei Erntedank. Und wie ich mich umdreh und Hilfe such da tut's ein Ratz und Jups und da hat's ihn runtergerissen! Dein Vater ist nun nicht mehr mein liebes einziges Kind! Er hat wohl müssen heim zu seiner geliebten Scholle. Deine dich liebende Mutter.«
Wenn sie das nur einmal gewesen wäre. Ein einziges Mal nur. Das heulende Leben war sie. Das blühende Elend. Ein Jammerweib, von morgens bis abends! Sie hatte doch ergreint, daß er seine Tochter ja nicht auf den Namen Karin anmeldete. Karin Hall – ja sicher war er ein verdammter Nazi. Und sie? Eine genauso verdammte Nazisse! Vielleicht hätte er was gelernt, wenn sie seinen Widerstand nicht ertränkt hätte. Vielleicht – vielleicht – hätte er sich nicht seine verdammte

Scholle wegnehmen lassen. Vielleicht hätte er daheim nicht um sich geprügelt. Beim geringsten Widerstand.
Nein. Er hätte. Er war Blut und Boden bis ins Mark gewesen. Gewalttätig. Feige. Ehrlos. Stur. Er *hatte* sie Karin gerufen. Trotzig. Aber sie verprügelt, sobald sie diesen Namen laut sagte.
Wenn sie nur einmal dazwischengegangen wäre! Wenn sie nur einmal das Maul aufgemacht hätte, um ihr liebes einziges Kind zu schützen!
Der Rosa-Luxemburg-Platz war fast menschenleer. Nur am Ende der Weydinger Straße flackerten die Neonröhren eines Imbißwagens.
Thüringer. Tja ja. Das war er gewesen. Und sie war das auch, obwohl sie jetzt über dreißig Jahre in Berlin lebte. Es hatte ihr das Leben gerettet. Damals. Jetzt nicht mehr. Wann hatte er angefangen? Der Zweifel. Es war kein Leben vor dem Tode gewesen. Auch hier nicht. In Groß-Mödlareuth.

»MANN, ICK KRICH'N FÖHN, wenn det so weiterjeht!« Die Blondine entknotete die endlosen Beine in der knallschwarzen Lederhose mit den rot-schwarzen Wollschichten um Knie und Fesseln, stampfte mit den roten Knöpfstiefelchen auf und schüttelte die fast weiße Mähne. Dann zog sie eine Packung Tabak aus der Motorradjackentasche. »Keen Ahmt ma in Ruhe abtanzen, um de Häuser ziehn – *war* det jemütlich früher! Wie wa noch keen Büro hatten und den janzen Kram!«
Helga sah zu, wie Kim mit ihren klammen Fingerspitzen, die aus abgeschnittenen roten Angorahandschuhen ragten, eine Zigarette zusammenzufummeln versuchte.
»Hchch – Scheiße!« Kim schmiß das zerrissene Blättchen mit den Tabakkrümeln von sich und die Packung hinterher. »Dieset Wetter macht een ooch janz karjös! Bis de die Typen ma warmjeloofn krist! Wenn überhaupt wer kommt ...«
Helga hob die Tabaktüte auf und stopfte sie in Kims Jacke. Dann knöpfte sie ihren braunen Teddymantel auf und zog Kim hinein. »Mach mir donnich an, ick bin nich dein Salat, Mönsch!« brummte sie, während sie mit der einen Hand

ihren Mantel hinter Kim zusammenzuhalten versuchte und mit der anderen Kims Rücken rubbelte. »Ick wohne bloß im Büro. Aber über sonne Witze kan ick ooch nich lachen – nehmbei bemerkt: Ick möchte die jetze endlich ma *sehn*, diese bekloppten Bongs!«

»Und icke erst!« Kim bibberte sich durch die Pullover- und Strickjackenschichten durch bis direkt zwischen Helgas große, weiche Brüste und wurde friedlicher. »'tschuldije, Helga-Maus. Das mitten Büro –. Aber ick hab det Jefühl, wenn de eima anfängst, wat zu tun, denn biste neese, denn haste bloß immer noch mehr zu tun! Ham wa det jewollt, wie wa die Migräne außen Bordstein jestampft ham?«

»Nö«, quittierte Helga fast versöhnt, »unse Ruhe ham wa jewollt endlich! Samma, wat machst'n du da einklich?«

Kim hatte angefangen, sich in einer Art Tangokurven unter Helgas Mantel zu schlängeln, und ihr die Arme um den Leib gelegt.

»Kim! Du geilet Frettchen – eh!« Helga ließ ihren Mantel los und versuchte, sich aus Kims Umklammerung zu befreien. »Wat solln denn die Autos denken!«

»Autos denken nich!« Kim variierte unterdessen eine Lambada auf Helgas Schenkel. »Stuppen übriehngs ooch nich – es sei denn mitten Schwanz – huhuu – hulljittdi – dulljöh! Heh, du taube Nuß! Halt ma an hier – heut is Aktionstach! Een flotter Dreier zum vierfachen Satz! Dulljöh – dljihuu!«

»Mann, hör uff. Die ham doch schon Stau mitten Straßenverkehr!«

»Mir do' ejal. Ick will in'n warmet Auto!« Kim nahm Abstand von Helga und fing an, auf dem holprigen Bürgersteig herumzuhopsen, als wäre sie Ginger Rogers & Fred Astaire auf einmal. Rein handwerklich war sie allerdings bestenfalls auf der Höhe von Schulietta Masina und Matschello Masturb –.

»Wie heeßt'n der noch – Kim! Kim, jetze hör uff mit dieset Jehopse!«

»I want an old fashioned car ...«, Kim drehte sich zur Fahrbahn, »... and an old fashioned millionaire!« Einen Augenblick lang stand sie still da und sah in die vorbeistotternden

Autos. Dann bleckte sie die Zähne zu einem bösen Grinsen und ließ langsam den blaurot-gefrorenen rechten Mittelfinger aus dem roten Handschuh wachsen. Und ihren Körper wieder an, diesmal zum Hip-Hop-Verschnitt. »Fuck yourself and blow your dick«, laut und heiser, »that's the way you don't get sick – wann kommt'n Kitty endlich wieder!«

»Da isse doch!«

Auf der anderen Fahrspur der Tiergartenstraße, etwas links von den beiden Frauen, hielt ein *Benz* den ganzen Verkehr auf. Es kostete etliche Minuten samt konzertanten Einlagen aus Klang- und Lichthupen, bis er endlich nach links in den Stichweg vor der italienischen Botschaft einbiegen durfte. Kitty hatte beschlossen, ihn da stehenzulassen und das Stückchen Weg zum Tatort Veitstanz zu Fuß abzuschreiten. Kim stellte augenblicklich jede Art von Bewegung ein, die ihr die Optik hätte verwackeln können, und sog atemlos den Anblick ein. Schritt für Schritt, Schlenker für Schlenker von Kittys unwahrscheinlichen Hüften, die wieder von zwei entgegengesetzten Kräften gleichzeitig angetrieben schienen. Sogar der Wind hielt den Atem an, und in der Luft zu spüren waren nur noch die hingehauchten Kreisel, die jeder einzelne von Kittys Schritten in Umlauf setzte.

»Na, denn könn' wa wohl endlich zu Potte komm' mit heute ahmt«, krähte Helga erleichtert.

Kitty schnippte die Finger vor Kims Nase. »Hallo. Herzchen. Ki-him«, leicht ungeduldig, »ick laß euch den Wahng gleich hier, ick muß sofort ne Runde pennen!«

»Ick schieß dir'n Taxi!« sprang Helga in das kommunikationstechnische Loch zwischen den beiden jüngeren Frauen.

Ganz ganz allmählich kam Kim zu sich, seufzte tief, zog sich die Wollwickel um Knie und Fesseln zurecht, nahm den Autoschlüssel aus Kittys Hand und stand wieder wie eine Eins. »Jut. Denn ham wa't warm. Und nachher fahrn wa durch die Läden und frahng ma rum, ob wer so Bongs jesehn hat. Meinste, ick kann die *Enduro* eimfach hier stehn lassen?«

»Vor all'ningen treim wa det Jeld ein! Für unsa Büro«, Helga balancierte auf dem Mäuerchen zwischen den kahlen

Zweigen des Gebüschs, »denn wir wolln ja nich vor lauter Extra-Arbeit det Wesentliche fajessn!«
Kittys Lächeln strahlte durch die abblätternde obere Schicht Erschöpfung. »Die Briefe liehng im Auto. Ick hab heute keen Nerv mehr zum Lesen.«
»Ja. Und nu ab inne Falle, da – da hinten!« Helga ruderte mit dem freien Arm, der nicht die Perücke festhalten mußte. »Da is eens!«
»... und icke«, rief Kim hinter Kitty her, die sich schon am Bordstein plaziert hatte, »fahr danach ooch inne Oranienburger und frach da ma rum!«
Helgas Gesicht schien kurzfristig zwischen zwei Regungen eingerastet: Pflichtgefühl und Panik. Aber gleich danach sprang sie energisch von dem Mäuerchen. »Wieso du? Da komm *icke* mit!«

KRIMINALOBERKOMMISSAR SONJA SCHADE war wieder entschieden von dieser Welt, als sie das Karl-Liebknecht-Haus verließ. Obwohl die Welt draußen auf dem Rosa-Luxemburg-Platz unterdessen noch düsterer aussah und der Himmel wieder sehr eng über den Dächern hing. Aus den nächsten Minuten nach Voltaires hastigem Abgang waren gut anderthalb Stunden geworden. Der lockere Riese mit der erigierten Antenne hatte jemanden für das Funktelefon organisiert und sie in sein IKEA-schwarz-möbliertes Büro in den oberen Etagen dirigiert, dortselbst das Röhren seiner Charme-Maschine auf natürliche Freundlichkeit, sogar Offenheit heruntergeregelt und war kurzfristig in Harnisch geraten.
»Ick hab sowat jerochen – aber«, er hatte ihren Polizeiausweis studiert, »na, KriPo jeht ja noch!«
»Wieso?«
»Mit den Herrschaften vom Abschnitt hier ham wir keene juten Karten.«
Sie hatte abgewartet.
»Ick sach's janz offen: Wir wer'n det Jefühl nich los, wenn ma wieder einer von unsre Funktionärswagen hier entglast wor'n is, dann schalten die Jungs da erstmal stur uff sozia-

listischn Jang runter. Und det kommt ziemlich rejelmäßich vor in letzter Zeit!«
Die Praxis des doppelten Metermaßes in uniformierten Kreisen aller Art war ihr durchaus nicht fremd. Sie hatte ihn aufmunternd angelächelt. Es war immer praktisch, wenn Leute, von denen man etwas hören wollte, sich warmredeten. »Klingt mir ein bißchen nach Verschwörungstheorie – die Funkstreifen sind doch quotiert, ein Wessi, ein Ossi.«
»Na eben!« Es hatte seinem Ego den Bauch gepinselt, daß er sie in flagranti beim Delikt der Ahnungslosigkeit in punkto DDR-Innereien ertappt hatte. »Sie ham selten Ihren Fuß rüberjesetzt, ne? Die Wessis sind in *dem* Fall gar nich unser Problem. Aber stell'n sich ma'n jelernten DDR-Untertan vor, der nich fest überzeugt is, er muß sich um sein' jesamtdeutschen Beamtenstatus dadurch verdient machen, daß er mit der Erbenjemeinschaft der SED umspringt, als wär't ne Leprastation. Jedenfalls keine normalen Menschen!«
Sie hatte artig ertappt gekuckt und an ihre letzten Erfahrungen mit dem vorauseilenden Gehorsam gedacht, der auch in viel zu vielen Wessis genetisch verankert zu sein schien.
»Det könn' Sie vom Westen aus – denn da ham Sie ja ooch vierzig Jahre Kalte-Kriegsbrillen uff der Nase jehabt! – det könn' Sie natürlich nich wissen. Sie ham immer det Jespenst des Kommunismus vor Augen, wenn Sie an unsere Sicherheitskräfte denken, so KGB und finstere Verließe, so Dscheems-Bond-mäßig. Aber unsre hier war'n bloß preußisch. Preußisch jepolt bis uff de Knochen. Und det is vielleicht viel schlimmmer!«
Wirklich gar nicht blöd, hatte sie gedacht. Wenn er bloß diesen gönnerhaft belehrenden Ton allmählich ablegen könnte! Sie überlegte, wie sie einhaken wollte. Zum Beispiel: Hier braucht ja nichts zusammenzuwachsen, denn das scheint ja ein gesamtdeutsches ... Und von da zu Voltaire?
»... nee, nee. Und wenn hier mal wieder n paar volljetankte Kids mit Beeßbollschlägern vorbeispazieren und n paar Löcher in die Scheiben und n paar Dellen ins Blech von

unsre Autos jekloppt ham, dann hat der Funkwagen jaanz viel Zeit –.«
Sie war aufgesprungen und ans Fenster gelaufen.
»Ooch falsch jeparkt? Hähä!« Er hatte auf die Uhr gesehen. »*Da* sind se schnell. Aber jetzt müßten doch n paar Parkplätze frei sein, um zwei war unser Kubatermin zu Ende ...«
Deshalb stand Schades Auto jetzt korrekt vor dem Haus Weydinger Straße Nr. 6. Sie schloß die Tür auf, zog den Notizblock aus der Jackentasche und warf ihn auf den Beifahrersitz.
Wieder zurück im Büro des persönlichen Referenten Fläming, war ihr der Geruch im Treppenhaus und im Fahrstuhl aufgefallen. Mitropa-Mief. Er fehlte. In der Lobby und in diesem Büro.
»Logisch!« hatte er stolz gelacht. »Hier ham wir neuerdings die Möbel aus unserm aufjelösten Parteibüro in Bonn – Westmöbel. Riecht für Sie normal, ne?«
Und fremd für ihn und seine – Landsleute. Die merkten hier, daß Räume riechen. Für die war geruchlos, was draußen im Flur, hinter der Tür, aus Wänden und Böden und Möbeln dünstete. Und auch draußen blieb. Und umgekehrt. Die Gerüche schienen sich nicht zu mischen. Hier wuchs gar nichts zusammen.
Sie knipste am Schalter der Innenbeleuchtung, aber es blieb dunkel im Auto. »Scheißkarre! Wir brauchen dringend ein neues Auto – und zwar ein großes, damit der Rollstuhl von Anita –.«
Schade zuckte zusammen und wurde im nächsten Moment buchstäblich geschüttelt von einer Welle Schuldgefühl. Sie hatte Anita tatsächlich vergessen die letzten Stunden! Nein – es war bloß eine Sturmbö, die unter das Auto gepeitscht war und jetzt mit ein paar Abfällen auf der Straße Pindopp spielte. Tand. Tod. Auf dem Bürgersteig vor ihr riß der Wind fast eine Frau in den besten Jahren um, die nichts dagegenzusetzen wußte als einen Griff an ihre Schultertasche und ein verzweifelt verhärmtes Gesicht. Um halb fünf, hatte sie versprochen, sollte sie im Krankenhaus sein und Anita –. Und sie mußte vorher noch in die Keithstraße. Verdammter Wackelkontakt! Geh an, du Scheißding! Bis ich von

Mitte nach Tiergarten komme, hab ich die Hälfte vergessen!
»Wollten Sie eigentlich wirklich zu Jauckens oder war det so'n Kolambo-Trick?« Wirklich ausgeschlafen, der Riese. Natürlich hatte er von dem Mord ein paar Häuser weiter gehört. Und daß irgend jemand aus der Partei »irgendwie betroffen« davon war. »Ach so – deswegen! Der olle Knochen – wie heißt der noch –.«
»Voltaire, ja. Ist der Großvater.«
Er kannte ihn. Vom Sehen. Das heißt, mehr vom Wegsehen. Genau der Typ alter Parteimief, dem er alles zutraute. »Wohnt hier um de Ecke, wo sonst?«
Diesmal war ihr »Wieso?« wirklich neugierig gewesen.
»Wußten Sie ooch nich, ne? Det war hier früher n privilejiertet Wohnjebiet, det janze Dreieck Linien/Weydinger/Rosa-Luxemburg-Straße. MfS und MfI. Mittleres Männetschment, würde man heute sagen. Bis tief in die sechzijer Jahre ...«
Der Gang zu Gauck wird allmählich lohnend, dachte sie, als sie den Zündschlüssel drehte. Aber noch lohnender könnte die andere Information sein, die Fläming spontan herausposaunt hatte. Fräulein Dorle, heute Wolter, stand zumindest in Klatschkreisen des Karl-Liebknecht-Hauses in dem Ruf, ein durchaus lockerer Vogel zu sein, der ein Nest der ausgesprochen offenen Tür geführt hatte.
»Nicht bloß mengenmäßig! Ick meine – offen für Typen, die ei'm wie Woltähr nich bloß suspekt sind!«
»Rechtsradikale?«
Der Riese hatte »Faschos« passender gefunden. » 'ne unbeschwerte Kindheit hat der Kleene da kaum jehabt. Die ham den wohl oft alleene jelassen. Naja, und Nachbarschaftshilfe is ja heutzutage nich mehr. Der olle Woltähr soll aber wohl mal versucht ham, den Kleenen da rauszuholen, janz amtlich, Sorjerecht und allet ...«
Wuíhur-wuíhur-wuíhur.
Warum sprang denn jetzt die verdammte Kiste nicht an!
Wuíhurwuíhurwuíhurwuíhurwuíhur!
Schade pumpte Benzin und brach fast den Schlüssel ab vor Wut und Hektik. Sie kontrollierte sämtliche Schalter und Knöpfe, die der Batterie Saft entziehen könnten. Als der Ra-

dioschalter »klick« sagte, hätte sie am liebsten selber einen Baseballschläger geschwungen, abwechselnd gegen das Radio, das Auto, den weitschweifigen Fläming, die ganze Gegend und überhaupt und vor allem sich selbst. Warum mußte er auch noch seine Begabung fürs Kriminalistische hervorheben! Bloß weil sein Vater Agentenromane schrieb? Sie mochte Agentenromane nicht. Weder westliche noch östliche! Sie haßte unaufklärbar Undurchsichtiges, Situationen, die nicht mal den Schimmer einer Hoffnung auf irgendeinen Funken wahrhaftiger Wahrheit besaßen! Ja, sicher, sie hätte vielleicht ihren Abschied nicht ganz so abrupt gestalten müssen. Fläming hatte schließlich versprochen, sich umzuhören.
Jedenfalls konnte sie jetzt nicht nochmal zu ihm laufen!
Sie stieg aus, trat die Tür mit dem Fuß zu und sah sich um. An der lila Imbißbude standen drei Kinder und die Frau mit dem verhärmten Gesicht. Sie schien etwas zu lesen, einen Zettel an der Seitenwand.

»... MIR JEDENFALLS WIRD IMMER KLARER: Die Sieg-Heil-Schreier sind vergleichsweise harmlos. Eine quantité négligeable. Die Typen, die uns in Lohn und Brot setzen, heute und morgen und übermorgen erst recht, die schreien Sig Saur! Beziehungsweise, schreien tun die auch nicht –.«
Lietze horchte noch eine Weile in den leeren Hörer und ließ ihn dann sinken. Die Verbindung blieb unterbrochen. Seine Stimme war immer noch – merkwürdig erotisch. Verführerisch. Dies ironisch Väterliche war weg. Er schien ihr nichts mehr demonstrieren zu wollen, er versteckte sich nicht mehr hinter Überlegenheit. Er wirkte – aufgerissen. Seine Sätze klangen atemlos, nicht mehr belehrend. Zum ersten Mal seit – seit wie vielen Jahren eigentlich? – wirkte er *erregt*! Zeigte Gefühl im Maßstab eins zu eins.
Sie sah auf die Uhr. Halb vier. Sie beschloß, Roboldt endlich auszuquetschen. Aber in seinem eigenen Dienstzimmmer. In diesem hier flatterten zu viele Schmetterlinge – obwohl, bei dem verdammten Kobold ja wohl auch? War Lang wirklich – verliebt? Oder brauchte er bloß einen wärmenden Schoß,

weil der eheliche sich ihm entzogen hatte! Verdammt nochmal, Lietze, paß auf! In deinem Alter. In unserm Alter. Verliebt!
Sie griff nach der Akte, steckte die Zigarilloschachtel ins Jackett und tappte durch Wolken von Schmetterlingen, die aus der Tiefe des Raums unterhalb ihres Bauchnabels schwirrten.
Quatsch! Schluß jetzt! Den hat bloß sein neuer Job kurzfristig aus dem Anzug geschubst. Mehr ist das nicht! Der sitzt da in Dresden, weit vom Schuß, da kennt ihn keiner, da ist ihm alles fremd. Noch ein paar Monate, und er hat sich ein neues Panzerhemd gehäkelt und das passende Pokerface gepinselt!
Da war er wieder, der feine Stich in der Herzgegend. Das bleiche Flimmern. Sie drückte die Klinke zu Roboldts Zimmer. Sie zog die Tür sofort hinter sich zu, aber ein Schwarm Schmetterlinge war schon drin.
»Da ist doch einfach kein Durchkommen!« Roboldt klopfte mit dem Stift auf der Tischplatte herum. »Telefonieren in den Osten – die reine Katastrophe. Seit über einer Stunde wähle ich mir die Seele aus dem Leib – nix. Düüd-üüüd-üüüd!«
Lietze warf ihm ein aggressiv-melancholisches Lächeln zu. »Und Dettmann?«
»Den hab ich erwischt. Herr Kriminaloberrat machen sich kundig. Ich soll morgen früh zu ihm und das Ergebnis besprechen.«
»Dann soll er uns auch gleich jemanden bei diesem Stasiakten-Verein organisieren, der uns was Genaueres über Offiziere im besonderen Einsatz erzählen kann.« Lietze setzte sich in einen Stuhl vor Roboldts Schreibtisch und schob ihm die Akte hin. »A propos Ergebnis – irgendwas bei der Fahndung nach der Kindsmutter rausgekommen?«
»Null Meldung bis jetzt. Die braucht ja bloß mit falschen Papieren rumzulaufen! Solange sie damit nicht zufällig ins Ausland will und zufällig jemand genauer hinkuckt ...«, Roboldt blätterte.
»War übrigens wirklich rationeller, daß ich die beiden Zeuginnen allein vernommen habe. Rausgekommen ist da auch nicht viel.«
Roboldt las kopfschüttelnd die eine neue Seite. »Halte ich

für – Käse! Aber ich frage morgen mal nach, ob die Stasi Leute aus dem Westen im Offiziersrang geführt hat.«
Das Telefon schrillte. »Roboldt ... Wieso? Wo sollte ich sonst sein, liebe Sonja! ... Aha? ... Ja, hab ich, leg los.« Er nickte und verzog die Augenbrauen ein paarmal, während er Schades Diktat aufnahm. »Und wo bist *du* jetzt ... Ja, ich weiß, daß Telefone im Osten eine Rarität sind ... Nein, fahr gleich ins Krankenhaus, ich geb's weiter ... Sonja? Dreh noch eine Runde Autobahn vorher ... Ja, wegen der Batterie ... Ach, du hast Hilfe dabei? ... Gut ... Ja, ruf mich ruhig an. Bis acht ungefähr bin ich zu Hause, danach habe ich eine Verab- ... Ja ... Nein! ... Darf ich vielleicht gelegentlich auch noch ein Fitzelchen Privatle -!«
Lietze sog feixend an einem Fitzelchen *Lucky Luciano* und ließ sich berichten, was Schade aus einem sehr netten Mann aus Voltaires näherer Umgebung herausgeholt hatte. »Wenn da was dran ist, also wenn das Kind wirklich von jemand anderem ermordet worden ist, wieso sind dann die Eltern weg!«
»Wüßte ich auch gern!« Roboldt klang noch immer gereizt.
»Na, hoffentlich kriegt dieser sehr nette Mann bald was raus ... Irgendwie«, Lietze beobachtete, wie sich das Reizklima um Roboldts Augen mit einem gewissen Schmelz überzog, »scheint heute der Tag der sehr netten Männer zu sein, was Kobold?«
»Jawoll, Chef!« Eine ganz reizende Schmelzmischung. Roboldt konnte wirklich bezaubernd aussehen.
»Sie sollen mich nicht –! Ach, was soll's. Was hat Ihrer denn so abgeworfen – Kobold?«

DER TAXAMETER PICKTE. Durch das leise Singen des Motors und die Stimme aus der Funkzentrale tönte das Sausen des Windes. Kein Mond, nirgends. Der Sturm aus dem Westen schob dichte, verschieden finstere Wolkenplatten unter dem Himmel her.
Die Straßenlaternen waren machtlos gegen die schwarze Galle, die der Asphalt ausatmete. Das Taxi mit dem Greenpeace-Aufkleber bog aus der Wilhelm-Pieck- in die Rosa-

Luxemburg-Straße. Der Jüngling mit dem handgekauten bunten Pullover und den Zottelhaaren jagte um die Kurve, als wäre der Wahnsinn auf Rossen hinter ihm her.
»Halt!« blaffte die etwa dreißigjährige Frau auf dem Rücksitz. »Ick hab jesacht, dann gleich links!«
Das Taxi kreischte in die Linienstraße, die ebenso unbeseelt dalag wie die Rosa-Luxemburg-Straße. Vor einem düsteren Klotz auf der rechten Seite ließ die Frau halten und zahlte.
» 'ne Quittung, Schwester?« fragte der Jüngling.
Die Frau zerrte eine pralle Reisetasche hinter sich vom Sitz und stieg aus. »Sie müssen ma verwechseln, ick war immer n Einzelkind!« Sie sah den Fahrer nicht an, sondern knallte die Tür zu und wartete, bis das Taxi links die Zolastraße hinaufgefahren und wieder auf der Wilhelm-Pieck-Straße verschwunden war. Durch die hinteren Mauern der Volksbühne gellte eine Klingel. Im Hof klappte eine LKW-Tür zu. Zwei Männer schlenderten zu einem Nebeneingang.
Die Frau zog die braune Schlägermütze noch etwas tiefer über die aschblonden Stoppeln und setzte sich in Gang. Auf dem kurzen Weg sah sie sich ein paarmal um, und bevor sie über die Straße auf das Haus Nr. 21 zuschlich, musterte sie die wenigen Fenster, aus denen ein schmutzig-gelbes Licht sickerte, sehr gründlich. Sie war das einzige Lebewesen, das zur Abendbrot- und Tagesschaustunde an diesem Montagabend auf dem östlichen Ende der Linienstraße zu sehen war.
Sie trat hastig ins Haus und drückte, nachdem sie sich durch einen weiteren Blick auf die gegenüberliegenden Häuser vom dunklen Treppenhaus aus vergewissert hatte, die Tür leise ins Schloß. Im zweiten Stock klingelte sie an einer Wohnung, nahm die Mütze ab und strich sich nervös durch die Stoppeln.
»Wie siehst du denn aus, Do-.«
Bevor die Frau die Frage zu Ende stellen konnte, hatte sie ihr eine Hand auf den Mund gelegt und sich durch den Türspalt gedrängelt. »Ich bin bloß die Jessica, Frau Voltaire«, sagte sie laut, den Kopf in Richtung Treppenhaus gedreht, »und ich wollt bloß mal fragen ...«
Dann knallte auch diese Tür zu.

»SALI GOLDFINGER! Jetzt hab ick's!« Helga starrte in den schwarzen Himmel, aber der S-Bahnhof-Damm versperrte ihr die Sicht. Die Kuppel der Synagoge auf der Oranienburger Straße, deren Reste die Landescheinwerfer eines Flugzeugs eine Idee lang aus dem Dunkel gezogen hatten, lag dahinter. Es mußte eine Viertelstunde her sein, daß dieser Anblick auf ihre Netzhaut getroffen war. Solange hatte er gebraucht, bis er sich mit ihrem Gedächtnis verbündet hatte.

»Mann – du sollst *da* hinkucken! Samma, det is doch –, wo *sind* wir denn! Kiek dir det bloß ma an!« Kim kniff Helga in die dicke Schicht Ärmel und sah aus, als ob sie gleich losrasen würde. Oder ersatzweise platzen.

Sie *waren* jetzt auf einem Parkplatz An der Spandauer Brücke. Genauer gesagt, die *Enduro* stand vor einer Art Mauer, direkt vor der riesigen rot-gesprayten Aufforderung: MIETHAIE ZU FISCHSTÄBCHEN! Helga lehnte am Rücksitz, und Kim hatte bis jetzt ruhig auf ein etwa zehn Meter entfernt parkendes Auto gestarrt. Sie waren ihm gefolgt, nachdem eine Kollegin von der Oranienburger Straße eingestiegen war. Der Parkplatz war leer bis auf sechs andere Autos. In zweien wurde offenbar ebenfalls gearbeitet. Sie hatten beschlagene Scheiben.

Komischer Arbeitsplatz, dachte Helga. Kann jeder hin und kucken! Is andrerseits natürch sicherer. Denn ob die andern Mädels, die da so rumstehn, ooch Kennzeichen uffschreim – »gloob ick nich!«

»Icke ooch nich – aba ick seh't leider!« Kim riß sich den Helm vom Kopf. »Komm, Helga!«

Helga ließ den Kopf wieder nach unten sinken und klappte das Visier ihres Helms hoch. Keene Ehre im Leib! Halbnackt da rumstehen, bei so'm Wetter. Ham die det nötich? Sind doch knackije Mädels. Die könntn doch – aba det könn' se ehmt nich! Solange die ihre Luden nich zum Teufel schicken ... Helgas Augen folgten einem grün-weißen Bulli, aber sie nahmen ihn nicht wirklich wahr. Er schien unendlich fern. Statt dessen war ihr, als träten alte Gestalten, vergessene Gesichter wieder aus dem Dunkeln. Sali. Sali und Edith.

»Los, da jehn wir zwischen!«

Der Bulli hatte sich direkt hinter dem Wagen aufgebaut, in dem der Freier gerade zum für *ihn* wichtigsten Teil des Geschäfts kommen mußte, und zielte mit den Scheinwerfern direkt ins Innere. Die Beifahrertür ging auf, ein Uniformierter sprang heraus und machte sich federnd auf den kurzen Weg zur Beifahrerseite des Arbeitsplatzes vor ihm. Er klopfte an die Scheibe. Anscheinend wurde sie heruntergekurbelt. Der Polizist nahm etwas entgegen und federte damit zurück in den Bulli. Es war in der mondlosen Nacht nicht klar zu erkennen, aber er schien zu telefonieren.
»Wat? Wo zwischen?« Helga glotzte Kim an.
In zweien der parkenden Autos war gleichzeitig der Motor angelassen worden. Jetzt fuhren sie an ihnen vorbei. Kim schwenkte den Helm und mit der anderen Hand ein V-Zeichen. Vermutlich unbemerkt. Die Scheiben waren noch immer beschlagen.
»Mann – die Bullen machen Terror, da müssen wir ran!« Kim zerrte Helga den Helm vom Kopf.
»So jesehn war't jut, dis Kittys Auto'n Jeist uffjejehm hat. Sonst hätten wir die jetze ooch anner Hacke, wa?« Helga war noch immer nicht ganz wieder in der Echtzeit angekommen. Vielleicht weil sie diesmal nicht ihre Perücke geradezurücken versuchen mußte, sondern die Wollmütze aus dem *Benz*. Irnkwat stimmt mit die zweete Kutsche nich! Freier mit sonne Schlitten fahrn donnich uff so'n Straßenstrich? »Weeßte wat – irnkwie ham se't ja ooch verdient!«
Kim gab Helga einen Knuff in die Flanke. »Wo bist'n du die janze Zeit? Wat is'n los mit dir! Et is no' jaa nich solange her, da haste jeheult vor Freude, wie unsa Zeppelin mitte Jummireklame aus Fasehn nach'n Osten rüberjesejelt is! Und jetze – wat ham die dir einklich jetan, Helga!«
»Jetan, jetan!« Edith, dachte Helga. Die Welt, die sie hatte nutzen wollen, hatte einen ungeheuren Riß. Edith – aber das konnte sie Kim nicht erklären. Nicht jetzt. Vielleicht – »ick trau die alle irnkwie nich übern Weech. Du kannst mir sahng, watte willst, aba seit die Mauer wech is, ham wir hier plötzich wieda Luden zu loofen! Wenn det'n Zufall sein soll, denn isset n sehr komischer, fastehste?«
Kim war schon auf dem Weg. »Trotzdem müssen wa da-

zwischen. Det Jeschäft von de Schmiere kontrollieren lassen, also det jeht zu weit! Vielleicht ham die Mädels hier eimfach keene Ahnung!«
»Jelernt ham se't!« Helga hatte Mühe hinterherzukommen. »Oder gloobst du, dis ausjerechnet unse Kolleginnen nich von de Stasi kontrolliert wor'n sind. Da ham se't nemmich jelernt. Die könn' sich jaa nich vorstelln, dis Anschaffn und Abkassiern zwee Paar Hufe sind! Die wissn do'jaa nimmehr, wie man eingne Tasche buchstabiert!«
Der uniformierte Beifahrer schien sich lange genug delektiert zu haben. Er stieg grinsend aus und Kim fast auf die Füße.
»Ick wüßte jern, wat Sie hier machen.«
Jetzt stieg auch der Fahrer aus.
»Außerdem wüßt ick jern Ihre Dienstnummer und den Parajrafen, wo det hier abdeckn soll!« Kim wurde von Satz zu Satz ruhiger.
Der Beifahrer grinste immer noch und sah sie von oben bis unten an. Der Fahrer kam um den Bulli herum und postierte sich hinter ihm. »Soll ich da auch mal die Papiere – äh?« fragte er aus seiner vor was auch immer gesicherten Position.
Der andere ließ ihn im Freien stehen und ging wieder zum Beifahrerfenster des PKWs. Kim versuchte, ihm zuvorzukommen und mit der Kollegin zu reden. Aber die hielt nur eine Hand mit langen pinkfarbenen Nägeln heraus, grapschte die Papiere, der Motor wurde angelassen, die Scheibe hochgekurbelt.
Der uniformierte Beifahrer gab dem Fahrer Anweisung, den Wagen rausfahren zu lassen. Seine Sprache wies ihn als Angehörigen der größten ethnischen Minderheit von Ganz-Groß-Berlin aus. »So, Mädle. Un jetzedle zu Ihne!«
Er ließ sich Kims Papiere zeigen, dann Helgas und mit beiden viel viel Zeit. Der Bulli fuhr wieder dicht neben die drei, aber der Polizist schien ihre Personendaten nicht über Funk abfragen zu wollen. Er blätterte, nuschelte etwas von vielen gestohlenen Autos in letzter Zeit und von Ruhe und Ordnung in einer Wohngegend. Helga schwieg verbissen. Kim unterbrach ihre eigene, im Chor mit dem Polizisten-Sing-

sang ablaufende Schimpftirade nur einmal kurz, als der Fahrer wieder aus dem Bulli kam und sich bei seinem Vorgesetzten erkundigte, ob das hier nicht Behinderung polizeilicher Arbeit sei.
»Wat is los?« fing sie sofort wieder an. »Und wat machn Sie hier? Jeschäftsschädijunk is det. Und dafür jib's keene jesetzliche Grundlahre. Und hirnverbrannt isset ohmdrein, wenn Sie hier det einzije bisken Uffschwung Ost, wat looft, ooch noch ausbremsen!« Sie schubste ärgerlich Helgas bremsende Hand weg.
Der Chef-Schwabe hielt onkelhaftes Schmunzeln für angebracht. Und das, endlich, brachte Helga den Anschluß ans Hier & Jetzt. Sie griff sich an den Kopf, als wollte sie die Mütze massieren. Sie drückte die letzten abgerissenen Bilder von Edith und Sali und Fritz aus den Gedanken, die dunklen Schwaden aus der Mulackei, den großen, geschmeidigen Schwarzen, der am Nebentisch gesessen hatte, in diesem rappelvollen Lokal im Haus der Synagoge, wo sie und Kim gegessen und beobachtet hatten, wie sich die Mädels zum Schichtbeginn postiert hatten, gelacht hatte er, breit und weich und verliebt gelacht, und irgend etwas daran hatte sächsisch geklungen, und sie hatte nicht sehen können, ob der Mann ihm gegenüber auch verliebt war. War das nicht ein Kollege von Karin? Er hatte ihnen den Rücken zugewandt und nur ab und zu die dichten schwarzen Haare geschüttelt – Schluß jetzt damit!
»Jestatten«, sagte Helga fast zärtlich, »wir sind vonne Migräne, junger Mann! Und den Nahm könn Se sich schomma merken – wir ham sowat allet im Westen schon vor Jahrn durchjefochtn. Und wir ham nich die Absicht, uns unse Stadt wieder versaun zu lassen. Sie könn sich druff verlassen: Wir wer'n Ihn ne Menge Koppzerbrechn machn, ooch wenn Sie uns hier jetze nich sahng wolln, mit wem wa die Ehre ham!« Sie schnappte dem nicht mehr schmunzelnden Schwaben die Personalausweise aus der Hand, griff nach Kims Arm und zog sie in Richtung *Enduro*. »Det kriehng wa schon raus, keene Bange. Jutnahmt, die Herren!«
»Mann, Helga – eh!« Einen Meter vor der *Enduro* hatte Kim ihre Sprache wiedererobert.

Helga gab sich Mühe, nicht allzu triumphierend zu grinsen. Sie verfolgte scheinbar akkurat, wie der grün-weiße Bulli den Parkplatz verließ. »Entschuldije mich ma ehmt – ick muß ma für kleene, du weeßt schon ...« Aber das leicht entenartige Watscheln, mit dem sie sich zu einem Gebüsch ein paar Meter entfernt begab, verdankte sich eindeutig zitternden Knien.

Kim sah versonnen hinter ihr her und ließ sich auch von dem Wagen, der auf den Parkplatz fuhr, nicht davon ablenken, in Stolz und Rührung zu baden. Sie beobachtete, wie Helga im Gebüsch verschwand, und stellte sich vor, was für Balanceakte sie da vollführte. Sie hörte die Autotür nicht klappen. Und die war das Letzte, was sie hätte hören können. Denn die allseits gummierten Turnschuhe kamen lautlos, und als sie die Witterung des jungen Mannes im teuren Trainingsanzug hätte aufnehmen können, war es zu spät. Da hatte sie den ersten Fausthieb schon am Kinn. Ohne Vorwarnung. Kurz. Knapp. Brutal. Und dann ein paar Hände um den Hals. Und war vollauf damit beschäftigt, Adrenalin zu pumpen, die Luft anzuhalten und alle Bewegungen zu koordinieren. Beide Hände gleichzeitig in die Flanken, ein Knie hoch, dahin, wo die Eier sein mußten.

Er gab nicht sofort auf. Er war zäh. Er schrie zwar auf, aber er schlug ihr mit der flachen Hand ins Gesicht. Kim riß beide Hände hoch an den Hals, befreite sich von der Hand, die immer noch zudrückte, zog sie an ihren Mund und biß hinein. Er schrie wieder und trat, aber er schien nichts anderes zu können als die Offensive. Vielleicht war er auch zu überrascht. Zu dumm, um mit Gegenwehr zu rechnen.

»Na los, jib her, du Dreckschwein, dein Blut will ick«, schrie Kim jetzt und kratzte ihm eine Hand quer durchs Gesicht.

Er schlug wieder zu, aber nur noch mit halber Kraft, unter ihr linkes Auge. Seine blutende Hand rutschte über ihre Motorradjacke. Er brüllte, warf mit Drohungen um sich, beschimpfte sie. Aber Kim verstand nur Bruchstücke und konzentrierte sich auf seine Deckungsmängel. Sie sah auch nicht, wie Helga aus dem Gebüsch gerannt kam. Sie riß ihm ein zweites und gleich danach ein drittes Mal ein Knie in die

Eier und spürte durch eine betäubende Nebelbank, daß er auf dem Rückzug war. Wie in Trance drehte sie sich hinter ihm her, sah ihn in ein Auto steigen und hörte einen Motor aufheulen.

»Scheiße!« sagte Helga erregt, als sie Kim auf den eisigen Boden gelegt hatte. »Scheiße und nochmal Scheiße! Det war der Italiener, der vorhin ooch schnell die Bieje jemacht hat!«

Kim schüttelte matt den Kopf. »Keen Italiener. Ick hab zwar kaum wat jesehn von den Arsch, aber det war eener außen tiefen Nohrn!«

»Ick meinte den Wahng, Herzchen. Det Nummernschild war ooch nich von hier, aber mehr hab ick nich jeschafft. Scheiße verdammte! Ick könnt ma tretn!«

»Und weeßte, wat die größte Scheiße is, Helga-Maus?« Kim versuchte ein Grinsen, das ihr komplett mißriet, weil die geschwollenen Gesichtspartien sich aufjaulend widersetzten.

»Det icke zu spät jekomm bin!«

»Nee-eh! Aua, verdammte Scheiße! Dis wir jetze glei' nomma det Vagnüjen mit diese Uniformträjer von vorhin ham!«

»Na und!« Helga schien die Aussicht darauf geradezu zu beflügeln.

»Und – und! Gloobst du etwa, det sacht die wat, wenn ick die erkläre, ick hab det Schwein zwar nich jesehn, aber ick würde't jederzeit überall rausriechen?«

II

Ehe er sieben ist

DER WIND DER WIND DAS HIMMLISCHE KIND hatte sich in dem engen Hinterhof verfangen und packte und schüttelte die morschen Fensterrahmen, als wären sie eine schon lange nicht mehr frisch geknotete Krawatte. Das war alles. Kein Orkan. Kein geschundener Leib. Keine ausgekugelten Äste. Es brauchte eines langen Atems Reise durch die Nacht, bis es Roboldt in die Glieder fuhr. Der Tag war noch keine fünf Stunden alt.

Roboldt reckte die Beine, aber nur das linke wurde länger. Das rechte klemmte unter etwas fest. Das war länglich. Und weich. Und warm wie – Haut. Fleisch. Ein Schenkel! *Der* Schenkel. Um den er seine Schenkel geschlungen hatte wie um sein Schaukelpferd. Früher. Als Kind als Kind als himmlisches – war er doch eingeschlafen?

Er versuchte, das Rückgrat zu strecken, aber die Dehnung drückte nur seine rechte Schulter sanft gegen einen Oberarm und schob seinen Kopf aus der Höhle, in die er gebettet gewesen war, hoch in die Mulde zwischen Schulterkugel und Brust. Sein linker Arm, der diagonal über der großen fleischigen Fläche mit den vielen winzigen dünnhäutigen Linien gelegen hatte, rutschte abwärts und ließ die Hand gegen etwas stoßen, das einfach da war, eingerollt in ein Nest aus dichten Locken, so klein, so zart, so verletzlich, daß es Roboldt wie ein gellendes Heischen nach Zärtlichkeit durch alle Muskeln schnitt und seinen ohnehin fast gerichtsnotorischen Beschützerinstinkt bis über die Wolken trieb. Wenn ihn in diesem Augenblick eine Fee gefragt hätte, er hätte nur einen Wunsch gewußt: Die Gesamtheit aller UNO-Blauhelm-Kontingente verkörpern zu dürfen, um diese Zartheit zu verteidigen, und das für immer. Und gegen jeden.

Er schlug die Augen auf, und die Fee war ein kleiner Hügel aus dunkelbrauner Haut mit vielen klitzekleinen Haarkringeln, und dann wurde sein Kopf von einer Hand umfaßt,

seine Nase tauchte in ein seidiges, duftendes Gemisch aus Haut und Haar, und ein schwerer Schenkel legte sich über seine linke Lende.
»Bist du wach?« Der Atem, der die Wörter aus seinem Mund transportierte, brachte das Aroma vervielfacht in seine Nase zurück.
Kopfschütteln und ein kehliger Wohllaut, gefolgt von einer Umarmung, unduldsam wie Dementis zu sein haben.
»Machst du das immer im Schlaf?« Er saugte sich voll mit dem erregenden Gefühl, so an einen begehrten anderen Körper gezogen zu werden, er atmete die Düfte dieser anderen Haut, die auch seine waren, er überließ sich dem Genuß, ein Objekt zu sein und keine Tücke zu kennen, spürte dem aufrichtigen Gemenge zwischen seinen Schenkeln nach und registrierte mit kindlichem Stolz, wie sich an seiner Lende Hitze und Härte entfalteten.
»... 'sch *gann* gornisch wach sein ...!« lautete der für die nächsten zwanzig, dreißig Ewigkeiten letzte, die grammatikalischen und artikulationstechnischen Geschäftsgrundlagen zwischenmenschlicher Kommunikation halbwegs beherzigende Beitrag. Der Rest war eine wundersame Vermehrung aller denkbaren Glieder und Gerüche und Gischten und Hitzewellen und, paradoxerweise, deren gleichzeitige Vereinigung zu einem einzigen Höhen- und Tiefen- und Längen- und Breitenrausch, in dem sämtliche Säfte dieses ineinandergelaufenen und aneinanderreibenden einen Leibes im selben Blues strömten und sprotzten und sich verschleuderten, und der eine besonders begehrte Saft goß einfach nur irgendwann besonders schlüpfrige Sudelmuster in die Ebenen neben den Beckenknochen.
»... odor hast du sohn Draum schomor woch ärläbt! Ähh, shit!«
Roboldt löste seinen selig verschwitzten Leib Pore für Pore aus der Umklammerung, gluckste und schraubte seinen Kopf zurück in den Achselhöhlendschungel seines – genau! Traum war das Stichwort. Seines *Traum*manns! »Red doch weiter. Du glaubst gar nicht, wie vernarrt ich sogar in deine Sächsismen bin ...«
Was folgte, war ein Vokalriff auf einer blue note namens

»Näh!«, die unter Ganzkörperkonvulsionen solange die fifths flattete, bis die »äh-äh-ähs« sich zu heil- und haltlosen Lachspiralen zurechtgedehnt hatten.
Roboldt gab den Schutz seiner Höhle auf und starrte fassunglos auf seinen lachenden Liebhaber. Sollte ihm tatsächlich ein Witz gelungen sein oder –?
»Sächsismen – wäääßte!« riffte es weiter. »Hörmor, du bist do' gorkään Bulle!«
»Was? Wieso!« Oder lachte er ihn aus?
»Näähäh! Bullen *sind* nich nonsensfähch!«
Es bedurfte zweier Zigaretten danach, bis Roboldt wahrhaben wollte, daß es leider Gottes noch ein Leben außerhalb dieses real-existierenden Lotterbettes gab, das aus einer enormen japanischen Strohmatte auf frischlackierten Holzdielen unter dem Dachboden des vergammeltsten Hauses bestand, das er in den vergangenen Jahrzehnten seines sexuellen wie berufstätigen Lebens betreten hatte. Ein letzter wehmütiger Gedanke an das Pathos des lakenverhängten Reichstags, das ihn all die Jahre über seine Sehnsucht nach einem andern Körper, nach Sex, nach Fleisch, nach Verstandverlieren, Verknalltheit, Verrücktheit, nach aus der Bahn fliegen und dennoch mit den festesten aller Füße auf dem festesten aller Böden stehen hinwegge –. Nein! Getröstet hatte es ihn nicht. Es hatte nur seine Begierde beschützt. Das Verlangen hatte, in warme Decken gehüllt, auf der Lauer gelegen. Er sah auf die Uhr, fuchtelte Beine und Rumpf aus einem Gewirr von Laken und Decken, sprang hoch und trudelte augenblicklich in einen Korbsessel, der liebenswürdigerweise just da stand, wo die zwei anmutigen Halbkugeln seines Arsches niedergingen.
»Achtung – dein Greischloaf!« kreischte es hinter ihm her.
Roboldt ignorierte die Schilfrohrenden, die sich liebevoll in seine hinteren Weichteile bohrten. War er schon so alt, daß er nach einer Liebesnacht nicht mehr aufrecht stehen konnte? Anfang vierzig war doch kein Alter – oder?
»Mensch, es ist fünf! Mein Dienst fängt um halb sieben an. Ich muß noch nach Hause und duschen. Obwohl –!« er beschnupperte sich ausführlich, »Muß ich? Heh! Wo bist du denn – Ssätschmou?«

Aus dem Nebenzimmer kamen ein paar gezupfte Gitarrensaiten, merkwürdige kurze Jodler, Rasseln und dann eine Stimme, sowas hatte er noch nicht gehört. Der Mann mußte Zungenküsse mit dem Mikrofon tauschen! *Remember your feelings as a child, when you woke up and morning smiled ...*
»Wenn schon, dann Sättschmoh! Gefällt dir nicht, der Name, hm?« Der weiche schwarze Körper erschien im Türrahmen.
»Nee, absolut nicht!« Schon die vier Meter Entfernung von diesem Körper waren Roboldt zuviel. Irritiert angelte er seine Kleidungsstücke mit einem Fuß vom Boden. »Wieso sagen die das eigentlich alle?«
»Was sollen sie sonst sagen? Ich meine die, die irgendwie sagen wollen, daß sie ›Neger mögen‹? Für die andern bin ich sowieso ›der Nigger da‹. Ist doch bei euch genauso – wer kennt'n Schwarze außer Louis Armstrong!«
»Ähm – Martin Luther King und ... Malcolm X und ... Miles Davis und ...«, Roboldt staunte über sich.
»Mr. Miles – harfharf! Von dem hat Amiga hier mal ne Platte zusamengekloppt, kennt doch keiner. Und die beiden andern sind politisch, da ist man lieber vorsichtig, könnt ja sein, daß man bei denen als Weißer nicht für abendfüllend gehalten wird, die sind ja immer so – so empfindlich, diese Neger, wääß ma ja, so gomisch, wor? Wo man doch bloß mal fühlen wollte, wie sich ne Näschergrause anfühlt, wor donnisch bees – oh shit! Come on. Gimme a break!« Er verschwand wieder im Nebenzimmer.
Roboldt wollte ihm nachlaufen, wußte aber nicht, ob das richtig war. Was hatte er anzubieten, das solche Wunden heilen konnte? Oder wenigstens den uralten Eiter stoppen, der immer wieder aus ihnen sickern mußte. Er zog sich hastig an und schlich ins Nebenzimmer. Ssätschmou-Sättschmoh-Satchmo stand vor der Stereoanlage und ließ die CD zurücklaufen. Er war immer noch nackt. Roboldt stellte sich hinter ihn und legte ihm eine Hand vorsichtig auf die Schulter. Er war überrascht, daß Gänsehaut auch schwarz sein konnte.
»Hier – die Stelle!«

Warum wollte er die Hand nicht?
»Hör doch mal zu!«
... come with me, leave your yesterday, your yesterday behind / and take a gi-iant step outside your mi-i-ind ...
»Wieso sachste nicht einfach Neumann – das paßt doch!«
Roboldt stand im Raum und fühlte sich, als hätte er die Bodenhaftung verloren. Er traute sich nicht, noch einmal irgendeinen Teil seines Körpers sprechen zu lassen. Er wußte schon gar nicht, was er sagen sollte. Warum durfte er nicht – wieso will der meine Hilfe nicht –? »Neumann? Ja, äh – ja! Klar. Aber – was für dich – tun kann ich – nicht?«
Satchmo Neumann drehte sich um, legte ihm eine Hand um die Taille, streichelte ihm mit der andern den Kopf, als wäre er, Roboldt, wieder der kleine Detlev, dem die Panik wegliebkost werden mußte, und sah ihn aus funkelnden Augen an. »Doch, Baby! Indem du nie Detlef Zwoo zu mir sagst, okay?«
Als er ein paar Minuten später auf der Mulackstraße stand und überlegte, wo er sein Auto geparkt hatte, war Roboldt noch immer so benommen, daß er nicht mal die wässrigen mageren Schneeflocken spürte, die ihm eine Bö aus der Rosenthaler Straße ins Gesicht peitschte. Er hatte auch die Frau in den besten Jahren mit dem verzweifelt verhärmten Gesicht nicht gesehen, mit der er fast zusammenstieß, als sie von der gegenüberliegenden Straßenseite kam und in die Gormannstraße strebte und er sich endlich entschlossen hatte, seinen Wagen auf der Rosenthaler zu suchen.

»ICH HAB'S GLEICH!«
Schade drehte das Wasser ab, riß den Duschvorhang zur Seite und raste naß und nackt in die Richtung, aus der sie die Stimme und dann etwas poltern gehört hatte. Sie sah es deutlich, obwohl sie außer vorbeifliegenden Wänden in Wirklichkeit nichts sah. Das allzubekannte, allzugefürchtete Bild: Anita am Boden zwischen Möbeln, mit verdrehten kraftlosen Gliedern, womöglich aus einer Platzwunde blutend. Weil sie wieder einmal nicht *vernünftig* sein und sich *vorsichtig* bewegen wollte!

Aber Anita lag nirgends und schon gar nicht blutend. Anita saß aufrecht in ihrem Rollstuhl und blätterte kichernd in einem Wälzer auf ihrem Schoß. Der Chromrahmen des einen Rades war mit einem Tischbein zusammengestoßen, sonst nichts. Und auf dem Tisch lag der Koffer, den sie aus dem Krankenhaus mitgebracht hatte, und in dem Koffer war das Buch gewesen und in dem Buch die Stelle, die sie Schade sofort vorlesen mußte.

Das heißt: Erst nachdem sie ihre Augen lange genug auf dem entblößten, tropfenden Leib ihrer Geliebten geweidet hatte.

»Guten Morgen du Schöne!« Auch die Stimme war nicht frei von einem gewissen ironisch-lüsternen Blitzen. »Hör zu. Also, zwei Streifenbullen in Los Angeles, die sich überhaupt nicht riechen könen. Die hängen aber gerade zusammen in so einem chinesischen Imbiß. Fu heißt der Besitzer.›*Du mußt unbedingt mal in diese Küche gehen*‹, *sagte Dilford*, das ist der eine Bulle, der Mann, ›*Warum*‹, *sagte Dolly*, das ist die Bullin, *die ihre Shrimps mit gebratenem Reis mit äußerster Vorsicht verzehrte, weil sie hinsichtlich der wahren Natur der Shrimps die größten Zweifel hatte.* ›*Fu kann ne Kakerlake braten*, das ist er wieder, *ohne daß die das merkt. Das ganze vergammelte Bratfett aus seinen Pötten schlägt sich nämlich im Lauf der Zeit an der Decke nieder und tropft dann auf den Küchenboden.* Verstehst du? Jetzt lach doch mal, Herzlein! Deswegen ist dieser Boden nämlich, hier: *nur noch n einziger großer Fettfleck*. Und jetzt: *Die Kakerlaken könnten in dem ganzen Geschmier ohne Spikes überhaupt nicht mehr laufen*!«

Schade stierte auf Anita, die das Gelächter fast aus dem Rollstuhl katapultierte.

»Stell dir das doch mal bitte bildlich vor! Kakerlaken mit Spikes! Sonnie! Hilfe – wenn das kein Kommentar zu dieser Gartenschlauchbude ist, wo du gestern, wie heißt sie? Swetlana für mich entdeckt hast!«

Die Angelachte stand immer noch wie gelähmt in den beiden Pfützen um ihre Füße. War Anita durchgeknallt? War das ihre Art von – Endstadium? Angst krabbelte ihr die Beine hoch wie eine Großfamilie Kakerlaken zu sechs Füßen pro Panzer. Die wiederum schienen ein Transparent vor sich her zu tragen: »Und du brauchst auch Spikes, wenn du über das Parkett hier willst!« Schade stieß ein paar schnaubende Töne hervor, eine Hertzlage irgendwo zwischen Lach- und Heulkrampf. Aber gleich danach biß die Angst wieder zu. Geht so sterben? Ist es soweit? Es! Es! Der Tod! Tand Tand Menschen Hand Anita ich erkenn dich nicht wo bist du denn? Stirb mir doch nicht, bitte bitte nicht. Nicht jetzt. Nie!

»Spikes, Herzlein, Spikes! Stell dir vor, das wär unsere Küche, wir hätten Kakerlaken, wir kennen die sogar persönlich und geben denen Namen: Rudi Völler, Loodah Maddeeuß, Bohdoh Dingens ... Und der mit den fünf Beinen heißt Humpelnigge und der mit den extra-schönen X-Beinen Litti ...«

»Und wenn ein Albino dabei ist, der heißt dann Anthony, was? Anita, ich, du –.« Wieder wußte Schade nicht, ob es Lachen oder Heulen war, was ihr in der Kehle ätzte. Sie behielt Anita im Auge wie den Fixpunkt bei einer Balanceübung, während sie auf glitschigen Fußsohlen zum Rollstuhl tappte und sich vor ihn kniete.

»Gut! Genau – und alle, die auch so einen ganz bestimmten Ernst im Gesicht haben und gleichzeitig aussehen, als ob sie sich heimlich über alles totlachen, das sind unsere Zeugen Yeboahs! Und die andern Stein und Bein und Auge – eh, Scheiße: Und die Weibchen?« Das Geisterhafte aus ihren Zügen war verschwunden, sie hatte jetzt einen Ausdruck unbeschreiblichen – Lachens, Leuchtens! Lebens?

»Heike Henkel!« Schade lachte. Schade heulte. Schade legte ihren Kopf auf den Wälzer in Anitas Schoß und tränkte mehrere Seiten mit dem Wasser, das ihr aus den Augen stürzte und komischerweise gar nicht brannte. Sie war weg, weit weg. Bereit, an Wunder zu glauben. Daran, daß jemand dem Tod von der Schippe springen konnte. Durch pures Gelächter. Lachen ist die beste – o nein! Sei doch nicht blind! Das ist das Ende. DAS ENDE. Kein Hand-in-Hand-in-den-Sonnenuntergang. Aus. Allein – Anita?

Sie hatte weder das Klingeln gehört noch mitgekriegt, daß es Anita irgendwie geschafft hatte, ihren wackligen Körper unter Schades Kopf wegzuziehen, aufzustehen, ihn auf den Sitz zu betten und die Wohnungstür zu öffnen. Sie sah hoch und hörte Stimmen im Flur. Sie kam sich vor wie ein Vollidiot, auf dem Boden kniend, die Arme über ein Möbel gehängt, das tatsächlich mobil war und dauernd wegrollte. Und nackt! O Gott, die Ärmste muß doch denken, hier –!

»... neinein, nur ein bißchen stützen müssen Sie mich ... hier lang, Swetlana ... Sonja kommt gleich ...«

Schade stand auf und wartete, bis beide in der Küche sein mußten. Dann verscheuchte sie die Überlegungen, ob man im Winter auch Schlittschuhe nehmen konnte, wenn man keine Spikes dabeihatte, schlich sich über den Flur ins Schlafzimmer und zerrte einen soliden Herrenschlafanzug aus dem Schrank, den sie normalerweise nur bei Fieber anlegte.

»Hachäh – häh, Swetlana! Entschuldigen Sie!« Der zweite Blick galt Anita, die tatsächlich immer noch da und heil war. »Hier geht heute morgen alles quer. Ich muß noch ins Bad, ich komme sowieso zu spät – machen Sie uns einen Kaffee?«

Auch als sie eine Viertelstunde später gestiefelt, gespornt und gespannt wie der wandelnde Argwohn wieder in der Küche erschien, saß Anita immer noch aufrecht auf einem der Plastik-Klappstühle.

»Ich wollt ihr den Rollstuhl ja holen«, entschuldigte sich Swetlana, und ihr Gesicht schien noch eine Nuance verzweifelter und verhärmter zu werden.

»Ach was!« Anita hätte kein krasseres Gegengesicht aufsetzen können, »ich hänge hier zwar wie der Schwimmer im Klospülkasten, aber – ist übrigens auch Wambaugh, Sonnie. Du mußt den lesen! Die Szene in der Pathologie! Da ist so ein Yuppie-Bulle, der ist immer ganz scharf auf Leichenschnippeln. Und dem hängt plötzlich ein Stück Darm von einer Leiche an der Nase! Du schmeißt dich weg – Herzlein! Frollein, Sie ham da was an der Nase ... Ich schwör's dir, für dich mit eurer Kinderleiche da ist das die reine Therapie!«

Schade sah nervös zu der anderen Frau. Ob die mit Anitas inzwischen offenbar überlebensgroßem Sinn für makabren Witz klarkam? Die war doch so nett. Erst hatte sie ihr geholfen, die verdammte Karre wieder flottzukriegen, indem sie einfach jeden Mann, der an dieser Imbißbude am Rosa-Luxemburg-Platz vorbeikam, zum Schieben verpflichtet hatte. Zupacken schien sie zu können. Mit Männern umgehen auch. Und dann hatte sie noch angeboten, Anita zu versorgen. Einfach so. Geld wollte sie auch nicht. Obwohl sie ja arbeitslos war und ein paar Mark Cash bestimmt gut gebrauchen konnte. Merkwürdige Frau. Merkwürdig verschlossen. Wenn sie überhaupt etwas sagte, dann merkwürdig leise. Ob sie mal abgehört worden war? Irgendwie wirkte sie, als hätte sie Angst, alles könnte gegen sie verwendet werden.

Jedenfalls, auf Frauen stand sie wohl nicht, also im – ähm äh erotischen Sinn!

Aber irgendwas war mit ihr. Irgendein – Sprung in der Schüssel. Schade zündete sich eine Zigarette an und trank ihren Kaffee aus.

»Weißt du schon, daß Swetlana auch mal bei der KriPo war, Sonnie?« Anita beobachtete Schade. Ihre Augen blitzten wieder verdächtig. »Das erzählen Sie mir mal genauer, ja, Swetlana? Komischer Name – hieß nicht die Tochter von Stalin so?«

Schade wartete, aber Swetlana lächelte nur bitterlich, und rührte in der Tasse. KriPo? Und nicht übernommen?

»So!« Anita stand schon wieder allein auf und ruderte mit einem Arm in Swetlanas Richtung. »Sonnie, du machst jetzt, daß du zu deiner Arbeit kommst! Und wir –«, sie schenkte Swetlana ein ziemlich abgefeimtes Lächeln, »– arbeiten uns zum Rollstuhl vor, und dann erzählen Sie mir alles, ja? Ich *liebe* Geschichten von Frauen!«

DAS PIEPEN KAM MITTENDRIN. Er war keineswegs fertig mit seiner Versuchsreihe zwecks Umschaltens der Telefonanlage. Die schnodderige Wessi-Zicke war nicht zum Dienst erschienen. Aber die Gespräche kamen immer noch im Vorzimmer an.

Er lief ins Chefzimmer und riß ein Fax aus dem Gerät.

»Mein lieber zukünftiger Ex-Gatte!« stand da. Er stöhnte auf und horchte in sich. Ging es wieder los? Nein.
»Mein Anwalt sagt, Du hast Deine Unterlagen für die Scheidung immer noch nicht eingereicht. Ich fordere Dich hiermit auf, es zu tun und zwar sofort. Du kommst um den Unterhalt für mich und die Kinder eh nicht rum. Und Du brauchst auch gar nicht erst zu schummeln. Setz Deine Einkünfte lieber etwas zu hoch an, falls nämlich der Verdacht aufkommen sollte, daß Du zu wenig angibst, garantiere ich Dir einen Haufen Scherereien. Du weißt, was ich meine! MfG – Petra.«
Heinz Klaus Jähder hätte in nächster Zeit eine tiefe Schneise in den Teppichbodenflor zwischen Faxapparat und Apparatschikschreibtisch getrampelt, hätte er nicht unter all den beunruhigend gleichmäßigen Rhythmen im Innern seines Körpers, denen er beim Vor- und Zurückrennen hinterherfahndete, auch ein Trrrüüüüdelüüüdelüüüdelüüüt entdeckt. Er stampfte vor Zorn auf. Alles, was er umgeschaltet hatte an diesem verdammten Supertelefon, war das Klingelgeräusch. Japanischer Dreck!
»Ja!« schrie er den Hörer an, als er endlich am Vorzimmerschreibtisch angekommen war. »Sie *sprechen* bereits mit Herrn Jähder! ... Nein, die ist noch vakant ... Sind Sie Deutsche? ... Um elf hier! Haben Sie die Adresse? Seien Sie pünktlich, Sie sind nicht die einzige!«
Er saß kaum im ebenfalls vakanten Chefsekretärinsessel und wollte das P. S. unter dem unverschämten Fax lesen, als das Gedudel aus dem Telefon ihm schon wieder in die geblähten roten Segel fuhr. Diese – Erpresserin! Aber mit ihm nicht! Jähder zieht niemand über den Tisch! Die wollte ihn doch ins Grab bringen – natürlich! Klar!
Er vergaß vor Wut, die Anruferin nach ihrem deutschen Blut zu fragen, und bestellte sie für zehn nach elf.
Wer mit dem Teufel essen will, muß einen großen Löffel haben. Du kriegst höchstens was hinter die Löffel, Petra. Scherereien Schwerereien! Fakt ist, diese Betriebe hier sind sauber. Alles legal. Und wo das Startkapital herkommt, interessiert überhaupt nicht. Und wenn du glaubst – na, das beweis aber mal! Und glaub ja nicht, du könntest drauf spe-

kulieren, mich zu beerben! Nähäh! Da wirst du dich aber umkucken! Fakt ist, du hast die Hälfte von der Datsche gekriegt, und das war schon zuviel!
Er sah auf die Uhr. Er mußte in dreieinhalb Stunden alles geschafft haben, Telefonate, Post, Wechselgeld für sämtliche Barbiecues, zwei Verträge ... Er hatte fünf weitere Bewerberinnen um die Verkaufstätigkeit in einem Unternehmen seines kleinen Wurstbudenimperiums, sowie einen eventuellen Nierenanbieter terminlich abgewickelt, als er endlich begriff, was da noch auf dem Fax stand.
»P. S. Ein Tip unter uns: Laß den ganzen Kitsch mit Deinem Herzen ruhig unerwähnt, den glaubt Dir nämlich nicht jeder! A propos, ich hab neulich etwas gefunden: *Er hätte gewiß an Stelle des Herzens gern einen feinen elektrischen Zählapparat gehabt* – George Grosz über Brecht. Paßt doch schau, findest Du nicht?«
Er knüllte das Blatt zusammen und warf es in den Papierkorb. Er ballte eine feuchte Faust und schlug auf die Schreibunterlage. Ein einziges Angebot in Nieren, und das war noch nicht mal gesichert. Wer weiß, was die medizinischen Tschäcks zutageförderten. Wäre nicht der erste Anbieter, der ihm verdorbene Ware verkaufen wollte! Daß die Leute überhaupt nicht wußten, wie krank sie waren ... Letzte Woche gar keine. Das konnte so nicht weitergehen. Wenn er nicht lieferte, lief die Kundschaft nach Indien oder in sonst irgendein Drecknest! Er mußte sich etwas einfallen lassen. Ein bißchen mehr Dampf machen. Bei den Buden auch. Wenigstens war das Personal in den andern fünf Barbiecues zuverlässig! Denn ein solcher Laden stand und fiel mit dem Personal, im Entefäckt!
»Wieso melden sich eigentlich immer bloß Frauen? Gibt doch angeblich soviel Arbeitslosigkeit – wollen die Herren vielleicht nicht?« bellte er das Telefon an. *Das* war bei uns damals anders! wetterte er stumm weiter, während er in den trüben dunklen Himmel hinter dem Fenster sah. Unterhalt für die Kinder? Na Moment mal! Hatte *er* die vielleicht gewollt? Fakt war doch, daß *sie* raus wollte aus dem Betrieb. Hatte die Arbeit sooweso nicht erfunden, die Schlampe. Unterhalt hatte er doch immer schon beschafft. Er hatte über-

haupt alles beschafft. Alles, was man brauchte, um sich die Wohnung gemütlich einzurichten. Und dann die Datsche. Sie hatte ihm beinah noch alles vermiest! Die mit ihrem Gequatsche von wegen, sie brauche ein Kind, er sei ja dauernd unterwegs. Ein Kind schaffe Halt und Sinn im Leben, und wenn er ihr keins mache, dann suche sie sich eben jemand anders! Verwöhntes Bürgerbalg! Fast hätten sie ihm die Touren mit dem Zeug aus der Charité nach Schweden nicht gegeben damals. Das stand nämlich sogar in seiner Kaderakte, daß seine Frau im Aufbau des Sozialismus keinen Halt und keinen Sinn sehen wollte! Und wo wäre dann wohl die Westkohle hergekommen, häh! Undankbares Pack! Wenigstens in den Kindergarten hätte sie sie schicken können. Aber da hatten sie nie Kónsens gekriegt.
Er verstand heute noch nicht, was daran schlimm sein sollte, wenn zwei Dutzend Kleinkinder in Reih und Glied und gleichzeitig auf den Topf gehen. Intimität! Persönlichkeitsentwicklung! Fakt war, hier wurde Sauberkeit gelernt. Im Kollektiv eben!
Die Türklingel riß ihn aus seinen Tiraden. Der Briefträger drückte ihm einen Stapel großer und kleiner Umschläge in die Hand. »... det Meechen krank heute? Na, denn jrüßen Se ma schön. Ick freu ma uff'n neechsn Kaffe, aber ersten soll se ma wieder janz jesund wer'n!«
Jähder schmiß die Post auf den Tisch. Das Telefon dudelte wieder. Kaffee? Für den Briefträger? Von *seinem* Geld?
»Ortransbarbiekjuhjähder! ... Äh-hch, Herr Dockter! ... Haben Sie was gefunden?«

SCHWERE BLAUE OPIUM-NIKOTIN-SCHWADEN hatten die Lufthoheit über dem Konferenztisch in Lietzes Dienstzimmer übernommen. Sie machten auch die einzig bedeutende Leistung der Neonröhren an der Decke zunichte: das Licht. Der dichte Dunst hätte selbst Sonnenstrahlen abgeschoben, wenn sie gewagt hätten, in den Raum zu dringen. Aber es war acht Uhr morgens, die Sonne hatte entweder verschlafen oder war schon an noch dichteren Schwaden sehr viel weiter oben gescheitert. Statt dessen tanzten vier gelbrote

Punkte nervöse Kringel durch die Luft oder zitterten in linken Händen, während die dazugehörigen rechten etwas auf Blöckchen kritzelten oder in Akten blätterten. Es war ungewöhnlich kalt, die Fenster hatten die ganze Nacht offengestanden, aber von irgendwoher tauchten immer noch ab und zu dünne Streifen Säuernis auf. Jedenfalls in den Nasen des Ersten Kriminalhauptkommissars und der Schreibkraft.

»Schön und gut, Schade. Fakten sind das alles nicht. Daß einer ungemütliche Gefühle kriegt, wenn er unvermutet in seinem Revier die Polizistin trifft, die ihn kurz vorher ausgefragt hat – nun ja. Dadurch würde mir nicht mal einer hier im Westen verdächtig. Wer will schon mit der Polizei zu tun haben. Und einer aus dem Osten – wir haben doch keine Ahnung, wie der wirklich gestrickt ist. Vierzig Jahre Polizeistaat – versuchen Sie das mal nachzuvollziehen!«

Schade schüttelte energisch den Kopf. »Damit hat *der* keine Probleme gehabt, im Gegenteil. Ich vermute eher, der hat zu diesem Polizeistaat gehört! Und das scheint mir auch die Aussage von Fläming nahezulegen.«

»Aber selbst wenn – daß einer Stalinist ist, von mir aus ein dreihundertprozentiger, ja und? Taten, Schade! Konkrete Verdachtsmomente. Gesinnung interessiert uns hier nicht.«

Lietze warf den Stummel des Zigarillos auf den Rand der Untertasse. Aus irgendeinem Grund wollte sie Roboldt, bei dem der nächste Aschenbecher stand, nicht noch einmal zu nahe kommen.

»Also mal langsam, Chef!« Roboldt kam diesmal seinerseits näher, weil er sich über den Tisch beugte. »Von Gesinnung war ja nicht die Rede. Aber solange wir von Dolores Wolter und diesem noch viel flüchtigeren Chris überhaupt nichts zu fassen kriegen, müssen wir wohl oder übel jeden Quadratmillimeter Umfeld umgraben! Und wenn ich sowieso demnächst zur Gauck-Behörde muß, dann kann ich auch gleich nach Voltaire fragen, oder? Worüber regen Sie sich eigentlich auf?« Den letzten Satz servierte er derart gut gelaunt und charmant, daß Lietze fast geplatzt wäre.

»Wer regt sich denn hier auf!« regte sie sich auf. Kobold, wie *riechen* Sie eigentlich! Hatten Sie nicht mal Zeit, sich zu

waschen nach Ihrem –. »Ich doch nicht!« Sie steckte sich hastig die nächste *Lucky Luciano* in den Mund und suchte nach Feuer.
Mimi stand extra auf, um ihr ihre brennende Zigarette zu reichen.
»Doch. Ich *rege* mich auf«, räumte Lietze ein und ließ sich mit dem ersten Zug wieder in den Stuhl zurückfallen. »Es nervt mich, daß wir nicht vom Fleck kommen. Es nervt mich, daß wir nicht genug Leute haben – wie stellen Sie sich eigentlich vor, den Mann zu observieren, falls sich das wirklich als sinnvoll erweisen sollte? Wer soll denn das machen? Und vor allem nervt mich, daß ich nicht weiß, mit was für einer Mentalität ich es zu tun habe. Diese DDRler sind für mich ein Buch mit sieben Siegeln. Ich kriege allmählich das Gefühl, meine Nase ist über Nacht taub geworden! Nix Riecher!«
Mindestens drei Züge lang herrschte Schweigen. Mimi malte ihren Stenoblock voll. Schades Gedanken pendelten hin und her zwischen dieser merkwürdigen Frau, der sie ihre Frau anvertraut hatte, dem wirklich irgendwie sozusagen ganz normal sympathischen Riesen aus diesem Parteibüro und einer aufkeimenden Wut darüber, daß Lietze, wenn ihr Riecher schon versagte, den Riecher anderer Leute nicht zum Zuge kommen ließ. Und wenn es eben nur der des untersten Rangs war, verdammt nochmal! Nur Roboldt schien seine Nase in heiterer Gelassenheit in seine eigenen Sachen gesteckt zu haben.
»Also schön!« Lietze sprang hoch und lief im Zimmer auf und ab. »Dann forschen Sie bei Gauck nach Voltaire, Kobold! Und rücken Sie Dettmann so auf die Pelle, daß er den Dienstplan umschmeißt und uns ein paar Kollegen schickt, die sich auf der Linienstraße stundenlang ins Auto setzen und den Arsch abfrieren. So schnell wie möglich –.«
Das Telefon klingelte. Mimi nahm ab.
»Ab sofort am besten«, Schade hatte beschlossen, ab sofort Fritz' Dienstrang zu bekleiden, »mein Riecher sagt mir nämlich, je früher, desto besser. Irgendwas ist da im Busche!«
Lietze warf Roboldt einen Blick zu. »Versuchen Sie's. Aber, Kobold – wenn ich Ihnen einen Rat geben darf: Halten Sie

Dettmann auf höfliche Distanz oder gehen Sie vorher unter die Dusche!«
Roboldt fuhr zusammen. Er war gerade bei *gi-iant step* angekommen und erwartete jeden Moment dieses Stück Gitarre, das ihm vorhin so in die Eingeweide gefahren war.
»Sie riechen wie *zwei* ausgewachsene Pumas!«
»Äh-m«, ein samtweicher, schwarzbrauner Schmelz legte sich über seine Stimme, »hatten Sie nicht gerade behauptet, Sie hätten eine taube Nase?«
»Das war die PTU«, Mimi kam zurück zum Konferenztisch. »Sie haben noch Spuren von einer anderen Blutgruppe gefunden. Also nicht vom Kleinen.«
»Na, das ist doch mal was! Vielleicht finden *wir* ja auch noch irgendwann den Inhaber derselben!« Lietze ging zu ihrem Schreibtisch.
»Und wenn *der* dann noch zu einem der verschiedenen Fingerabdrücke gehört ...«, Roboldt wirkte wild entschlossen, aus allem und jedem Optimismus zu saugen.
»– dann hat er die Handschellen schon fast um? Detlev, wirklich!« giftete Schade.
Lietze kramte in ihrer Schublade, steckte eine Vorratsschachtel *Lucky Luciano* in ihre Tasche und nahm ein Schlüsselbund aus einer Plastiktüte. Sie hatten es in der Weydinger Nr. 2 im Küchenschrank gefunden, in einer Kaffeedose, mitsamt einem Zettel: *Nicht an Eltern!!!* »Mein lieber Kobold«, murmelte sie dabei, »vergessen Sie bitte erstens nicht, daß es auf dieser Welt auch Frauen gibt und daß die solange als Täter infrage kommen, wie wir das Gegenteil nicht beweisen können. Und zweitens, daß wir – ich möchte fast sagen: Gott sein Ding!« sie setzte eine Kunstpause, bis er ihren herausfordernden Blick registriert hatte, »in einem Staat leben, in dem nicht etwa Fingerabdrücke und Blutgruppen und sonst dergleichen von jedermann gespeichert sind! Ich gebe zu, daß dadurch unsere Arbeit gelegentlich zu einer Art Marathon unter Nervengaseinfluß wird.«
»Wem sagen Sie das!« seufzte Roboldt ungerührt. »Wenn ich bloß an das Generve mit diesen Razzien in Schwulenclubs denke ...« Er stand auf und kramte seine Sachen zusammen. »Auf zum KOR! Voltaire, OibE Chris und Ver-

stärkung, ist recht so? Übrigens, Chef – *Gott* sein Ding war's nicht!«
Lietze schnappte nach einer Antwort, aber Roboldt war schon kichernd und hüftschwenkend aus dem Zimmer geschlendert. »Beneidenswert!« stieß sie schließlich hervor. »Manchmal glaube ich wirklich, man sollte als Mann auf die Welt kommen!«
»Aber nur als Hetero – oder möchten *Sie* etwa auf Männer angewiesen sein, wenn Sie –«, Schade biß sich auf die Lippe, raffte Block und Zigarettenschachtel zusammen und hoffte, daß Lietze nicht zugehört hatte.
Mimi, die etwas mehr als einen Verdacht hatte, was die in letzter Zeit wellenförmigen telekommunikativen Kontakte zwischen dem Ersten Kriminalhauptkommissar Lietze und einem gewissen Kriminaloberrat Lang, ehemals Westberlin, jetzt Dresden, zu bedeuten hatten, ließ einen Riesenbecher warme Milch mit Honig in ihre Stimme tröpfeln: »Ah-hm, übrigens, fährt irgendjemand heute noch bei der PTU vorbei und holt den Bericht ab, oder –? Ich will's nur wissen, weil ich denen versprochen habe, Bescheid zu sagen ...«
»Ja«, sagte Lietze knapp. »Irgendjemand fährt dann schon!« Sie warf die Schlüssel auch in ihre Tasche, knöpfte das Jackett zu und ging zur Garderobe, an der ein Mantel hing. »Kommen Sie, Schade. Wir kucken uns diesen Tatort nochmal an. Ich laß mir Nase operieren, wenn ich da nicht doch eine Flasche Herrenparfüm gesehen habe!«

GEGEN ZEHN HATTE DIE SONNE sich noch immer nicht einmal blicken lassen, hielt eine trüb-graue tiefhängende Wolkenschicht Himmel und Erde unter Verschluß und ließ sich auch vom Druck des Nordwestwinds nicht zerreißen. Lediglich weiterschieben, gut zwei Kilometer in dieser halben Minute, in der, gut einen Viertelkilometer voneinander entfernt, zwei Autos aneinander vorbeifuhren, deren jeweilige Passagiere eigentlich nervöse bis hysterische Aufmerksamkeit für die jeweils anderen hatten. Aber daran lag es nicht.
Man sieht nur, was das Hirn gebrauchen kann. Und die

beiden Insassinnen des baufälligen grauen *Renault* hatten die Scheiben heruntergedreht und konzentrierten sich darauf, frische Luft zu schnappen. Selbst das notorische Gemisch aus Zweitaktersprit und Braunkohle schien ihnen geradezu aprilfrisch verglichen mit dem Gestank des Mülleimers, in dem sie die Flasche endlich gefunden hatten, und dem widerlichen Dunst, der noch in der leeren Flasche klebte. Der dunkelgrüne *Volvo*, der in diesem Augenblick, in dem der graue *Renault* von der Hirtenstraße nach links bog, um die Rosa-Luxemburg-Straße in Richtung Südwesten entlangzufahren, vom nördlichen Ende derselben Straße nach links in die Linienstraße einbog, war außerdem verkehrstechnisch ohne Bedeutung.
Von den beiden *Volvo*-Insassen hätte aller Wahrscheinlichkeit nach keiner zwei Polizistinnen auf Dienstfahrt in einem solchen Rost- und Schrammenhaufen vermutet. Dem älteren der beiden verrutschte in der Kurve die sowjetische Pelzkappe. Er hielt sich mit beiden Händen am Sitzgurt fest. »Nee nee, hier nicht. Fahr mal durch und dann rechts ums Eck und stell den Wagen vorm KL-Haus ab!«
Der Fahrer, ein etwa fünfzigjähriger schlanker großer Mann im pelzgefütterten Ledermantel, schoß die enge Linienstraße hoch und mit fast derselben Geschwindigkeit um die Kurve in die Weydinger. »Findste das nicht n bißchen übertrieben, Erich?«
»Sicher ist sicher!« Die Rechtskurve hatte die Pelzkappe sitzmäßig nicht korrigiert, denn auch *Volvos* haben links vom Beifahrersitz keinen Sicherheitshaltegriff.
Der Wagen glitt in eine Parklücke auf der Ecke Weydinger/Kleine Alexanderstraße. Die beiden Männer stiegen aus. Der ältere warf im Vorbeigehen einen flüchtigen Blick durch die Glastür ins Foyer des Karl-Liebknecht-Hauses und stapfte dann schweigend neben dem jüngeren her, wieder zurück in die Linienstraße. Sie wechselten kein Wort und keinen Blick, bis sie im Haus Nr. 21 verschwunden waren.

»… DIE THÜRINGER MÖDLAREUTHER SIND NÄMLICH MAULFAUL«. Swetlana hielt Anita einen Arm hin, damit sie sich von der Toilette hochziehen konnte.
»Und die fränkischen? Waren Sie mal wieder unten, nachdem die Mauer weg war?«
»Nein. Wozu? Wenn man aufwächst in dem Glauben, jeder Thüringer hat das Recht, sich einen Sachsen als Hausschwein zu halten …«, die Schlußfolgerung verschwand zwischen Anitas Hosen- und Hemdenschichten, die Swetlana zurechtzudrapieren versuchte. »Deswegen ist das ja so erstaunlich.«
»Daß Ihr Vater Ihnen ausgerechnet eine klare Aussprache beigebracht hat?« Anita ließ sich Bürste und Schminksachen zurechtlegen.
»Ja. Kennen Sie jemanden, der schon mit zwei Jahren Elektrizitätswerk fehlerfrei sagen konnte?«
»Nee! Flanelläppchen auch nicht.« Anita malte sich mit zittrigen Händen ein Gesicht und betrachtete es im Spiegel. Eigentlich müßte sie mich jetzt fragen, ob ich von Otto Dix bin und Berber heiße, dachte sie. »Wissen Sie, was ich noch viel komischer finde?« Eigentlich müßte sie überhaupt mal wieder was sagen!
Aber Swetlana sah schweigend zu. Und vielleicht nicht mal das.
»Daß Sie dann ausgerechnet bei dieser Firma da gelandet sind, wo sie diese Flanelläppchen mit den Geruchsproben gesammelt haben!« Vielleicht kennt sie Anita Berber gar nicht? »Viel reden tun Sie aber auch nicht, was, Swetlana? Ist das – erblich? Oder hat das einen Grund?«
»Finden Sie?« Swetlana schien froh, daß sie damit zu tun hatte, Anita wieder in den Rollstuhl zu helfen. »Für die Firma habe ich nicht gearbeitet«, preßte sie schließlich heraus. »Das war wirklich die Kriminaltechnik.«
»Mein Vater war auch so'n Arschloch. Was heißt war – ist er noch!« Denkt sie, ich denke, sie war bei der Stasi, dachte Anita. Na klar – leise reden und bloß nix sagen, das lernt man wahrscheinlich, wenn man selber abhört, noch schneller, als wenn man abgehört wird. »Zahnarzt! Und soll ich Ihnen mal was sagen?«

Swetlana schob schweigend den Rollstuhl durch den Flur in Anitas Atelier.

»Ich bin nicht verprügelt worden. Aber vergewaltigt. Von meinem Herrn Vater. Und das verzeiht er mir nie.« Anitas Kichern hatte einen bösen Unterton. »Soll ich Ihnen noch was sagen?«

Swetlana fixierte den Rollstuhl vor dem Arbeitstisch mit den Skizzen. Anita fixierte Swetlana.

»Das ist wirklich grotesk, aber ich fürchte, er rettet mir gerade das Leben! Der Drecksack. Für den ich mein Leben lang die Luft war, die er mir abgeschnürt hat. Bis vor drei Tagen.« Anita seufzte, nahm einen tiefen Atemzug und hielt den Blick weiter auf Swetlana fixiert. »Als es mir am allerdreckigsten ging, ich hab da gelegen und keine Luft mehr gekriegt, mir war kotzübel, ich hatte keinen einzigen Muskel mehr, der irgendeinen Befehl von mir angenommen hätte, ich hab gedacht, das ist es, das war's dann, und plötzlich – ein Satz. Ein alberner kleiner Satz, Objekt, Prädikat, Subjekt: Den überleb ich!«

Swetlana fühlte sich unbehaglich unter dem Blick und unter der Rede. Es war ihr alles fremd jetzt. Nicht mehr von dieser exotischen Attraktivität, mit der sie sich am Abend vorher Mut zugeredet hatte. Lern sie doch mal kennen. Kuck sie dir doch mal an, diese Westfrauen. Früher hast du das immer gewollt. Und sie kennen dich auch nicht. Vielleicht ... Noch vor ein paar Minuten hätte sie der Sonne nachlaufen mögen. Jetzt befiel sie eine sonderbare Angst. Eine namenlose Angst. Als ob die Erde unter ihr wich. Dieses Fremde hatte plötzlich keine Anziehungskraft mehr. Nur noch Leere. Ferne. Vergeblichkeit. Es war auch nicht wirklich fremd. Sie kannte diesen Dialog. Sie hatte ihn selber lange Zeit immer wieder versucht. Sie hatte höchst persönliche Dinge aus ihrem höchst persönlichen Leben erzählt wie Anita. Sie hatte ihre ganz individuelle Wut, Angst, Befindlichkeit einfach für bedeutend gehalten, wie Anita. Sie hatte sich selbst zum Maß verschiedener Dinge gemacht, arglos, naiv, gläubig gegenüber dem, was man ihr beigebracht hatte über die Gesellschaft, in der sie das Glück hatte, aufwachsen zu dürfen. Der Mensch steht bei uns im Mittelpunkt, hatte sie gelernt. Nur

mit sich selbst beschäftigen durfte er sich nicht! Als sie es doch getan hatte, hatten sie eine Mauer aus Verständnislosigkeit und Nichtverstehenwollen vor ihr hochgezogen. Subjektivistisch! Kleinbürgerliche Reste! Individualismus! Wir haben solche Probleme nicht mehr. Wir haben den Fortschritt: Das Kollektiv ist die Erlösung des Individuums! Plötzlich war sie selbst diese Mauer. Diese herzlose, ängstliche Abwehr gegen jeden Einbruch der Unberechenbarkeit. Wie die Frauen, unter denen sie gelitten hatte. Mehr wahrscheinlich als unter ihrem prügelnden Vater und der erstickenden Feigheit ihrer Mutter. Man lernt irgendwann, von den Alten nichts mehr zu erwarten. Die Enttäuschung über die Geschwister dagegen ist eine offene Wunde. Sie heilt nicht, solange man sie nicht mal ansehen darf. Diagnosen erörtern. Symptome beschreiben. Schmerzen herausschreien. Wenn man keine Probleme haben darf. Wenn es immer voran geht. Das bricht einem das Herz. Ich werde gelebt haben, dachte sie. In einem Biotop der gebrochenen Herzen, denen es verboten war, sich zu erkennen. Lichtjahre entfernt von dieser Frau hier. »Wie äh wie alt ist er denn? Ich meine, den überleben sie doch sowieso –.«
»Siebzig. Im besten Alter für einen Job als Spitzenpolitiker«, Anita schien die Spannung zu spüren. »Kennen Sie, die Sorte. Sie sind ja auch von der Galama-Generation in den Bankrott regiert worden ...«
Nein, das war anders! hätte sie sich gern sagen hören.
»Wissen Sie, was Multiple Sklerose ist?« Anita beobachtete sie noch immer. »Ich auch nicht. Ich weiß bloß, was die aus einem macht. Aber mir hat mal ein Arzt erklärt, das ist so, daß der Körper plötzlich eine sich selbst zerstörende Maschine wird. Wieso weiß kein Mensch. Aber genau das will ich wissen, Swetlana! Es paßt nämlich nicht zusammen mit allem, was ich von mir weiß: Ich bin glücklich mit Sonja, wir haben das, was man guten Sex nennt, ich will leben, ich habe irrwitzige Bilder im Kopf, und ich will die in die Welt setzen – also, wer oder was hat mir diesen Scheiß mit der Selbstzerstörung in den Körper progammiert!«
Swetlana zuckte zusammen. »Meinen Sie, Ihr Vater –.«
»Ich war jedenfalls schlagartig wieder unter den Lebenden,

als ich dachte: Dich überleb ich! Ich hab ihn vor mir gesehen, dieses kleine sabbernde Schwein in seinem unantastbaren weißen Kittel, wie er da in meinem innersten Uhrwerk rumschraubt und -bohrt. Und plötzlich – ssst! Rutscht ihm sein fieser kleiner Bohrer ab und sst! Rast ihm ins Herz! Und – ffft! In Sekundenschnelle ist die Luft raus aus ihm. Und ich stehe auf und hüpfe fröhlich pfeifend davon! Als Kind hab ich immer gepfiffen.«

Swetlana hatte den dringenden Wunsch, sich aus Anitas Perspektive zu befreien. Sie lief zu einem kleinen Sofa hinter ihr und plumpste hinein. Programmiert. Programmiert! Alles war programmiert. Es gab keinen Spielraum. Im Osten nicht. Und im Westen auch nicht. Und wenn's nicht das Geld war, dann war's ein Kerl. Ein höchst persönlicher. Oder das Prinzip Mann. Es gab keine Hoffnung. Sie sah es glasklar vor sich. *Die Männer haben ausvisioniert*, hatte sie notiert in der Euphorie des Novembers 1989. *Jahrhundertelang waren sie zuständig für den Entwurf neuer Welten, neuer Menschen, aber jetzt ist Schluß damit*, hatte sie behauptet. Hatte sie sich eingeredet. *Der Mann hat sein Soll an Utopie für Menschheitsbeglückung übererfüllt. Jetzt kommt eine wirklich neue Zeit.* Aber die Männer hatten weitergeredet. Aus den eigenen hohlen Mündern und aus den Frauen. Programmiert. Sogar aus dieser Frau hier redeten sie. Sagte diese Frau. Mein Vater hat mich programmiert. Und das Programm hieß Ohnmacht und ließ keine Hoffnung zu. Ohnmacht ist unheilbar, solange Macht sich nicht selbst erkennen darf.

»Und Sie schleppen auch was mit sich rum, Swetlana!« Anita hatte den Rollstuhl gewendet und kam auf sie zu. »Oder soll ich lieber Karin sagen?«

In der Ohnmacht konnte man sich nur häuslich einrichten. Eine Zeitlang. Man mußte nur das zuviele Wissen vergessen. Oder ihm einen anderen Namen geben. Koronar-Insuffizienz zum Beispiel. Sie hatte sich so ein Plätzchen zurechtgemacht. Das bißchen Ruhe war ihr so kostbar – und jetzt kam ihr jemand entgegen, mit dem sie sprechen, reden sollte.

»Frau Ha-all!« Anita tippte ihr auf die Knie. »Heißen Sie lieber wie Stalins Tochter oder wie Görings Villa?«

Swetlana schoß im Sofa hoch und fuhr sich mit der Hand über die Knie, als müßte sie hartnäckige Falten glattziehen. »Mir wurscht!«
Anita rollte ein Stück zurück und lächelte spöttisch. »Okay, okay. Ich wollte Ihnen nicht zu nahe treten ... Hatten Sie nicht einen Termin demnächst?«
Swetlana sah widerwillig auf die Uhr. »Um halb zwölf, ja. Aber wir müssen doch noch Ihre Übungen –.«
»Wir müssen gar nix! Fahren Sie mal, vielleicht kriegen Sie ja den Job als Wurstmaxe – wär doch komisch, oder?«
Swetlana »Karin« Hall starrte Anita in die Augen und lächelte grimmig. *Das* war ihr aus tiefstem Herzen wurscht.

»WER WEISS, WANN wir das nächste Mal an Kalorien kommen«, Lietze stopfte sich den Rest der Bulette in den Mund, leckte sich das Fett von den Fingern und schob, noch kauend, eine Riesenscheibe warmen gekochten Schinken in ein aufgeschnittenes Viertel Pide. »Nehmen Sie doch noch ein Hühnerbein, Kobold. Wegen der Hormone, hm?«
Kriminalhauptkommissar Detlev Roboldt schwenkte aus etwa zwei Metern Entfernung feixend einen Plastikbecher mit Rotwein.
»Is Prahrer, Frau Komm-, verdammt nochmal, ick lern's nie! Lietze! Hat meine Frau selbst jemacht!«
Lietze riß das gestopfte Fladenbrot wieder aus dem Mund und glotzte den kleinen dicken Wachmann an, als hätte er in letzter Sekunde eine eingebackene Zyankalikapsel enttarnt.
»Is vom Feinsten. Det isse übriehngs – weil Sie ja seinerzeit uff unsre Hochzeit nich da warn.«
Lietze starrte abwechselnd auf die mollige und deutlich jüngere Frau Ritter, der vor Aufregung hektische Flecken bis tief ins gewagte Dékolleté erblühten und das Tablett mit gut einem Dutzend weiteren Plastikbechern fast aus der Hand rutschte, und das Dreieck in ihrer eigenen Hand, in das sie eben so herzhaft hatte beißen wollen. Prager Schinken! Und auch noch vom Feinsten!

»E'n-n-n Rotwein dazu?« Frau Ritter hatte sofort kombiniert, daß das Idol ihres Mannes Händeschütteln wohl nicht schätzte, und ihre in der Luft hängende rechte Hand mit einem der Plastikbecher vom immer noch wackelnden Tablett in ihrer linken bewaffnet.
»Danke, nein – oder doch, ja!« Lietze nahm den Becher und stand hilflos mit zwei vollen Händen vor den beiden Menschen, die vor lauter Stolz fast aus der teilweise uniformierten Wäsche platzten. »Ja, dann – Prost, Frau Ritter! Den Schinken werde ich natürlich mit besonderer Aufmerksamkeit essen! Bissen für Bissen. Das können Sir mir glauben.«
Auch Frau Ritter nahm einen Becher und prostete zurück. Lietze überlegte, während sie trank, fieberhaft, wie sie der besonderen Aufmerksamkeit des holden Paares entwischen konnte, und hob wieder den Becher. »Und Ihnen auch, Ritter – das sieht doch schwer nach einem glücklichen Lebensabend aus, was? Wie fühlt sich das denn an, wenn einen so viele Leute feiern?« Sie drehte sich um zu den etwa zwanzig mampfenden, trinkenden und schnatternden Menschen, die von Berufs wegen der Sicherheit und Ordnung dienten und von denen einige schon ordentlich hinüber zu sein schienen, jedenfalls standen sie nicht mehr ganz sicher auf dem Boden der Eingangshalle der Keithstraße 28. »Zu blöd, daß wir gar nicht richtig mitfeiern können!«
Sie hatte Roboldt gewittert. Also mußte er so nahe sein, daß er den letzten Satz gehört haben könnte.
»Na, nee – Lietze!« Ritter war so in Fahrt, daß er ihr sogar noch jovial den Arm zu tätscheln wagte. »Sie sind ja noch jung, bei Ihn' jeht Arbeit ja no' vor!«
Roboldt hatte sich tatsächlich zu ihr herangerobbt. Er sah demonstrativ auf seine Armbanduhr, weshalb ein guter Schluck Rotwein auf Lietzes Jackett schwappte. »Och Gott, auch das noch! Ich glaube, wir müssen wieder hoch, nicht?«
»Ja!« sagte Lietze. Und dann schien ihr etwas eingefallen zu sein. Sie drückte Roboldt ihren Becher in die andere Hand, bugsierte mit beiden Händen das Brot mit dem bedrohlichen Schinken in den Mund, biß aber nicht ab, sondern nestelte die Zigarilloschachtel aus dem Jackett und hielt sie Ritter unter die Nase. Dann nahm sie die Pide wieder aus dem

Mund und grinste Ritter komplizenhaft an. »Na, Ritter, wie wär's mit einem Sargnagel? Heute nehmen Sie aber mal einen – weil's Ihr letzter Tag ist!«
Dann strahlte sie die ausgehebelte Frau Ritter in Grund und Boden, nahm Roboldt den Becher aus der Hand und setzte sich in Bewegung, Richtung Fahrstuhl. »Ja, Roboldt, und wie wir müssen!«
Roboldt folgte ihr, ohne weitere rote Flecke zu hinterlassen.
Mimi telefonierte, als sie die Dienstzimmerflucht des MI/3 betraten. Genauer gesagt, sie hing im Stuhl und schien die Stimme verloren zu haben. Lietze legte ihr das Schinkenbrot auf den Tisch und verließ mit Roboldt das Zimmer.
»Ist was mit dem Brot?« fragte Roboldt auf dem Weg zu Schades Zimmer.
»Prager Schinken!« sagte Lietze und drückte die Klinke.
»Ja und?«
»Ach, nichts! Haben Sie schon was raus, Schade?«
Sonja Schade drehte den Stuhl von der Schreibmaschine, auf der sie herumgehackt hatte, weg zum Schreibtisch mit dem einen Stuhl davor. »Folgendes – unser Frollein Dorle hat die Blutgruppe A.«
Bevor sie weiter ausholen konnte, hatte Roboldt sich einen zweiten Stuhl aus einer Ecke des Zimmers gezogen. »Klärt mich mal jemand auf?« Er setzte sich rittlings drauf.
Lietze setzte sich ebenfalls und beschäftigte sich seufzend mit einer *Lucky Luciano*, einem Feuerzeug sowie einem weißen Plastikbecher mit einer himbeerroten Flüssigkeit.
Schade verstand. »Gern, Detlev! Das Kind hatte Blutgruppe Null, nicht? Die polizeitechnische Untersuchung hat jetzt noch eine andere Spur gefunden. In diesem Flickenteppich, der da vor dem Kinderbett gelegen hat.«
»Und wenn die und die Blutgruppe der Mutter zusammen die Blutgruppe des Kindes ergeben könnten –«
»– dann könnten wir einigermaßen sicher sein, daß es die Eltern waren«, ergänzte Schade.
»Beziehungsweise der von beiden, dessen Blutgruppe mit der des Spurenlegers übereinstimmt. Verstehe.« Roboldt verstand nichts, außer daß der Schadesche Konditionalis

keinen Optimismus zuließ. »Und – was hat die Spur für eine?«
»B!« brüllten Schade und Lietze gemeinsam.
»Das heißt –.« Mit Sicherheit irgendeine neue Komplikation, soviel war Roboldt klar.
»Das heißt«, sagte Lietze gereizt, »wir *müssen* jetzt praktisch wieder davon ausgehen, daß es einen dritten Täter gibt.«
»Oder Täterin!« Roboldt wußte nicht genau, warum ihm diese Differenzierung plötzlich einfiel.
»Moment, Moment!« Schade lief zu Hochform auf. »Ich habe mich nochmal genau erkundigt. Also, es ist zwar richtig, daß ein Kind die Blutgruppe fifty-fifty von seinen Eltern übernimmt –.«
»Was heißt denn das wieder! Daß der kleine Bengel womöglich gar nicht von diesem, diesem Chris ist?«
»Achso? Halt mal – A und B kann ja nicht Null ergeben!« Auch Lietze verlor allmählich den Überblick.
»ABER!« Ob Fritz das auch so gekonnt hingelegt hätte, schoß Schade in der Kunstpause durch den Kopf. Fritz! »Oh, stop! Hat irgend jemand was von Lothar gehört?«
Lietze und Roboldt schüttelten überrascht die Köpfe. »War Mimi deswegen so still eben am Telefon«, fragte Roboldt.
»Na, das werden wir dann hören. Die muß ja auch gleich kommen! Machen Sie mal weiter, Schade!«
»Also – ABER!« So eine Kunstpause machte einen einfach zu und zu bedeutend. »Bei Blutgruppen sind die mit den Buchstaben dominant. Die Null verschwindet dahinter sozusagen. Also, die ist nicht zu analysieren. Es könnte zum Beispiel so sein, daß Dorle A_0 hat und dieser Chris B_0, ich meine, falls er die Spur wirklich gelegt hat …«
»Es könnte aber auch ganz anders sein«, Lietze warf ein giftiges Grinsen in die Runde. »Na bravo!«
»Und woher hast du die Blutgruppe der Mutter, Sonja?«
»Wir haben vorhin in der Wohnung ihren Mutterpaß gefunden, da ist mir die Idee gekommen, aber da stand sie komischerweise nicht drin. Der war überhaupt nicht ausgefüllt. Besonders ordentlich scheint sie nicht zu sein. Jedenfalls

nicht mit ihrem Kind!« Schade steckte sich jetzt auch eine Zigarette an. »Aber bei der Entbindung müßten sie's eigentlich feststellen, wegen Komplikationen oder so.«
»Genial!« fand Roboldt erleichtert.
»Pfhh! Handwerk. Oder besser Mundwerk! Hat mich ein Telefongespräch mit Voltaire gekostet! Der mußte mir natürlich einen Vortrag halten, daß seine Tochter nicht mal mehr Achtung vor den Leistungen der Medizin der DDR hat. Uäh!«
»Wieso – hat sie im Westen entbunden?«
»Hmhm: im Virchow.«
»Wie kommt sie denn nach Wedding?« überlegte Lietze laut.
»Keine Ahnung! Ich war froh, daß ich das Krankenhaus wußte und Voltaire schnell abhängen konnte!«
Mitten in das Schweigen hinein wankte eine bleiche Mimi, die ihre Stimme immer noch nicht wiederzuhaben schien. Roboldt sprang hoch und drückte sie auf seinen Stuhl.
»Mimi, um Himmelswillen, was ist denn mit Ihnen los!« Lietze warf den Stummel in den Aschenbecher, gab sich Mühe, nicht an Prager Schinken zu denken und packte Mimis Arm.
»Brauchst du was? Zu trinken?« Auch Schade war vom Stuhl gesprungen und lief zum Waschbecken.
»Das ist doch – alles – nicht zu – fassen!« kam endlich ein tonloses Stimmchen aus Mimis Mund. »Das – das kann man doch nicht *nicht* wissen!«
Schades ganzes Zimmer lag unter einem bleiernen Schweigen wie die Stadt draußen, jenseits des Fensters, unter der dichten grauen Wolkendecke.
»Ein Onkel von mir aus Boston, den hab ich in so einer privaten Pension untergebracht, bei einer bezaubernden alten Witwe. Ein ganz umgänglicher alter Mann, was heißt alt! Achtundsechzig ist er. Und heute morgen, beim Frühstück, da fragt sie ihn, wo er denn so gut Deutsch gelernt hat, das sei ja toll. So richtig nett, ja? Und schließlich sagt er: in Auschwitz.« Mimi holte tief Luft, schlug die Lider hoch und fixierte alle drei nacheinander mißtrauisch und flehentlich zugleich. »Und dann sagt sie – hach, nein, so ein Zufall! Da

müssen Sie eigentlich meinen Sohn kennen, der war auch da! Und steht auf und holt ein Fotoalbum.«
Die Luft im Zimmer war noch dichter als die Wolken hinter dem Fenster. Roboldt hielt es als erster nicht mehr aus. »Und der Sohn hatte die SS-Uniform an?«
»Nu«, Mimis Stimme hatte die Freundlichkeit einer Solinger Klinge. »'n Fummel wird er nebbich angehabt haben!«
Niemand traute sich zu fragen, wie der Onkel reagiert hatte. Mitten in die Stille hinein gellte das Telefon. Aber niemand wollte es gehört haben. Mimi schon gar nicht.
»Da hat mein Onkel den linken Ärmel hochgekrempelt und ihr seinen Arm hingehalten«, sie überhörte auch das zweite Gellen, »und die Kuh kuckt sich den an und grinst wie ein Honigkuchenpferd!«
Beim dritten Klingeln riß Roboldt den Hörer hoch. Mimi schnappte Lietzes Plastikbecher und kippte den Rest Rotwein.
»Äh – Versiegelung? ... Ja? ... Aha, erneuert ... Gut. Danke.« Roboldt legte auf und sah auf die Uhr. »Die PTU. Der ED war an der Tür von der Wohnung. Sie haben sie wieder versiegelt. War da jemand drin gewesen?«
Lietze nickte, hielt aber weiter Mimis Arm fest. »Wann sollen Sie zur Gauck-Behörde, Roboldt?«
»Um zwei.«
»Gut. Dann haben wir ja noch Zeit.« Lietze überlegte. »Mimi, wollen Sie lieber – gehen? Nach Hause, meine ich?«
»Nä!« Solinger Stahl, garantiert rostfrei. »Wegen der Kuh? Ich *denke* ja gar nicht dran! Wenn Dummheit weh täte – die würde so schreien, daß man sein eigenes Wort nicht versteht!«
»Sag ich ja«, sagte endlich Schade, »nix hat bei denen gestimmt. Die haben sich sogar noch die Generalamnesie in Sachen deutsche Geschichte geschenkt mit ihrem Scheiß-Antifaschismus!«
»Die hat bestimmt gedacht, mein lieber zerstreuter Onkel hat sich die Telefonnummer von seiner Frau auf den Arm tätowiert, damit er sie nicht vergißt!« Rostfrei, ohne jeden Belag und fein wie ein Florett. »Wohnt übrigens nicht in Ostberlin, liebste Sonja. Wohnt in Wilmersdorf, die Dame.«

DAS ZUGFENSTER flog krachend auf, und ein kleiner blutiger Armstumpf sauste ihr direkt ins Gesicht. Die Stechschrittmusik donnerte ihr jetzt direkt in die Ohren. »... beim Hungern und Vermessen – Vorwärts, nicht vergessen – die Solidarität!«
Sie trat um sich, sie wollte sich den blutenden Fetzen aus dem Gesicht wischen. Aber ihre Füße verfingen sich im Federbett. Sie schlug die Augen auf. Sie sah ihren Vater mit einem Kassettenrecorder im Arm. »... Proletarja alla Lända ...« Das Türblatt zitterte noch nach vom Stoß an den Schrank, der hinter der Tür stand.
»Hau ab!« schrie sie und riß sich das Federbett über den Kopf.
Aber Voltaire kam näher und drückte den Recorder aufs Kopfkissen. »Aufstehen!«
Sie schlug die Decke zurück, griff den schwarz-silbernen Kasten und schleuderte ihn in die erstbeste Richtung. Er knallte gegen eine Stuhlkante und rutschte auf den Boden, umgeben von vier Batterien, die vor ihm unten angekommen waren, gleich nachdem er sein letztes Buff-tadadatat und seine letzten Worte getätigt hatte: »... einigt euch un-m-glll ...«
In der Tür erschien eine dralle Mitsechzigerin mit grauen Strähnen und Schürze. »Is hier allet verrückt jeworden?«
»Es ist nach zwölf!« Voltaire stand drohend vor dem Bett.
»Der hat doch'n Arsch offen!« Dolores Wolter sah an ihm vorbei zu ihrer Mutter. »Een hier mit seine Terrormusik außen Bett zu reißen!«
»Du hebst sofort den Apparat auf!« Voltaire fuchtelte mit dem Arm in Richtung des Kassettenrecorders.
»Det is Folter!« schrie Dolores weiter ihre Mutter an. »Typisch! Jehng det eigne Fleisch und Blut!«
»Du sollst aufstehen!« Voltaire packte ihren Arm und zerrte ihn hoch.
»Tu, was der Vater sagt«, sagte die Mutter und verschwand aus dem Türrahmen.
Dolores entriß ihm ihren Arm, sprang aus dem Bett und klatschte ihm den Handrücken ins Gesicht. »Faß ma ja nich nomma an!«
Er versuchte wieder, ihre Arme zu packen und sie zu schüt-

teln. Sie zerrte an seinem Hemdkragen und trat um sich. Als sie sein Schienbein erwischte, schrien beide gleichzeitig. Wieder erschien die Mutter in der Tür. »Hört auf!« zischte sie und wedelte mit einem Holzkochlöffel. »Ihr macht ja die janze Nachbarschaft rebellisch!«
Voltaire ließ die aschblonden Haarstoppeln los und verließ das Zimmer. Dolores warf ihm den Knopf, den sie mitsamt Stoff aus seinem Hemd gerissen hatte, hinterher, fuhr sich durch die Stoppeln und zog sich stöhnend die Spaghettiträger des flieder-schwarz-gemusterten Nylonnachthemds zurecht. Während Mutter Voltaire sich der Bergung des Kassettenrecorders widmete, betrachtete sie die blauen Flecken auf ihren Armen und die abgerissenen schwarzen Spitzenrüschen.
»Wir ham dir jesacht, du sollst dich hier nich blicken lassen!«
»Wer wir! Du hast doch überhaupt nüscht zu melden!«
»Du mußt ooch ma an andere denken! Du jefährdest uns alle damit!« Es war nicht auszumachen, ob der Lamentoton dem zerfransten Elektrogerät oder ihrer eigenen bedrohten Sicherheit galt.
»Ach, halt's Maul! Ick soll an andre denken, wa? Und an wen hast du jedacht, als de ma im Kinderjarten entsorcht hast? Hm?« Dolores zog das Nachthemd aus. »Nee nee, Familiensinn is doch bei euch mit unsichtbare Tinte jeschriem jewesen! Die Partei und der Staat, der Staat und die Partei, und ohm drüber und unten drunter Schwert und Schild – det is eure Auffassung. Von der Wiege bis zur Bahre ...« Sie wühlte neue Unterwäsche und Strümpfe aus der Reisetasche.
»Umjebracht ham se jehnfals keen' in unsre Kinderjärten.« Mutter Voltaire kam wieder hoch, legte den Recorder, Batterien und ein paar Plastikteile auf den Tisch und sah Dolores an. »Zieh dir wat über. Wir ham Besuch!«
»Is det mein Problem?« Aufreizend langsam schlüpfte Dolores in einen knappen schwarzen Spitzenslip und ein passendes Unterhemd. »Ick hab den Christian nich umjebracht! Wie oft soll ick dir det noch sahng!«
Ein langer Blick, halb angeekelt, halb fasziniert, breitete sich

über die dekadenten Dessous und das weiße Fleisch, das üppig neben den Rändern hervorquoll. »Hättste den bloß nie kenn'jelernt!« nölte die Mutter schließlich.
»Ach, du hast doch keene Ahnung!«
»Menschenskind, du bist zehn Jahr älter wie der! Gloobste wirklich, der hat dich jenomm', weil de so'n knackijet Ding bist?«
»Aber wo«, höhnte Dolores durch den Halsausschnitt des Sweat-Shirts, während sie den Kopf durchzog. »Bloß wehng meim Jeld. Du weeßt ja, Jeld spielt keene Rolle, ick hab nemmich keens!«
Voltaire tauchte mit einem Stapel Papiere unterm Arm wieder auf. Seine Frau warf ihm einen Blick zu, begleitet von Kopfschütteln.
»Ick hab dir schomma jesacht, du sollst abhauen!« Dolores zwängte sich in die Jeans, was eine weitere Verstärkung ihres Keiftons bewirkte.
»Wär det bloß alles nich passiert«, Mutter Voltaire konterkarierte im Jammerton A. »Hätten wir dich bloß nich wechjelassen am neunten November –.«
»Denn hätt ick nie meen Jlück jefunden!« Dolores ließ sich aufs Bett fallen, um Socken und Schuhe anzuziehen. »Und ihr hättet ne arbeitslose Tochter zum Durchfüttern. Det hättste aber erst schau jefunden, wa?«
Voltaire stand immer noch an der Tür und ließ durchblicken, daß er die Anwesenheit seiner Frau für der Sache nicht sehr dienlich hielt. Frau Voltaire gehorchte. Auf dem Flur drehte sie sich noch einmal um. »Du hättst ja wenigsen nich ooch noch schwanger wiederkommen müssen!«
»Jaja«, knurrte Voltaire ungeduldig, »sie hätt's gleich müssen wegmachen lassen. Jetzt mach du mal, daß wir endlich was zu essen kriegen!«
»Und du jehst glei' mit, verstehste!« schrie Dolores ihn an. »Dich kenn ick nemmich jar nich mehr! Dich und deine janzen Stasiratten!«
Aber Voltaire kam stattdessen auf sie zu und warf ihr den Stapel aufs Bett. »Wo du grad von Ratten sprichst – da ist sie, deine Ratte! Der ist nicht bloß n Kindermörder und n Frauenausbeuter –.«

Dolores erstarrte und verlor augenblicklich jede Hautfarbe, die auf eine Bewegung von Blut und Sauerstoff in ihrem Körper hingedeutet hätte. Dann sprang sie ihn wieder an und trommelte auf seinem Brustkorb herum.
»– Der ist Faschist, und zwar organisiert. Lies das!«
»Det is ja überhaupt nich wahr!« schrie sie. »Ihr Dreckschweine! Wat habt ihr euch jetze wieder zusamm'jefälscht!«
Voltaire nahm ein paar Blätter und hielt sie ihr vor die Nase. »Da!« Seine Stimme war bedrohlich leise. »Interne Papiere von der Deutschen Front. Kuck's dir an, verdammt nochmal! Das ist *dein Glück*! Ein lupenreiner Faschist. Erst in Schleswig-Holstein, in diesem Nest da – hier, Fohrbeck –.«
»Halt endlich die Fresse, sonst –«, Dolores' Stimme gellte so laut, daß die Mutter wieder aus der Küche gelaufen kam. Sie lief einem etwa fünfzigjährigen großen Mann, der seinen pelzgefütterten Ledermantel nicht abgelegt hatte, in die Arme und wurde von ihm zurückgeschickt. Aber das alles sah Dolores nicht.
»Und dann ist er nach Berlin beordert worden. Und dafür braucht der dich. Er soll von hier aus die sogenannten neuen Bundesländer sturmreif machen helfen.« Voltaire hielt inne und beobachtete seine Tochter, die sich von ihm abgewandt hatte und bebend vor dem Fenster stand. »So, Dolores«, seine Stimme war von selbstzufriedener Kälte, »dein Vater ist kein Unmensch. Du hast noch eine Chance. Du kannst dich jetzt entscheiden, von wem du dich da raushauen lassen willst.« Er sortierte die Papiere wieder zusammen und ging zur Tür. »In welcher von den konspirativen Wohnungen hält er sich denn versteckt – in Neukölln oder im Wedding? Na, das haben wir auch bald raus«, hinterließ er ihr, bevor er die Tür hinter sich zuzog. Er hatte sie da, wo er sie haben wollte.
Aber das wußte Dolores noch nicht, als sie zwei Minuten später aus der Wohnung stürmte und das Haus in Richtung U-Bahn Rosa-Luxemburg-Platz verließ. Gefolgt von einem Mann im Ledermantel, der die Linienstraße allerdings in der entgegengesetzten Richtung entlangging und bald darauf vor dem Karl-Liebknecht-Haus einen dunkelgrünen *Volvo* anließ.

FAKT WAR JEDENFALLS, daß die Töne regelmäßig kamen. Dù-dung dù-dung dù-dung. Ein bißchen lauter, aber das lag vielleicht daran, daß er nicht wirklich Ruhe für dieses Gespräch hatte. Entweder dudelte das Telefon im Vorzimmer, und er mußte hinrennen und in Gegenwart zweier ihm auf Anhieb unsympathischer, unbekannter Frauen Fragen beantworten, was den Feuchtigkeitsgehalt seiner Hautoberfläche enorm steigerte. Oder er saß hinter der geschlossenen Tür in seinem Chefsessel und notierte, was diese erstaunliche Frau ihm antwortete, wurde aber die fixe Idee nicht los: Was stellen die beiden Weiber da draußen wohl an ohne jede Aufsicht?
»Einen Moment mal!« Seine Stimme klang nicht mehr hohl und hart. Ihm war etwas eingefallen. Er ging zur Tür, zog sie auf, lehnte seinen Oberkörper salopp ins Vorzimmer und erklärte den zwei Frauen, sie könnten gehen, er habe derzeit keine Stellenangebote mehr.
Während er wartete, daß die Eingangstür hinter ihnen fest ins Schloß fiel, dudelte das Telefon wieder. Er drehte sich um, zwinkerte der Frau vor seinem Chefschreibtisch bedauernd zu und lief zum Empfangstisch. »Wer sind Sie? ... Polizei aha, wegen meiner Anzeige ... Wegen was? ... Schon wieder? Hören Sie, das ist das dritte Mal in zwei Wochen, was ... Am hellichten Tage, das ist doch wohl ... also, das hat's früher nicht gegeben! ... Ach, der Lieferwagen, so ... Gestern nacht ...«, er tupfte mit dem Hemdärmel über Kinn und Stirn, die Magenbitterfalte um seinen Mund verzog sich zu einer höhnischen Grimasse, »... und Sie bearbeiten das tatsächlich jetzt schon, wie vorbildlich! Es ist ja auch erst halb eins! ... Ja, das kann ich machen ... Und was ist jetzt mit meiner Anzeige? ... Wieso wissen Sie das nicht ... Am Luxemburg-Platz ... aha, Mitte 1, so ... und Sie sind Mitte 2, weil der Lieferwagen in der Leipziger Straße ... Ja, Wiederhören!«
Er ging zurück ins Chefzimmer, schloß sorgfältig die Tür und murmelte, während er sich in seinen Sessel fallen ließ, daß er das Telefon jetzt nicht mehr hören wolle. »Mein Bedarf an Schreckensmeldungen ist gedeckt!«
Swetlana »Karin« Hall sagte noch immer nichts und schien sich auch nicht gerührt zu haben.

»Eben kriege ich die Meldung, daß es schon wieder einen Anschlag auf eines meiner Autos gegeben hat! Also, das hatten wir ja nun nicht gemeint mit Freiheit, nicht wahr?« jovial beugte er sich vor und sah sie verbrüderungsheischend an. »Meines Erachtens nach ist das der reine Neid. Die sehen den *Porsche* oder den *Mercedes*-Transporter und kloppen die Scheiben ein aus lauter Wut, daß sie nicht selber sowas haben. Statt sie ordentlich arbeiten und sich – so sehe ich die Sitteatzion. Nicht?«
»Tja, da ist wohl was dran.« Es klang gleichgültig. Oder abgelenkt. Als ginge sie ganz anderen Fragen nach. Zum Beispiel, ob es etwas zu bedeuten hatte, daß sie jetzt mit diesem Herrn Jähder allein war.
Die Antwort schien ihm ebenso zu gefallen wie manches, was er vorher mitgeschrieben hatte. Er blätterte in den Zetteln vor ihm, und wenn Magenfalten vorfreudig schnalzen könnten, dann hätten seine es dabei getan. Diese Frau hatte ihm der –, ja, von ihm aus der Himmel geschickt! »Wußten Sie, daß wir genau am selben Tag auf diese verrückte Welt gekommen sind?«
Er würde sich heute noch danach erkundigen, ob die Gewebeverträglichkeit durch dasselbe Geburtsdatum nicht entscheidend verbessert würde. Full-Haus womöglich!
»Nein – woher?« fragte sie mit gespieltem Interesse. Riecht der irgendwie nach Gefahr, überlegte sie weiter und musterte ihn. Nein, sie roch nichts. Das war auch nur einer von den schrecklich wichtigen Männern, die mit den praktischen Dingen schrecklich überfordert waren. Mit Telefonen etwa. War seine Sekretärin wirklich krank oder hatte er gar keine?
»Ja-h, korrekt! Konnten Sie ja nicht wissen. Ich bin auch am 7. Oktober 1949 geboren. Wie Sie!«
»Und die DDR!«
»Tja, nicht? Aber *wir* leben!«
Noch, dachte sie und wartete.
»Das heißt, wer weiß, wie lange noch – wenn das Herz nicht mehr richtig will, nicht?«
Sie schrak zusammen. Woher wußte er das? Sie hatte ihm nichts erzählt. Und im Personalausweis stand es auch nicht.

»Und wenn dann diese ganzen Kurpfuscher nichts finden, nicht!« Er hatte nichts gemerkt. Er hörte zufrieden seiner jovialen Stimme und seinen wohltemperierten Herztönen zu. »Na, lassen wir mich mal beiseite. Mit Ihnen«, er beugte sich weit nach vorn und bohrte einen gönnerhaften Blick in ihre Augen, »habe ich nämlich etwas vor. Sie sind also ausgebildete Chemikerin, ja? Haben zehn Jahre in den Labors von VEB Florena gearbeitet, ja? Hah, zu der Zeit konnte ich meiner Frau schon echte *Nivea* mitbringen! Egal – und dann waren Sie bei der Kriminaltechnik ... hier ... Dezernat 4 – wo wart ihr da eigentlich untergebracht?«
»Am Alex«, sagte sie, »im Polizeipräsidium. Sechster Stock.« Daß sie da zweimal ein Fenster geöffnet hatte und beim zweiten Mal auch auf die Fensterbank geklettert war, sagte sie nicht.
»Geruchsdifferenzierung – sagen Sie mal, Karin, ich darf doch Karin sagen, nicht ...«
Sie nickte abwesend.
»... ist das diese Einheit gewesen – mit den Hunden? Das wurde doch dann mal im Fernsehen berichtet. Da hat man von Stühlen und Autositzen hat man da also quasi den Geruch von jemandem abgenommen, den man also sooweso im Visier hatte, nicht?«
Sie lächelte gequält. »Mit Flanelläppchen, ja ja.«
»Und die wurden dann konserviert – haben Sie auch so ein, so ein Regal gehabt mit lauter Weckgläsern mit Läppchen drin?«
Das gequälte Lächeln schien eingefroren.
»Und die Hunde konnten dann den betreffenden Geruch erkennen?«
Jetzt löste es sich auf in eine Art amüsierten Überdruß. Sie hielt ihm denselben Vortrag, den sie ein paar Stunden vorher schon Anita gehalten hatte. Und je mehr sie erzählte von den Polizisten, die kleine gelbe Lappen auf Sitze legten und mit Alufolie abdeckten und dann warteten und schließlich die Lappen mit Pinzetten in die Sorte Glas steckten, in dem normalerweise Marmelade eingekocht wurde, und den Deckel zuschraubten und ein Etikett mit Namen und Decknamen und Kennziffern und Angaben über die zuständige

Polizeidienststelle draufklebten und das Glas dann zu den anderen Hunderten sortierten, die in einem Extraraum in Kellerregalen lagerten, oder zu den Dutzenden, die aktuell bearbeitet wurden und deshalb in den Diensträumen standen, oder eins der Gläser aufschraubten, das Läppchen mit einer Pinzette herausholten und in einem leeren großen Raum auf den Boden legten, zu anderen Läppchen, und dann den jeweils diensthabenden Spezialhund daran riechen ließen und aus seinen Reaktionen Schlußfolgerungen zogen, auf Grund derer dann jemand zugeführt wurde und im Gefängnis verschwand – desto klarer wurde ihr, was Anita unter beinah hysterischem Prusten dazu gesagt hatte: »Das nenn ich Schnüffelstaat wörtlich genommen! Wenn es das nicht gegeben hätte, man hätt's erfinden müssen!«
»Und daß das ja wohl auch äh, ich meine, also Oppositionelle waren – im Fernsehn wurde gezeigt, daß man damit auch nachweisen konnte, wenn jemand irgendeine Losung auf eine Wand gesprüht hat – also, da hatten Sie kein äh schlechtes Gefühl –.«
Sie zuckte die Schultern und dachte daran, wie gut es sich, ganz im Gegenteil, angefühlt hatte, als sie eines Tages ein Glas mit dem Namen einer der Frauen zu bearbeiten gehabt hatte, die ihr den tiefsten Schlag versetzt hatten.
»Auch nicht jetzt, wo die ja, also, Fakt ist ja, daß etliche von diesen Leuten jetzt eine gewisse – Machtposition haben, nicht?« Jähder ließ ihrer Erinnerung keine Chance. »Das hat Format, Karin! Und deswegen will ich Sie auch nicht als Imbißverkäuferin einsetzen. Sie sind dafür zu schade. Und sooweso überquallefiziert!«
Alle amüsierte Leichtigkeit war jetzt weg. Swetlanas Schultern sanken nach unten, der Blick glitt ins Leere.
»Was haben Sie da eigentlich verdient – zweitausend? Zweizwei?«
Sie widersprach nicht.
»Kriegen Sie bei mir auch! In harter Währung!« Jähder hätte sich nicht gewundert, wenn ihm im selben Moment der Orden eines Helden des Arbeitsmarkts angeheftet worden wäre. »Und dafür werden Sie hier Chefsekretärin!«
Nur noch verhärmte Erstarrung lag in ihrem Gesicht. Sie

saß im Stuhl wie eine Statue, mit dem Rücken zum Fenster. Jemand anderes als Jähder hätte sie für ein de-chiricosches Trompe-l'oeil gehalten. Allein ihre dunkle Strickjacke schien in diesem Raum zu sitzen. Die betongraue Haut dagegen ließ ihren ganzen Körper als Teil der Wolkendecke erscheinen.
»Doch, doch, das können Sie!« Jähders Ohren glühten wie gekochte Hummerscheren. »Aber eins ähhäh interessiert mich vorher noch – was ist denn aus diesen Hunden so geworden?«

»KEINE FIRMA, GAR NIX! Nur daß da mal 125 Milliliter drin gewesen sind. Und der Name!« Lietze drehte die Plastiktüte mit der klobigen braunen Glasflasche angeekelt wieder um und stellte sie auf ihren Schreibtisch zurück.
Roboldt nahm sie in die Hand. »*Deutsches Erzeugnis* steht da auch noch. Und **Lettow**- in Fraktur«, er schnupperte vorsichtig, riß aber sofort naserümpfend den Kopf weg.
»Was dieser Querstrich wohl soll? Ist das Mode heute?«
»Das fragen Sie mich, Chef?« grinste Roboldt.
»Ja Gott, ich dachte, mit Parfüm kennen Sie sich vielleicht auch schon aus, wenn es noch nicht seit fünf Jahren auf dem Markt ist! Da gibt's doch noch so eins, warten Sie mal ... ein kurzer Name und – gleich hab ich's«, Lietze runzelte die Stirn.
»Ich weiß, was Sie meinen ... Coop Ausrufezeichen oder so ähnlich! Der macht auch Jeans, die vermutlich bloß ihm passen.«
Lietze stutzte und lachte laut auf. »Kobold, Sie sind – unmöglich!« Dann hob sie den Kaffeebecher an den Mund und stellte fest, daß er leer war. »Wenn Sie noch Zeit haben, fahren Sie bitte im KaDeWe vorbei. Die haben doch eine Riesenparfümabteilung. Vielleicht kennen die Lettow Strich oder wissen die Firma.«
»Glaub ich nicht, daß ich das schaffe. Um fünf ist der Kollege für die Observierung da?«
»Ja.« Sie lehnte sich zurück und sah ihn an. »Klingt nett am

Telefon, der junge Mann. Ist auch ein gelernter Ossi – wie hieß er wieder, ach ja, Wilfried das Gemöchtel ...«
»Bitte?« Roboldt stellte die Flasche in der Tüte ab und ging schnaubend um den Tisch herum.
»Der ist auch bestimmt eifrig, hat nämlich noch Probezeit«, stichelte Lietze weiter.
»*Möchtl, Wilfr.*«, las Roboldt auf Lietzes Schreibunterlage. »*17 – 22 Rob.* Ganz reizend, daß Sie mir die erste Schicht zugedacht haben! Da hab ich ja noch richtig was von der Nacht!«
Lietze grinste, nahm den leeren Becher und stand auf.
»Aber warten Sie ab – Sie haben auch mal irgendwann wieder ein Match!« Roboldt war vor ihr an der Tür zum Schreibzimmer.
»Wollen's doch schwer hoffen, Kobold! Und nicht erst irgendwann – wir werden nämlich alle nicht jünger!« Lietze rauschte hoheitsvoll an ihm vorbei zu einem gurgelnden braunen Monster, das auf einem Aktenschränkchen stand und Kaffee spuckte. »Und noch was – erkundigen *Sie* sich auf der langen Fahrt zu Gaucks mal, wie's Schade familiärerseits überhaupt geht. Man kommt ja zu nix!«
»A propos geht –«, auch Mimis tröstlichstes Timbre konnte nicht verhindern, daß die Tür hinter Roboldt krachend ins Schloß fiel. »– Fritz ist heute morgen um neun seine Mandeln losgeworden.«
»Na, Glückwunsch! Wann kommt er wieder arbeiten?« Lietze stellte die Tüte mit der Flasche auf Mimis Schreibtisch.
»Mein Gott, Karin – wenn Sie weiter so geladen sind, gibt's hier heute noch Kabelbrand!«
Lietze hielt einen Augenblick inne, lehnte sich gegen die Tür zum Flur und holte Luft.
»Ist noch gar nicht raus, ob er bald wieder fit ist. Beate sieht schwarz. Kann sein, daß er mit seinen ewigen Antibiotika bloß die Entzündungsherde weiter nach unten geschoben hat. Und daß die schon bis an die Herzklappen gewandert sind.«
»Hab ich ihm doch ges-«, sagte Lietze und kam nicht weiter, weil die Tür hinter ihr aufgedrückt wurde und sich die Klinke in eine ihrer Nieren bohrte.

Mimi starrte entgeistert auf die zwei Frauen, die sich sofort auf Lietze stürzten und an ihr herumfummelten wie an einem überfahrenen Hund. Die eine war gut zwanzig, blaues Leder und weißblonde Mähne, die andere mußte mindestens sechzig sein.
»Du Scheiße, Karin!« kreischte die Weißblonde und warf die schwarze Motorradjacke, die sie über dem Arm gehabt hatte, auf die nächstbeste Ablage. Das war Mimis Schreibtisch, und mit der Jacke rutschte auch eine Tüte mit einer Flasche drin zu Boden.
»Oh nein!« stöhnte Lietze auf und rieb sich die rechte Nierenpartie. »Ich hab jetzt wirklich keine Zeit für irgendwelche Probleme der anschaffenden Klasse. Und wenn sie noch so zum Himmel stinken!«
Die ältere der beiden, die nicht ganz so exzessiv am Ersten Kriminalhauptkommissar herumgefummelt hatte, trat einen Schritt zurück und erklärte würdevoll: »Kim is jestern ahmt zusammjeschlahng wor'n – reicht det für'ne Audienz bei de Direktion Zittie?«
Lietze starrte abwechselnd beide an. »Mimi, kriegen Sie diese Flasche heute noch rüber in die PTU? Wo ist sie denn?«
Die Weißblonde hatte inzwischen die Lederjacke vom Boden gerissen. **Lettow-** kollerte über den Boden.
Mimi nickte. »Drei Kaffee?« Dann hob sie sie auf, während Lietze die beiden Frauen in ihr Zimmer schob.
»Na, du hast ja ne Laune, Karin!« Helga ließ sich auf einem der Stühle um den Konferenztisch nieder. »Sollt'st da ma wieder verliehm!«
»Nu hört domma uff mit die Scheiße!« fauchte Kim.
Lietze hatte sich ein Zigarillo angezündet und nahm erst jetzt die kleinen Veränderungen in Kims Gesicht wahr. Unter ihrem linken Auge blühte ein fast schwarzes Veilchen, der Bluterguß an ihrem Kinn war violett-schwarz gemustert.
Kim riß sich den Schal vom Hals und zog den Reißverschluß des blauen Lederblousons auf. »Det kannste ooch glei' mit ankucken!« Würgemale wie aus dem pathologischen Lehrbuch.

Mimi brachte den Kaffee und verschwand gleich wieder, weil niemand etwas sagte, während sie im Zimmer war.
»Weeß hier keener, dis wir uns kenn', wa?« fragte Helga.
»Aber sicher! Bloß duzen tut mich niemand hier!« Lietze setzte sich an den Konferenztisch. »Also – was war los?«
Was folgte, war ein unentwirrbares Duett, von dem Lietze nur soviel verstand: Kim hatte einem mutmaßlichen Luden nach Kräften ins Gemächte getreten.
»Dreimal – minnessens!«
Lietze stand auf, holte Papier und zückte einen Stift. »So! Und jetzt nochmal der Reihe nach!«
Helga lieferte ein detailgetreues, konzentriertes Protokoll der Ereignisse auf dem Parkplatz An der Spandauer Brücke, Montag, 3. Februar 1992, ca. 21 Uhr ff. inklusive Polizeischikane und Migränedrohung. Kim übernahm erst wieder, als sich das Geschehen vom Parkplatz zum Polizeirevier Invaliden-/Ecke Brunnenstraße verlagerte.
»Det war die Härte, Karin! Und die beeden andern kostümierten Clowns sind denn da ooch noch rumjesprungen! Aber gloobste, irnkt'ener hat sich da für unse Anzeige intressiert?« Kim war immer noch so aufgebracht, daß ihr der Kaffee aus der Tasse schwappte. »Ick hab dem den Typ beschriehm, soweit ick konnte. Ick hab ja nischt Richtijet sehn könn', det ging ja allet mit Karacho, wa? Aber ick hab den ja nu echt uff de Pelle jehabt, also, ick konnt den ja riechen! Det hat die jaa nich jejuckt.«
Lietze hörte auf mitzuschreiben und beobachtete Kim. Glaubwürdig war sie, daran hatte sie keinen Zweifel. Sie bezweifelte auch nicht, daß irgendwelche zufällig im Nachtdienst befindlichen Streifenkollegen nicht gerade ein Riesenherz für Huren oder andere schräge Vögel besaßen. Sie hatte es oft genug selbst erlebt. Sie hatte sogar ansonsten ganz umgängliche Uniformierte komplett versagen sehen, wenn sie es beispielsweise mit einer Frau zu tun kriegten, die den Mut hatte, mit zerfetzten Kleidern und Blutspuren an den beschämendsten Stellen eine Vergewaltigung anzuzeigen. Sie hatte die zotigen Herzlosigkeiten gehört und die Kälte in so einem Raum gespürt. Sie war gelegentlich ausgerastet und öfter noch in eine deprimierte Lähmung ver-

fallen. Polizisten waren eben auch nur ein Querschnitt durch die Bevölkerung. Nicht besser, nicht schlimmer. Sie hätte sie lieber besser gehabt. Beide! Aber sie war keine zwanzig mehr.
»Und weeßte – Karin, da müßteste einklich wat unternehmen«, fing Helga wieder an, »die ham sich Kims Jacke nich ma mitten Arsch anjekiekt!«
»Jenau!« Kim versuchte, sich eine Zigarette zu drehen, scheiterte aber schon zum zweiten Mal an ihren zitternden Händen, »dabei is da Blut von dem dran! Sowat muß man doch ma untersuchen. Hchch shit!« Sie warf das gerissene Blättchen weg und zog ein neues aus der Packung. »Oder bringt det nischt?«
Lietze stand wieder auf und zog die Jacke über den Tisch zu sich.
»Ick hab dem nemmich n Stücke aus de Hand jebissen! Und die Visasche zerkratzt ooch! Spendierste mir ne Lackie Lutschano, Karin?« Kim stand auch auf und beugte sich dicht neben Lietze über die Jacke. »Da – kiek. Is schon bröselig. Oder kann man det jaa nich mehr jebrauchen, wenn's einjetrocknet is?«
Lietze hielt Kim die Zigarilloschachtel hin. »Doch doch. Kann man. Bloß, was soll dabei rauskommen außer einer Blutgruppe?«
»Na Mönsch, Karin!« protestierte Helga. »Wo hastn dein' Riecher jelassn! Wir kriehng den Typ, da kannste Jift druff nehm'. Wir haben uns da schon wat ausjedacht. Da hörste denn ooch von – also, wenn et dir überhaupt intressiert ...«
Kim sog das Zigarillo auf Lunge und hustete. »Helga, mach Karin nich an!« verfügte sie schließlich gnädig und mit einem schwärmerischen Blick. »Hörste? Du weeßt ja nich, wat die hier zu loofn ham!«
»Och, bloß einen Kindermord!« sagte Lietze gereizt. »Längst nicht so wichtig wie eine Schlägerei mit einem eventuellen Zuhälter ...«
»Det war jemein«, blaffte Helga zurück. »Du weeßt donnoch jaa nich, wozu't jut is. Det war n Luden, sowat riech ick. Dem sein Wahren spricht ooch Bände – oder wer fährt sonst weiße italienische Schlitten? Und wenn wa det Schwein

mitsamt seine andern Arschlöcher da hochjehn lassn und die komm' nich glei' wieder aus de Kiste, weil't ja bloß um Ludenjeschäfte jeht, die bleim drin, weil wa beweisen könn', det se eene von uns tätlich anjegriffn ham – na! Dafür brauchn wa ehmt die Blutuntersuchung!«
Nein. Lietze wußte im Augenblick nicht, wozu irgendetwas gut war. Sie fragte sich, woran man Zuhälter riechen können sollte, wer alles inzwischen weiße italienische Sportwagen durch Berlin fuhr und wie viele junge Männer es gab, so groß wie sie oder Kim, die in Trainingsanzügen und Turnschuhen herumliefen und aus dem blonden Norden waren.
Das Telefon klingelte, und sie ging zu ihrem Schreibtisch. Laß es jetzt bitte nicht –, dachte sie und hörte nicht mehr, daß Kim etwas von »wie det schärfste Nuttendiesel« und »aber sonne Keesebeene hat keene Frau!« erzählte.
Es *war* Lang.

SIE STOLPERTE die Treppen des U-Bahnausgangs hoch, lief die Pankstraße hinunter, ohne nach rechts und links zu kucken, und bog links in die Böttgerstraße. Bitte, bitte, klopfte es in ihrem Hals, laß den Wagen da sein! Wenn der da ist, ist er auch da. Wenn nicht – ich muß ihn doch warnen!
Aber sie fand ihn nicht. Sie lief am Haus vorbei und hoffte, daß er um die Ecke in der Bastianstraße parkte. Ich kenne meinen Vater, hämmerte es weiter. Er darf nicht –! Da stand er. Ja, das war er. Die dicke Antenne schwankte unter dem Druck des Windes.
Sie lief zurück in die Böttgerstraße, vorbei an einen dunkelgrünen *Volvo*, warf sich gegen eine Haustür, deren Innenklinke ein weiteres Stück Putz aus der Wand riß, stürmte eine Treppe hoch und läutete Sturm.
Bitte sei da sei jetzt da alles andere ist doch jetzt egal, pochte es immer noch. Sie hörte die schweren schlurfenden Schritte nicht. Ihr klopfte das Herz in den Ohren. Als die Tür einen Spalt aufging, zwängte sie sich durch in den dunklen Flur und fiel über einen Mann her. »Chris!« keuchte sie mit letzter Kraft, »Chris – Schatz – du mußt –.«

Der Mann stöhnte leise auf, drückte ihr eine verbundene Hand auf den Mund und zog sie in ein Zimmer. Dort schubste er sie auf ein Bett, aus dem er kurz vorher gestiegen sein mußte, und schloß die Tür. »Samma hassu die totäle Vollklätsche oder wäs!« fauchte er.

Dolores Wolter kauerte stumm und verdattert auf dem Bett und kuschte. Aber ihre Augen gewöhnten sich allmählich an das Halbdunkel, in dem auch das Zimmer lag, obwohl es mitten am Tag war. Plötzlich sprang sie wieder hoch und auf den Mann zu. »Mensch – Chris – wie siehst du'n – aus!«

Er stand da und wehrte sich nicht, als sie ihm die teilweise verschorften, teilweise nässenden Kratzer auf einer Gesichtshälfte streichelte und ihn dabei mit panischen Blicken bedachte. Er ließ sogar zu, daß sie seinen Kopf in die Hände nahm. Er wimmerte nur leise auf, als sie ihren Unterleib gegen seinen drückte, und schob sie mit seinen Händen, die er wie einen Schildkrötenpanzer vor seine Geschlechtsteile gedeckt hatte, ein paar Millimeter von sich.

»Wie is'n – wer *war* –?« Der konnte doch nicht vor ihr da gewesen sein! Der wußte doch gar nicht, wo Chris genau war! Und gefolgt war ihr niemand! Dafür hatte sie extra viermal die U-Bahn gewechselt!

»Ahhh – läck mech!« Er drehte den Kopf zur Seite, knickte aber gleich wieder in den Knien ein. Er schien Schmerzen zu haben. Sein Bewegungen waren kraftlos.

Dolores sah ihm in die Augen, aber er hielt sie zur Seite fixiert. Dann starrte sie auf die Stelle, die ihm die größten Probleme zu machen schien. Sie hatte nie eine dermaßen ausgeleierte Hose an ihm gesehen. »Ham se dich – inne Eier? O Mensch Chris, mein Schatz, mein Armet! Und wat is mitte Hand?«

»Mamma Plätz!« fauchte er endlich wieder, und seine Augen sprühten eisblaue Verachtung zwischen rotglühenden Striemen.

Sie trat überrascht zurück und beobachtete, wie er durch das enge Zimmer schlurfte, breitbeinig, haltlos wie ein Schluck Wasser in der Kurve, und sich wimmernd und eiernd auf einen Sessel plazierte. Sie hatte den ganzen Mann

nie dermaßen ausgeleiert gesehen. Der war ja viel zu lasch zum –. Der kriegte ja nicht mal die Hand hoch –. Sie dachte an die Prügel, die sie eingesteckt hatte. Alle Naselang. Keine Gelegenheit ließ er aus. Aber jetzt? Hier? Der war ja völlig verändert! Sie spürte, daß ihr etwas daran unangenehm war.
»War't – der Alte?« fragte sie zaghaft.
Er fläzte breitbeinig im Sessel und langte mit der verbundenen Hand nach nebenan auf einen flachen Tisch, mitten in ein Chaos aus vollen Aschenbechern, angetrockneten Tassen, leeren Bierdosen, Zigarettenschachteln, Hanteln, Papptellern mit Senfresten, Parfüm- und Weinbrandflaschen, tappte nach den Zigaretten, fegte ein paar Bierdosen und einen Schlüssel zu Boden. »Der Älte, der Älte«, greinte er, als er endlich den ersten Zug inhaliert hatte, »hassu'n Äàsch offn, hier aufzukreuzen!«
»Chris«, sie wußte auch nicht, warum sie plötzlich etwas Herausforderndes in der Stimme hatte, »der Alte is hinter dir her. Deswehng bin ick – der hat sojaa die Adressen!«
»Kläppe! Ham ausgelinkt, die gänzen rotn Sockn dä!«
»Der weeß allet von die Orjanisation, Chris! Die ham euch wahrscheinz uff'n Kieker. Der Alte hat ma ne janze Mappe mit Papiere hinjeschmissn.«
»Wo is die? Hassu die mit?« Hochfahren tat seiner Problemzone gar nicht gut.
»Biste einklich bescheuert oder wat!« blaffte sie zurück, lief dann aber zu ihm und wollte sich wieder tröstend über ihn werfen. »Chris, Mann, tut weh, wa?«
Im selben Augenblick wurde hinter ihr vorsichtig die Zimmertür aufgedrückt. Eine magere, blasse Wasserstoffblondine steckte ein Gesicht, aus dem krakelig umrandete Riesenunschuldsaugen fast herausfielen, durch den Spalt. »Ick kann heut ahmt echt nich, Swiet –«, der Rest des Sweethearts blieb ihr beim Anblick der Szenerie im Sessel im Hals stecken.
Sie wollte die Tür schnell wieder zuziehen, aber Dolores war hochgeschossen, riß sie ganz auf und stand wie von einem Blitz getroffen vor zirka fünfzig Quadratzentimetern rotem Satin, die selbst einen so sparsamen Körper nicht annähernd bedecken konnten. Schließlich blieben ihre Augen an den

langen Fingernägeln hängen. Von da bis zu den Kratzern im Gesicht ihres – dieses – »du Schwein!« schrie sie plötzlich, ließ die Frau stehen, raste wieder zu dem Mann, der immer noch auf Halbmast im Sessel hing, und hämmerte mit Fäusten auf ihn ein.
Er jaulte und versuchte, wenigstens die empfindlichsten Stellen zu decken.
»... und ick fall uff dir rin ... ick blöde Kuh ... und det verdammte Arsch hat ooch noch recht jehabt!« Dolores übergellte sein Jaulen und das Quieken der anderen Frau um etliche Dezibel.
Die andere Frau hatte sich inzwischen auf sie gestürzt und prügelte und kratzte ihrerseits auf Dolores ein.
»'n dreckjer Loddel biste! ... Jewarnt hatta mir ... det Arsch! ... Ick hasse dir ... ick hasse den ... ick hasse euch doch alle!« Sie spürte keine Schmerzen, sie hörte irgendwann vor Erschöpfung auf, ließ die Arme sinken und sackte heulend und am ganzen Körper glühend in den Schoß des Mannes, der nur noch matt aufstöhnte.
»Wer is 'n die?« Die andere Frau ließ jetzt auch von ihr ab. »Abjehalftertet Pferdchen von dir, Swiethaart?«
»Schaiß-Waibä – vapißt euch! Allä!«
Dolores zog, noch immer schluchzend, den Kopf von seinen Schenkeln, starrte auf das versyphte Sammelsurium direkt unter ihr, neben dem Sesselbein, auf dem verfilzten, fleckigen Perser made in Norddeutschland, und sah den Autoschlüssel. Und dann bekam sie plötzlich eine Stärke und erhob sich, kalt und gleichgültig. Ihre Tränen waren jetzt wie Eis. Sie mußte lachen.
Sie lachte im Treppenhaus und auf der Straße, bis sie den Schlüssel in das schmutzig-weiße Blech gesteckt hatte. Sie hätte sich wahrscheinlich totgelacht, wenn sie in der Wohnung geblieben wäre und gehört hätte, wie der Mann mit dem zerkratzten Gesicht und dem ramponierten Geschlecht sich das Telefon bringen ließ, nach der dürren Blondine trat, weil sie nicht gleich wieder aus dem Zimmer verschwand, und mit geschwollenem Gehabe ein paar Kumpel zusammentrommelte.

»VERSTEHST DU – DIE GEHT EINFACH!« Schade kurbelte das Fenster auf und schnippte die Kippe aus dem Auto.
»Hm«, Roboldt war beschäftigt mit der Suche nach einem Schild auf der Straße, die von der Leipziger nach links abging.
»Das ist die Otto-Grotewohl. Da mußt du rein.«
»Wo siehst du denn das?«
»Ich weiß es«, knurrte Schade. »Der Klotz hier rechts ist die Treuhand.«
»Aha. Und die arme Anita kann sie nicht mal dran hindern.«
»Was heißt hier arm!« Schade klappte energisch den Kragen wieder hoch. »Die dritte rechts dann. Die *arme* Anita Mahlow hat sie regelrecht rauskomplimentiert!«
Roboldt drehte verblüfft den Kopf nach rechts.
»Kuck nach vorn, Detlev! Ja – du glaubst es nicht, aber Anita ist der Ansicht, sie kann ab sofort alles wieder allein und braucht niemanden ...«
»Wie? Was? Ich denke, die –.«
»Haben wir alle gedacht. Einschließlich Anita.« Schade gab ihm einen Einblick in die letzten knapp vierundzwanzig Stunden ihres Liebeslebens. »... aber ich trau dem Frieden nicht!«
Roboldt schwieg. In seinem Kopf irrlichterten die absonderlichsten Dinge. Die völlig ungewohnte Freude über alles, was aus der Rolle fiel. Eine Himmelsmacht namens Lie-ie-iebeee. Er war Sonja und Anita und weiß und schwarz und eine Frau und Detlev Roboldt auf einmal. Er hätte die ganze Welt knutschen können, und die Schlaglöcher, über die er donnerte, und die Autos, deren unkonventioneller Fahrstil ihn mehrmals zu harschen Bremsmanövern und Slaloms zwangen, drangen nicht durch bis in seine Sinne. Denn die wurden plötzlich überschwemmt. Alle sieben. So etwas hatte er noch nie erlebt. Der Geruch seines Liebhabers knallte ihm aus den Poren, als käme er aus seinem eigenen Innersten.
»Und vor allem kann die doch nicht einfach so gehen!« erregte sich Schade weiter. »Das ist doch verantwortungslos!«

»Schlemihl!« sagte Roboldt und bog nach rechts.
»Was?«
»Diese Duftmarken-Geschichte.«
»Detlev, wovon redest du? Bist du schon wieder bei deinem neuen –«, Schade zog die nächste Schwarze aus der Schachtel.
»Hmmm!« Roboldt schüttelte sich wie eine Katze, die am Ohr gekrault wird.
»O Mann, du kannst einem vielleicht – ich denke, der heißt auch Detlev.«
»Stimmt! Aber mit f.« Roboldt strahlte wie ein Mülleimer. »Mir ist bloß gerade eingefallen, an was mich das erinnert, wo die gearbeitet haben soll. Schlemihl. Chamisso. Hast du das nicht in der Schule gehabt?«
Schade stöhnte auf.
»Na, der Mann, der seinen Schatten verkauft. An den Teufel. Warte mal –: Er kniete vor mir nieder ... ich sah ihn meinen Schatten ... von Kopf bis Fuß leise vom Grase ... lösen! Und ähm –: aufheben ... zusammenrollen und falten ... und zuletzt einstecken mit einer bewunderungswürdigen Geschicklichkeit. Oder so ähnlich.«
Schade zog grimmig an der Zigarette. Nahm überhaupt irgendjemand auf der Welt sie ernst? Das ganze Chaos, das sie an der Hacke hatte? Anita, die einfach ein neues Leben anfing, als hätte das alte keine Überhänge. Lietze, die einfach nichts von Riechern wissen wollte, als hätte sie den einzigen auf der Welt. Dieser ganze undurchsichtige Fall, bei dem sie das Gefühl nicht los wurde, daß sie auf vermintem Gebiet im Dunkeln tappten, immer im Kreis rum, als ob irgendjemand sie an der Nase herumführte. Allesamt. Und nur sie merkte es. Nur sie konnte Undurchsichtiges nicht ertragen. Sie hatte den falschen Beruf! Warum ging sie nicht einfach den verdammten alten Mahlow um die Ecke bringen und sein Geld verjubeln. Mit Anita. Klare Verhältnisse. Alles war besser als diese ewige Schwebe. Klare Verhältnisse, und wenn sie noch so hart –! Sie schrak zusammen. »Die müssen was haben über Voltaire!«
»Hoffe ich ja auch – wir brauchen nur noch einen Parkplatz«, Roboldt fuhr Schritt und hielt Ausschau.

»Privilegierte Wohngegend, Telefon hat der auch nicht erst seit der Wende ... Fahr nochmal um den Block.«
»Was die als privilegiert empfunden haben«, Roboldt hielt den Wagen ganz an und wartete. »Da muß man ja dankbar sein, wenn man nicht privilegiert war!«
»Weiß Gott. Willst du hier Wurzeln schlagen?«
»Vielleicht fährt einer raus.« Roboldt war bei keiner Sache, bei der er hätte sein sollen. »Dies Wandlitz muß der Hit gewesen sein ...«
Schade warf die zweite Kippe aus dem Fenster und versuchte, alles an sich abprallen zu lassen.
»... Hasen abknallen und Heimpornos kucken! Und hinterher in die Sauna! Wenn *ich* das Geld gehabt hätte ...«
Hast du aber nicht, dachte Schade. Haben wir alle nicht. Kriegen wir auch nie! »Wundert mich gar nicht, daß der Name an keiner Stelle auftaucht. Ich hab sämtliche Ämter durchtelefoniert – nirgends. Dolores Wolter hat überall erzählt, sie weiß den Vater nicht. Kein Wunder. Wenn der tatsächlich was mit der Stasi zu tun hatte –«
»... doch nicht diese ... diese ... piefige Dachdeckeridylle da!«
»– dann *darf* der im normalen Leben wahrscheinlich gar nicht vorkommen. Diese widerliche Geheimdienstwichserei!« Schade klappte die Autotür auf. »Detlev, es ist fünf nach zwei. Ich gehe schon mal vor. Ich organisiere dir jemanden, der dir was über Offiziere im besonderen Einsatz erzählen kann, und hänge mich selber hinter Voltaire, okay?«
»Röhrender Hirsch überm Sofa, feurige Zigeunerin überm Bett und Ringelpietz mit Rotkäppchen – ... Sonja?« Roboldt konnte die Frage, warum plötzlich Kriminaloberkommissar Schade ausgerechnet vor dem Eingang zum Amt des Bundesbeauftragten für die Unterlagen des Staatssicherheitsdienstes der ehemaligen Deutschen Demokratischen Republik prangte, wo sie eben hinwollten, nicht mehr bearbeiten. Ein roter *Wartburg* fuhr zwei Meter hinter ihm aus einer Parklücke.

SO EIN SCHWACHSINN, ihn einfach abzuhängen! Man unterbrach nicht mutwillig ein west-östliches Telefongespräch. Wer weiß, wie oft er probiert hatte durchzukommen. Lietze stand neben Mimis Schreibtisch und starrte vor sich hin. »Ich ruf dich gleich zurück« – das war ein Satz, den man sich gefälligst abzuschminken hatte. Oder, noch schlimmer: »Ruf mich in zehn Minuten wieder an!« In zehn Jahren konnte man sich den vielleicht leisten. Zwischen Berlin und Dresden!
Stell dich besser schon mal drauf ein. Du wirst auch heute wieder mit Lang nicht mal telefonieren können, grübelte sie weiter. Du bist ein Rindviech! Bloß weil's dir peinlich war, daß Helga und Kim irgendetwas wittern könnten. Da rutscht dir gleich das Herz in die Hose. Weil sie bloß was wittern müssen, um was zu wissen. Und du? Du glaubst es noch nicht, wenn die Schmetterlinge in deinem Bauch auf das Kaliber von biblischen Heuschreckenschwärmen angeschwollen sind. Dann glaubst du immer noch, das steht dir nicht zu. Das ist lächerlich. In deinem Alter. Sieh zu, daß du deine Arbeit klar kriegst.
»Tut mir leid, Karin – das mit dem Essen hab ich *nicht* hingekriegt ...«, Mimi, die an der Kaffeemaschine wartete, hatte Lietzes Blick in den Papierkorb rutschen und nicht wieder auftauchen sehen.
»Äh – was?« Lietze kniff kurz die Augen zusammen und entdeckte erst dann, daß sie die ganze Zeit auf einem aufgeklappten Weißbrotdreieck mit Schinken gelegen hatten, dessen Ränder sich nach oben rollten. »Ach so, die Pide. Tja. Mimi?«
Die braune Höllenmaschine hatte zu Ende gespuckt. Mimi kam mit einem Becher Kaffee zu Lietze.
»Können Sie sich vorstellen, daß Violetta tatsächlich wiederkommt?«
»*Die* Violetta? Die damals nach Ungarn entwischt ist?« Mimi setzte sich. »Wer sagt das denn?«
»Die beiden Mädels vorhin.«
»Da wird Fritz sofort wieder gesund!« Mimis Stimme zischte wie ein Schuß Marsala im Schmortopf. »Ist sie in Berlin?«

»Eine von der Migräne-Truppe behauptet es jedenfalls. Soll zu einer Band oder was gehören, Helsinki Cowboys. Und die kommen aus Leningrad«, Lietze schüttelte den Kopf.
»Sankt Petersburg heißt das heute«, der Marsala verdampfte zu einer brenzlig-süßen Schwade, »und?«
»Das Dumme ist, daß diese Ginette mir genau das prophezeit hatte damals. Insofern –«
»– glauben Sie, es ist Wunschdenken?«
Lietze nickte. »Raten Sie mal, wo die auftreten.«
»Im Tacheles?«
»Ja – wieso?«
»Ich weiß auch nicht. Klingt irgendwie so. Wann denn?«
»Ab heute.«
»Na dann – nix wie hin. Ankucken. Festnehmen. Oder wollen Sie eine Serienmörderin laufen lassen?«
»Haben Sie mich schon mal irgend jemanden laufen lassen sehen!« Lietze registrierte ihre gereizten Untertöne und wurde noch gereizter. »Das werden Sie auch nicht, Mimi!«
»Ich weiß – Entschuldigung, Karin.«
»Ich will nur nicht, daß wir uns – lächerlich machen, verstehen Sie? Ginette glaubt, was sie auf einem Plakat gesehen hat, ist diese Fotografin. Jetzt macht sie eben Musik. Und Ginette geht heute abend ins Tacheles und kuckt sie sich an und sagt mir Bescheid. Mir fällt keine bessere Lösung ein – von uns kann heute niemand, und von den anderen Ms kennt sie niemand.«
»Personalien feststellen kann jeder«, gab Mimi zu bedenken.
Lietze seufzte. »Und wenn sie einen gefälschten russischen Paß hat? Wer erkennt denn sowas mit dem bloßen Auge? Nee nee – und dann ist es wirklich jemand anders, und wir haben die Blamage von wegen Schikane, Überreaktion, was weiß ich!«
»Seit wann haben Sie denn Angst vor der Presse?«
»Ich hab keine Angst vor der Presse! Ich hab überhaupt keine Angst!« schnaubte Lietze und verspürte ein dringendes Bedürfnis nach einer Dosis Nikotin. »Ich habe nur keine Lust, irgendwelchen Leuten völlig sinnlos die Polizei auf den

Hals zu hetzen, bloß weil man's könnte und dürfte! Das wird für meinen Geschmack viel zu viel praktiziert in diesem Land.«

»An der falschen Stelle – ja.« Mimi beobachtete den Kaffeebecher in Lietzes zitternder Hand.

»Morgen ist auch noch ein Tag. Und bis morgen lasse ich mir etwas einfallen – falls es sich mit einiger Wahrscheinlichkeit um diese –.«

Das Telefon im Nebenzimmer klingelte. Mimi starrte verwundert auf die Spur von Kaffeeplatschern bis zur Tür. Sie hatte Lietze schon lange nicht mehr so rennen sehen. Und noch nie die Tür so zuknallen hören.

»Gott sein –!« keuchte Lietze in den Hörer.

»Bist du jetzt frei – äh – ich meine allein?«

Er *war* noch einmal durchgekommen. Und er stotterte genauso wie sie. Lietze ließ fast den Becher fallen. »Ja, jetzt ja.«

»Karin – ich –«, Lang schien sich einen Ruck zu geben, »verdammter Mist! Was machst du heute abend, Karin?«

Lietze spürte, wie sie glühend rot anlief, von irgendwo innen unten hinten her. Sie lachte übertrieben laut auf. »Gedanken wahrscheinlich, mir, hier im Büro. Wieso?«

»Ich habe morgen mittag einen Termin in Berlin, und ich finde – «, in Langs Stimme schwang noch immer eine betörende kleine Scheu, obwohl er sich alle Mühe zu geben schien, selbstverständlich zu klingen.

Sag's, Lang! Trau dich! In deinem – in unserm – ach was Alter!

»– ich meine, ich *muß* nicht morgen früh erst fahren ...«

Die Schmetterlinge flatterten wild durcheinander und bissen sich Wirbel für Wirbel den Rücken hoch. Bist du eigentlich von allen guten Geistern verlassen! Trau dich doch selber, Rindviech! Du willst ihn. Also gönn's dir. Du brichst dir keinen Zacken aus der Krone. Sei nicht albern. Alles, was der Augenblick gibt, wegwerfen. *Das* ist lächerlich. Dürsten, während einem helle Quellen über den Weg springen!

»... und –.«

»Dann komm doch her!« Es war ganz einfach gewesen.

»Komm bloß her, Mensch!«
Das Schweigen am Dresdner Ende der Leitung prasselte und knackte.
»Lang? Bist du noch dran?« schrie Lietze. Scheißleitung. Wehe, du brichst jetzt zusammen!
»Und wie! Also, du willst mich wirklich – ich könnte dir helfen, vielleicht?«
»Beim Denken, was«, kicherte Lietze erleichtert. Nein, es war nicht seine alte Überheblichkeit gewesen.
»Naja, ach was.«
»Doch, Lang«, die Schmetterlinge bissen nicht mehr, sondern fächelten irgend etwas Wohliges durch Lietzes Eingeweide, »könntest du. Sehr sogar. Ich muß bloß leider hier sein, wir sind zwar sowieso völlig unterbesetzt, aber Schade hat heute morgen ihren Riecher so mächtig ins Feld geführt, daß wir ab fünf auch noch eine Observierung zu laufen haben. Deshalb sitze ich erstmal in der Etappe ...«
»Ist mir völlig schnuppe, wo du sitzt – ich muß mit dir reden.«
Reden, o ja. Und nicht nur das. Haut. Mensch Lang, fahr bloß vorsichtig, diese DDR-Autobahnen, dachte sie, als sie den Hörer sanft auf die Gabel zurückgelegt und sich endlich eine *Lucky Luciano* angesteckt hatte. Der Kaffeerest war inzwischen kalt. Fleisch. Wärme. Angefaßt werden. Von Händen, die nicht die eigenen sind. Von Blicken, die nicht aus dem Spiegel kommen.
Sie schob den Stuhl nach hinten. Alles weitere spielte jetzt keine Rolle. Punkt. Sie stand auf, nahm den Becher und war schon kurz vor der Tür, als das Telefon wieder klingelte.
»Fläming, hähä«, lachte es aus dem Hörer. »Sie kommen wohl janz ohne Mann aus, ne?«
Bevor Lietze sich einen Reim machen konnte, plänkelte er weiter.
»Bis jetz hab ick bloß mit Frauen zu tun jehabt – jestern die Frau Schade, ehmt wieder eene und jetz Sie – ick meine, nüscht dajehng, ne? Alle sehr nett, bloß n bißken unjewohnt.«
»Ahhh«, plänkelte Lietze zurück, »und Sie sind der nette Riese aus dem Karl-Lagerfeld –, o pardon!«

»Liebknecht!« krähte Fläming gutmütig. »So jut riecht's ja bei uns noch nich.«
»Schade –«, fing Lietze an und nahm einen Lungenzug, »ist leider gerade nicht greifbar. Wenn Sie mit mir vorliebnehmen wollen?«
Und wie er wollte, stellte Lietze befriedigt fest. Schade schien wirklich eine gute Nase zu haben. Fläming hatte in Erfahrung gebracht, daß Voltaire zu einem kleinen Klüngel gehörte, der den neuen Machern dieser seltsamen alt-neuen Partei überhaupt nicht in den Kram paßte. Er war wirklich erstaunlich offen, der Riese.
»Wir ham noch nüscht wirklich in der Hand, wir sind ja selber uff die Akten anjewiesen. Aber det sollen wohl allet mehr oder wenijer Stasi-Leute jewesen sein. Also Rang und Namen. Bloß, ob die nu wat mit Ihr'n Mord zu tun ham, also – det kann ick mir ehrlich jesacht nich vorstellen. Höchstens – also, wenn det n Nazinest war, wo det Kind – dann schon eher. Det könnte n Draht sein.«
»Ein Draht? Sie meinen, alte Stasis und neue Nazis machen gemeinsame –«
»Nee, so doch nich! So jewendet bin ick nich, det ick rot gleich braun sehe. Det is mehr ne Spezialität von euch im Westen«, Fläming klang ein bißchen unwirsch. »Ich könnte mir bloß denken, die een' ham die andern uff'n Kieker, und wenn sie sich da jetz –«
Dann könnte man über die rauskriegen, wer dieses parfümierte Stinktier von Kindsvater und vielleicht auch Kindsmörder war! Schade, Sie – Sie – Nasenbär! Sie haben das gerochen. Wir *werden* Voltaires Schatten spielen.
»Daß es – nehmen Sie's nicht persönlich, aber ich muß das durch-hm: spielen, Herr Fläming! Daß es doch Verbindungen zwischen solchen Neonazis und Stasileuten gibt, das halten Sie für ausgeschlossen? Wir haben eine Zeugenaussage, daß dieser Chris für die Stasi gearbeitet hat. Ganz offiziell sogar. Als OibE.«
»Offizier im besonderen Einsatz? Hm-m. Chris heißt der? Mit Vor- oder Nachnamen?«
»Wir nehmen an, mit Vornamen. Nachnamen, die so klingen, haben wir in allen Schreibweisen durchprobiert.«

»Hm-m. Det ham Zeuhng jesacht? Ick kann's mir ehrlich jesacht nich –«
»Machen Sie noch einen Versuch! Es geht ja hier nicht um Ideologie, Herr Fläming. Es geht um Kindsmord. Ja?« Lietze legte derart plänkelnden Schmelz in die Bitte, daß Fläming über seinen nicht eben zierlichen Schatten sprang und sich bereit erklärte, Namen und Adressen besagter alter Seilschaft zu beschaffen. »Baldmöchlichst!«
Sie revanchierte sich mit dem Versprechen, sich vielleicht mal anzukucken, was für zukunftsweisende Aktivitäten seine Parteifrauen so entfalteten. »Det liecht mir sehr am Herzen. Sind doch irnkwie unsre Hoffnungsträger-äh: rinnen. Und der achte März is ja nich mehr lang hin.«

»... OB DU DEINE SITTEATZION RICHTIG EINSCHÄTZT!« Das hatte ihm gerade noch gefehlt. Wer hat dem denn seine Privatklinik finanziert! Wer hat denn ein Dutzend Nieren beschafft. Erstklassige Ware. Zwanzigtausend für den Dockter. Pro Stück! Damit er sie seinen Privatpatienten transplantieren konnte. Und die hat der garantiert weitergemolken! Da fand sich immer ein Anlaß für teure Nachbehandlungen. Wozu war der denn Arzt! Der hätte keinen einzigen Privatpatienten gekriegt ohne die Angebote, die ORTRANS ihm unterbreiten konnte. Und der wollte hier jetzt auf Moral machen? »*Ich* bin auf *dich* nicht angewiesen ...«
»Naja ... also ... dann ... ist es doch ganz einfach, Heinz. Laß mich zukünftig raus.«
»Ich sag's dir nochmal, Günter. Ich weiß nicht, ob du deine Sitteatzion richtig einschätzt. Wenn du aus dem Geschäft rausgehst, kannst du deinen Laden dichtmachen.« Jähders Stimme wurde wieder kasernenhofkalt und hohl. »Oder wickelst du deinen Bedarf jetzt etwa über diesen polnischen Gangster ab?«
Aus dem Hörer kam nur eine Art akustisches Armerudern. Aber Jähders Aufmerksamkeit war ohnehin abgelenkt. Rrràp-dung rrràp-dung du-rrràp-rrrùng, identifizierte er mühsam. Dieser Verbrecher dieser Polacke dieser dreckige,

hämmerte es dagegen. Du-rrrùp-bloak du du Monopolkapitalist du du sitzt doch auf den fetten Westkliniken! Dùrrrung-rrràp dù-rrràp du bist schuld du-rrràp du Raffzahn daß ich mit denen nicht ins Geschäft du-rrràp-bloak du! Bloß mit diesem Waschlappen hier in Erkner! »Dann erst recht, das sag ich dir!« Er unterdrückte mühsam das Keuchen. Bloak-rrrùng. Bloak-dù-rup. »Wenn ich dich dabei erwische, dann mach ich dir den Laden dicht, Günter. Merk dir das. Ein Diel mit dem, und die Presse wird von mir mit Material versorgt. Über Hypophysen, Hornhäute, alles, was du verschoben hast. Fakt, mein Lieber!«
Er mußte das Gespräch loswerden. Dù-rrrap du-rùng bloakak. Keine Entscheidung jetzt. Zeit war Geld. Sein Geld. Rrràp-durrrùng. »Donnerstag um neun bin ich draußen. Und bis dahin hast du den eventuellen neuen Spender untersucht und dir die Sache konstruktiv überlegt!«
Der Hörer glitschte ihm aus der nassen Hand auf die Tischplatte. Jähder grapschte danach und knallte ihn auf die Gabel. Dann sank er keuchend in die harten Politbüropolster. Seit gestern nachmittag hatte er keine solche Attacke mehr gehabt. Obwohl sich die ganze Welt gegen ihn verschworen hatte. Asoziale Rowdys. Du-rrrùng dù-rup. Beschmierten sein Barbiecue! Verwüsteten seine Autos. Du-rùp rrràpdung. Sogenanntes Fachpersonal! Kein Einsatz aber Widerworte! Dù-rung du-rrrùp. Petra diese unverschämte – geldgierige – Ratte! Dieser – Waschlappen von – Chirurg! Herr Doktohr Herr Doktohr – Judas! Zigtausende hatte er dem beschafft. Westgeld! Vor der – der – Wende! Du-rrrùp bloak-rrùng. Der würde sich umkucken. Wenn er das an die Presse gab – die ganzen Unterlagen mit den wirklichen Zahlen. Die paar Organe, die offiziell in der Handelsbilanz der DDR als Exportgröße geführt wurden – hah! Rrràp-durrung. Fakt war, daß die offiziellen Exporte nach Schweden die beste Deckung waren und die Nebengeschäfte ungleich lukrativer. *Hoffnung auf Rettung gibt es nur durch den Tod anderer!* Günters Worte. Dù-rrrung du-rùp. *Und zwar gerade den unnatürlichen, Heinz.* Fakt war außerdem, daß Günter transplantieren gelernt hatte. Die Charité war nun mal die Organbank für die – die – durrrùng – Sesselfurzer-

bande gewesen. War der verrückt geworden? So eine Ausbildung wurde doch nicht – war doch – eine – Produktivkraft. Bloàk-rrrap-dùng. Oder war das ein Hinweis auf – wollte der – dù-rup durrrùng – vielleicht auch? Vom Charité-Hochhaus etwa? Vom Fernsehturm?
Er fuhr hoch. Sein nasses Hemd riß sich mit einem Quäääätsch von der kunstledernen Rückenlehne. Direkt vor ihm auf dem riesigen Schreibtisch schrillte das Telefon. Prachtmädel! dachte er. Sogar mit japanischem Elektronikdreck konnte die umgehen. »Ortransbarbiekjuhjähder! ... Deutsch? ... Morgen nochmal anrufen!«
Schweiß tropfte aus seinem Gesicht auf den Tisch. Hastig zerrte er die Schublade auf, riß eine Packung Papiertaschentücher auf und betupfte Stirn, Nase und Kinn. Atmen! befahl er sich. Durch-at-men. Dù-rup du-rùng-rrràp. Gaanz-laang-saam. Das müßte der mal erleben, dieser Scharlatan von Herzspezialist! Erste Adresse in Westberlin – hah! Der Mann war doch vollkommen unfähig. Ein kompletter Versager. Wieviel Tausende hatte ihn das eigentlich schon gekostet, daß der nichts fand? Bloàk-dung. Hatte ein ganzes – ganzes – Kosmonautenlabor da rumstehen und fand nichts. Morbus Ödipussii hatte der sich erlaubt heute früh! In die Psychiatrie wollte der ihn schicken. Herzphobie. Neurose. Dù-rrrung du-rrràp. Ödipus Schnödipus! Wollte der kein Geld verdienen? Heinz Klaus Jähder hat kein Mutterproblem, so wie ihr mit euerm bürgerlichen Scheißdreck euch das vorstellt! Heinz Klaus Jähder hatte die DDR. Und Herr Dockter von Super-Schlau mit seinem Kapp Karneval auf dem Ku-Damm hat keine Ahnung!
Dù-rup du-rrrùng ... dù-rup du-rrrùng ... dù ... Fast hätte er ihm geglaubt, diesem Kurpfuscher. Weil er seit vierundzwanzig Stunden beschwerdefrei gewesen war. Vor allem, als diese Karin – richtig gutgetan hatte die ihm. Ganz positive Ausstrahlung, die Frau! Und wenn das stimmte, was er da witterte – daß die – also im Grunde – an sich wirkte die – sie hatte ja auch die eine oder andere Andeutung fallen lassen, und für sowas hatte er ein Gespür! Wenn die wirklich lebensmüde war, dann brauchte er sie nur – also dann war das alles eine Frage der richtigen Führung!

Dù-rup du-dùng du-dùng. Na also. Jetzt kam's doch wieder! Du-dùng du-dùng. Nicht so rasen, hörst du? Langsamer.
Er stand auf, ging ans Fenster, öffnete es und sog extra langsam und tief die diesige kalte Stickluft ein. Vielleicht war der Anruf von Günter in Wirklichkeit gar keine Katastrophe? Nein nein – im Gegenteil! Man mußte das mal positiv sehen – denk positiv! Wenn der auch – das machte zwei mögliche Spender zur Auswahl! Falls diese Karin sich einfallen ließ, plötzlich wieder aufzublühen – die konnte er womöglich zu einer ordentlichen Geschäftsführerin aufbauen. Dann hatte er immer noch Günter. Dann mußte er sich bloß nach einer neuen Klinik umsehen. Sooweso. Ortransmäßig. Aber auch für sich selbst. Denn Fakt war, er brauchte ein neues Herz und zwar dalli. Er würde Günter auf den Zahn fühlen übermorgen. Das heißt – womöglich ließ sich die Sache sogar beschleunigen. Mit den Unterlagen. Wer transplantierte eigentlich Herzen privat? Denn nach Indien ging er nicht. Er doch nicht!
Und wenn Günters Herz auch nicht gesund war? Dann hatte er immer noch Karin! Du-dùng du-dùng. Die Bäche, die aus seinem Inneren durch die Poren sickerten, waren versiegt. Auf seiner Haut lag nur noch die bleiche Feuchtigkeit eines Februarnachmittags im Häuser-, Baustellen- und Autogetümmel der Friedrichstraße. Er ging zurück zum Telefon.
»Ja, äh – ist da Eurotransplant? ... Ich bin Journalist, und ich ähä erstelle gerade eine also Hintergrundreportage über überäh Herztransplantationen ... Ja äh jemand der sich genau auskennt mit also was bestimmt die Verträglichkeit und so und ist ein ähä also dasselbe Geburtsdatum wäre das ein Faktòr?«

»DOCH, KOOPERATIV SCHON.«
Lietze hörte ein Klicken. Schade schien sich eine ihrer schwarzen Zigaretten anzuzünden. »Aber?«
»Ich hätte ein paar von den Leichenfotos mitnehmen sollen. Das hätte das Tempo vielleicht beschleunigt. Naja – jeden-

falls darf ich ja jetzt den heißen Draht benutzen. Bin wirklich sofort durchgekommen.«
Lietze verscheuchte den Gedanken an die Autobahn Dresden–Berlin zur Stoßzeit und zog den Notizblock heran. *MfS Offizier Rente* schrieb sie auf.
»... zuletzt hat er da rechtsradikale Aktivitäten bearbeitet.«
»Gab's denn tatsächlich soviel Rechtsradikales zu bearbeiten in der DDR?«
»Keine Ahnung. Interessiert hier auch nicht. Voltaire war Hauptabteilung XXII – Auslandsaufklärung. Er hat zum Beispiel einen Agenten geführt, den sie wohl in so eine Nazitruppe eingeschleust hatten – warten Sie mal. Hier: Deutsche Front. Das war 1988. Da saßen die in einem Kaff in Schleswig-Holstein.«
Es paßte zusammen mit dem, was Fläming gesagt hatte. Lietze merkte, daß der linke Nasenflügel brannte. Sie mußte ihn seit Minuten gekratzt haben. Also hatte die verdammte Nase gejuckt? *HA 22 Dt. F.* kritzelte sie. Aber irgend etwas gefiel ihr nicht. »Wie schreibt man das?« Voltaire war bloß eine Nebenspur, überlegte sie, während sie *Fohrbeck* notierte.
Schade hatte aufgehört zu reden und schien auf einen Kommentar zu warten.
»Und dieser Agent war unser –.«
»Hab ich auch gehofft!« Klang das etwa nach Schadenfreude?
Lietze bearbeitete ihre Nase mit dem Feuerzeug weiter. »Ich denke, der soll selber Offizier gewesen sein! Falls die Krauses sich nicht verhört haben.«
»Naja, wie auch immer. Dieser Agent jedenfalls war eine Frau.«
Lietze angelte ein Zigarillo aus der Schachtel. »Soso.«
»Also, ich hätt's nicht vermutet«, räumte Schade großzügig ein. »Ist Ihnen nie aufgefallen, daß bei den ganzen Stasi-Geschichten fast immer nur von Männern die Rede ist?«
»Fast«, Lietze nahm einen Zug und starrte auf die Notizen. »Die Dame, die unseren vorvormaligen obersten Dienstherrn betreut hat, haben Sie schon vergessen?«
Schade protestierte, kam aber lieber schnell zurück auf ihre

Fundstücke. Sie hatte in Voltaires Unterlagen noch einen inoffiziellen Mitarbeiter gefunden, dessen Name ihr bekannt vorkam. »Könnten Sie mal bei den Vernehmungen mit den früheren Arbeitskollegen von Frollein Dorchen kucken –.«
Lietze stand auf, holte die Akte und blätterte. »Ja, so hieß ihr Chef in dieser Paßstelle...«
»Und den könnten wir uns auch nochmal vorknöpfen – der hat uns nämlich angelogen, als er ausgesagt hat, er hätte zu Dolores Wolter überhaupt keinerlei Beziehung!«
»Ja ja«, bestätigte Lietze zerstreut. Sie wurde das Gefühl nicht los, daß das alles viel zu weit wegführte. Sie berichtete Schade von den Vermutungen, die Fläming geäußert hatte. »Wenn das alte Kollegen sind, dann müßten Sie die doch da auch in den Akten finden – schneller als Fläming vielleicht?«
»Genau das will ich jetzt noch versuchen«, Schade klang stolz. »Aber dazu muß ich an andere Akten – falls die nicht gerade an der Stelle Löcher haben. Bei diesen hier haben wir ja Glück gehabt.«
»Und Roboldt?« Lietze trommelte ungeduldig mit dem Kugelschreiber auf den Tisch und bemerkte Mimi erst, als sie ihr auf die Schulter tippte. »Moment mal, Schade –«
Roboldt war auf der anderen Leitung und schien sich für eine Goldmedaille in Zerknirschtheit qualifizieren zu wollen. Er hatte trotz angeblich besonderen Einsatzes nichts Brauchbares über Offiziere desselben und einen ganz besonderen mit Vornamen Chris gefunden.
»Und wieso erzählen Sie mir das am Telefon? Ich meine, Sie dürfen durchaus mein Zimmer betreten, Roboldt, Sie müssen mir ja nicht unbedingt zu nahe treten!«
»Aber ich bin doch hier –«
»Was? Wo!« Lietze bohrte den Kugelschreiber in den Block und sah auf die Uhr. »Es ist zehn vor fünf, Kobold! In spätestens fünf Minuten ist das Gem-, ist der Möchtl hier. Wollen Sie etwa sagen, *ich* soll auch noch ...«
Lietze war nicht sicher, was sie unmöglicher finden sollte, Roboldts Entschuldigungsarien und Beteuerungen, er müsse sich unbedingt und sofort weiter durch Karteien und Akten

wühlen, oder die Aussicht darauf, die nächsten Stunden in einem Auto auf der Linienstraße herumzufrieren und Lang nicht zu ...

Es klopfte.

»Dann kommen Sie dahin, sobald Sie können! Und, Roboldt! Sagen Sie Schade, sie soll nach Hause und schlafen, wenn bei Gauck Feierabend ist. Aber sie soll das Telefon laut stellen!« Lietze legte auf und wunderte sich, daß zwei Blinklichter auf einmal erloschen.

Es klopfte wieder. Noch leiser.

»Jetzt kommen Sie doch endlich *rein*, verdammt nochmal!« knurrte sie, gefaßt darauf, gleich einen dreieckigen Fleck zwischen den Hosennähten übersehen zu müssen. Vielleicht fiel deshalb das *rein* so besonders scharf aus. Eher wie ein *raus!*

WENN SIE SAGT, SIE IST EINE FRAU, TAKTIERT SIE. Sie hatte die Stelle gefunden. *Denn sie weiß, daß sie nie eine werden will. Sie sagt es denen, die leugnen, daß es einen existenziellen Unterschied bedeutet, Mann oder Frau zu sein. Es ist ein aggressiver Hinweis auf diesen Unterschied, und sie muß ihn benutzen, um ihre Interessen zu vertreten. Nicht, weil sie etwa glücklich wäre mit DIESEM Unterschied. Und schon gar nicht, weil sie gleich sein möchte.*

Sie blätterte zurück. November 1988. Nach dem endgültigen Krach mit der Gruppe Frauen, zu der sie früher gehört hatte. Sie hatten sich mokiert über eine Sendung im Westfernsehen. Alle hatten sie gesehen. Sie nicht. Sie hatte einen Diensteid geleistet. Keine Westkontakte. Kein Westfernsehen. Kein Westgeld. Aber das war es nicht. Es waren zwei, drei Frauen aus der Gruppe, die nach Spitzel rochen. Es war ihr leicht gefallen, auf Neuigkeiten aus dem westlichen Feminismus zu verzichten. Wenn der das war, was die großen Schriftstellerinnen der DDR neuerdings kultivierten, dann war er nichts Neues. Nur das Alte im neuen Plastekittel.

Typisch sei das wieder, bourgeois und dekadent, hatten sie gelacht. Wohlstandsmüll. Diese Westfrauen wollten unbedingt als Direktorin, Professorin, Polizistin angeredet werden.

»Wat bin ick froh, dis wir so'n Kinderkram hier nich brauchen!«
»Kannste aber sicher sein – wenn hier ooch noch ne Menge Scheiße is, aber det Problem, det ham wa jelöst. Bei uns kannste als Frau allet wer'n, da brauchste keene Quotentante sein.«
Wenn man bereit war, das Frausein während der Arbeitszeit im Betriebsspind einzuschließen – ja, hatte sie eingewandt.
»Fängste schon wieder an! Wat willst du einklich? Wirste nich jenuch anjeschäkert bei deine KT da?«
Ja ja, eben. Mehr fiel ihnen nicht ein dazu.
»Dis willste aber jetzt nich ooch bestreiten, det wir Frauen hier entschieden besseret Niveau ham als im Westen, oder? Und da brauchen wir keen Westfeminismus für! Denk ma an Kinderjärten, Abtreibung – da leckt sich die Westfrau alle zehn Finger nach!«
Sie hatte ein letztes Mal versucht zu argumentieren. Hatte gefragt, ob sie wirklich glaubten, die Abtreibungsfreiheit sei vom Himmel gefallen, als Morgengabe der alten Herren auf den Regierungssesseln an die Frauen ihres Staates. Oder ob nicht vielmehr diese berüchtigten Westfrauen mit ihrer Massenbewegung dafür gekämpft hatten. »Für ein Recht, daß sie noch immer nicht haben, aber wir hier. Und wir haben keinen Finger dafür gekrümmt! Also wenn ihr schon mit Scheiße schmeißen müßt, dann in die richtige Richtung!«
Danach hatte sie aufgehört, gegen die Mehrheit anzureden. Sie hatte sich auch abgewöhnt, sich als Chemikerin zu bezeichnen, und bald war ihr sogar »wissenschaftlicher Mitarbeiter der KT« glatt von den Lippen gegangen. Es bezeichnete sie nicht, es gab ihr nur ein Etikett. Ein Flanelläppchen. Wie Swetlana und Karin. Sie war beides und nichts von allem. Irgendwann hatte sich ihre Empfindlichkeit für den Unterschied verschliffen. Der Wunsch, eigen und anders sein zu dürfen, war verschwunden hinter einer kalten Resignation.
Sie schlug das Heft zu und zog ein anderes, halb leeres zu sich. *Sie geht mit sich um wie mit einem kranken Kinde. Sie spürt an sich ein Regen und Wimmeln nach einem Abgrund. Ihr Zustand ist immer trostloser geworden. Sie hat keinen*

Haß, keine Liebe, keine Hoffnung – eine schreckliche Leere. Ein unbeschreibliches Gefühl des Mißbehagens. Die ungeheure Schwere der Luft, schrieb sie und hielt inne, als ob ihr ein erschreckender Gedanke gekommen wäre. *Aus Langeweile wird sie mit J. essen gehen. Wird seine Tiraden über kranke Herzen und faule Ärzte anhören. Seine ganze Miso-Ossie.* Sie strich das letzte Wort durch und schrieb *Misossie* drüber. Misogyn misanthrop misoss. Misossiös? *Sie wird ihre Koronar-Insuffizienz für sich behalten. Sie wird die Langeweile genießen. Seine hohle harte Stimme. Das Rastlose. Rasende. Jagende. Die Bedrohlichkeit, die sie nicht mehr fürchten muß. Ebensowenig wie den Neid, den sie vor nicht langer Zeit noch empfunden hatte. Auf Frauen wie die, in deren Leben sie gestolpert war. Westfrauen, die eigen sein durften. Die sich das Eigensein erkämpft hatten. Denen man es ließ. Weil es die produktivere Lösung war. Jeder nach seiner Façon – Hauptsache, sie schaffen daneben noch Profit. Preußischer Liberalismus. Jeder nach einer Façon – dafür sind alle vom Profit befreit und trotzdem geschafft. Preußischer Sozialismus.*

Sie starrte aus dem Fenster in die Düsternis. Nein, sie beneidete sie nicht mehr. Daß man im Westen Anderssein als normal feierte und lachte über die anderen, die nicht anders, sondern normal wirkten, solche wie sie, das machte die Kälte nur noch resignierter. *Es war, als wäre die Welt ein falsch rum aufgehängter, gespaltener Schädel und die geteilten Augen, einzeln für sich, blind. Und niemand war da, der sie zusammenfügte. Niemand, der dem Herzen Einhalt gebot, das matt und klopfend herausrutschen wollte.*

Sie ließ den Stift auf das Tagebuch sinken. Im zweiten Stock des gegenüberliegenden Hauses gingen die Lichter aus. Kurz danach trat ein mächtiger schwarzer Mann in einem langen schwarzen Mantel aus der Tür und ging die Mulackstraße in Richtung Alte Schönhauser hoch. Es war kurz nach sechs. Viele Fenster in der Umgebung der an drei Ecken angenagten Kreuzung Mulack/Gormannstraße waren jetzt erleuchtet. Trotzdem standen die Häuser ernsthaft und schweigend still, wie ein Alp. Es war naßkalt, und der milder gewordene Wind strich durch das Gesträuch auf den Eckgrundstücken.

Aus dem gebrochenen, geflickten Asphalt dampfte Nebel herauf und machte alles so dicht, so träg, so plump.

EIFRIG WAR ER WIRKLICH. In der knappen Stunde, die sie mit ihm bis jetzt auf engstem und noch dazu ungeheiztem Raum verbracht hatte, war Lietze über Wilfried Möchtls gesamten Werdegang in der ehemaligen DDR inklusive sämtliche leider abgewickelte besondere Qualitäten derselben in Kenntnis gesetzt worden. Namentlich über die weit überlegenen Strukturen der dortigen Kriminalistik. Von Wilfried Möchtl persönlich.

»... wenn Sie nur unsere Trassologie nehmen. Ich sage immer, jammerschade, daß das nun alles nicht mehr zählt. Wir haben ja Patente bis nach Amerika verkauft ...« Er ließ den Stadtplan, den er aus Tarngründen so vors Gesicht gehalten hatte, daß er eben drüberweg durch die Frontscheibe kucken konnte, sinken und sah sie erwartungsvoll an. »So gar kein Bildmaterial über Tatverdächtige – *das* hätt's bei uns nicht ...«

»Nein?« Lietze bemerkte ihren kampflustigen Unterton. »Und wenn Ihnen die Eltern einer mordverdächtigen Mutter versichert hätten, daß sie sämtliche Fotos ihrer Tochter vernichtet haben, weil sie nicht mehr ihre Tochter ist, seit sie mit einem Mann lebt, der nicht ins Bild paßt? Was hätten Sie dann gemacht? Denen die Bude auf den Kopf gestellt?«

»Sie so lange zur Brust genommen, bis ihnen klargeworden wäre, daß sie uns die Wahrheit schuldig sind.« Möchtl bemühte sich um einen überlegenen Gesichtsausdruck. Aber der verfehlte seine Wirkung. Denn abgesehen von den modernistischen Straßenlaternen, die vor jedem zweiten, dritten Haus dürre weißliche Kegel auf das Pflaster warfen, und dem wenigen müden Licht, das aus gardinenverhängten Fenstern sickerte, war die Linienstraße dunkel wie die meisten ihrer Häuserfassaden zwischen der Volksbühne und dem östlichen Ende. Überdies war es in dem mittelgroßen grauen *Opel* noch diesiger als draußen, weil dieses zivile Einsatzfahrzeug zwar über Funk und jede Menge Pferdestärken verfügte, mit denen man, jedenfalls in der Stadt, an fast allen flüchtenden Flitzern dranblieb, aber um das Standgas hatte sich anscheinend lange niemand mehr gekümmert.

»Entschuldigen Sie – schuldig? Nee!« Um die Innenbeleuchtung auch nicht. Aber das empfand Lietze jetzt fast als Vorzug. Sie hätte diesen vierschrötigen, etwas zu kurz geratenen Probe-Polizisten nicht auch noch ansehen mögen. Sie starrte nach draußen. Hinter sämtlichen Vorhängen im zweiten Stock des Hauses Nr. 21 brannte Licht. Aber die ganze Straße lag so still da, daß man den Wind durch die Bäume und Büsche der Grünanlage sirren hören konnte. Weiter oben, ein Haus vor der Ecke zur Weydinger Straße, parkte ein weißer Sportwagen. Schon wieder einer, dachte sie amüsiert. Sowas gab's bei *uns* früher nicht. So viele Protzkutschen. Bei uns. In West-Berlin. Dann schob sich der Gedanke an Kims Gesicht darüber. Und Helga, mit der sie seit Monaten schon einen Ausflug nach Berlin-Mitte verabredet hatte. Eine Reise in die Vergangenheit. Ihre gemeinsame. Graue Vorzeit. Vor der Helga noch mehr als sie selbst zu schaudern schien. Schsch – weg! Für diese verdammte Serienmörderin mußte ihr auch noch etwas einfallen. Morgen!

»Wir arbeiten nicht mit solchen Ansprüchen. Schuldig ist uns niemand was. Kein Zeuge. Nicht mal ein Täter!« Sie hätte sich ihre Schrottschleuder nicht ausreden lassen sollen. Wenigstens war die warm.

Möchtl nahm die Schuldfrage zum Ausgangspunkt einer Belehrung über »typische Westmankos«. Eins bestand offenbar darin, immer eine Meinung, aber nie eine Ahnung zu haben. Lietze gab ihm von Herzen recht und fragte sich, ob er eigentlich merkte, daß er dabei war, sich diesbezüglich als Mega-Wessi zu profilieren.

»... kennt ja keiner die DDR. Und da kommt der Westen einfach und weiß alles besser. Aber das ist von außen nicht zu beurteilen! Unsere Trassologie zum Beispiel ...«

Lietze beschloß, das Gespräch mittels automatischem Piloten weiterzuführen.

»... unsere ganze Kriminalistik. Wir mußten ja Spitze sein. Wir hatten ja die ganze westliche Supertechnik nicht zur Verfügung wie Sie hier. Wir mußten aus der Not eine ...«

»Ähm-sagen Sie, frieren Sie sehr, oder kann ich mal kurz lüften?«
»Nein, nein!« Jetzt schwoll Möchtl stimmlich der Kamm. »Ich bin abgehärtet. Was ich alles observiert habe ... Bei Wind und Wetter ...«
Das denke ich mir, dachte Lietze, stellte die Ohren wieder auf Durchzug, nickte milde in seine Richtung und drückte den Fensteröffner. Wer war in der Tatwohnung gewesen? Wer außer Dolores Wolter und Chris Unbekannt hatte Schlüssel? Voltaires ja offenbar nicht. Morgen nochmal in die Weydinger, Nachbarn ausfragen. Wir hätten doch – ach was, Quatsch! Wie hätte man begründen sollen, Tag und Nacht eine Wohnungstür zu bewachen!
»... der Kriminalist erschließt sich ja Steinchen für Steinchen das ganz Umfeld. Der richtige Kriminalist versteift sich nicht auf eine Spur ...«
Wer hätte das gedacht, dachte Lietze und zündete sich die nächste *Lucky Luciano* an. Was machen wir mit der zweiten Blutspur? Solange wir keinen Anhaltspunkt haben, ist das höhere Mathematik. Mal hören, was – ach ja, überhaupt! Lang!
»... Kriminalistik ist ja ganz was anderes als im Fernsehen. Also vor allem diese amerikanische Dutzendware, das hat mit Realität ja gar nichts zu tun. Also, *da* hat man ja immer das Gefühl, seine Zeit an Dreck vergeudet zu haben ...«
Lietze inhalierte tief, überlegte kurz, ob sie Möchtl fragen sollte, wann er Zeit zum Fernsehen hatte und ob das fröhliche Gleichschalten von Äpfeln und Birnen auch zu den Errungenschaften der DDR zählte, die nun leider gar nichts mehr galten, zog dann aber vor, seinen eifernden Worten eine Hochgeschwindigkeitsstrasse von ihrem rechten zu ihrem linken Ohr und von da aus direkt in den dünnen anthrazitgrauen Nebel auf der Linienstraße zu bahnen. Und widmete den Rest ihres Kopfes der Frage, ob dieser Abend zu retten sein könnte. Ohne Zähneklappern. Mit Lang! Du sollt'st da ma wieder verliehm. Jawoll, Helga. Ich tue, was ich kann! Wieso ist Roboldt eigentlich bis jetzt nicht aufgetaucht!
In Nr. 21 brannten noch immer alle Lichter. Seit einer halben Stunde hatte niemand das Haus betreten oder verlassen.

ALLEIN UND IM DUNKELN fand sich Roboldt überhaupt nicht zurecht. Was war denn hier jetzt wie rum Einbahnstraße? Und wieso, verdammt nochmal, ging die Gormann- nicht von der Weinmeisterstraße ab, obwohl das im Stadtplan so aussah? Beim dritten Mal hatte er die Nase voll und beging eine zu anderen Zeiten vermutlich füsilierungswürdige Übertretung. Genauer gesagt, er über*fuhr* einen Bordstein, der aus unerfindlichen Gründen die Gormannstraße an ihrem südlichen Ende zur Sackgasse machte, fuhr weiter die Straße hoch, über die Steinstraße weg, und erkannte endlich die ausgefressene Kreuzung Gormann/Mulackstraße.
Mit klopfendem Herzen stieg er aus seinem Wagen und rannte nach links zur Nr. 23. Aber im zweiten Stock waren alle Fenster unbeleuchtet. »Ich hab's ja gewußt«, redete er sich gut zu. Man kann nicht alles haben!
Er drückte die Tür auf und tastete nach einem Lichtschalter. Der Schwall Luft von der Straße ließ die Hoftür klappern und in den Angeln knatschen. Etwas raschelte. Im Hof. Oder kam es von unten. Aus dem Keller. Ratten? Aufgerissene Mülltüten? Das Treppenhaus roch klamm und nach Kreuzberg. SO 36. Brikettstapel unter Küchenfenstern. Die trübe Funzel unter der Decke schmierte eine hoffnungslos groteske Patina über die rosa Wände mit den haarsträubenden Stromleitungen, den Schimmelblumen und Spinnweben, den Mustern aus abgebröckeltem Putz und nackten Mauern. Als hätte jemand versucht, die rüde Kälte von S-Bahnsurfer-Graffitis zur Kopulation mit einer Grand-Guignol-Kulisse zu zwingen.
Roboldt spürte Schauer über seinen Rücken rieseln und inspizierte die Briefkästen. Die wacklige, rostige Ansammlung mit teilweise aufgebogenen Türchen überzeugte ihn nicht. Er sah auf die Uhr. Kurz vor halb sieben. Er lief die zwei Treppen hoch und suchte die Wohnungstür nach einem Schlitz ab. Er kam ihr so nah, daß er glaubte, die ganze Wohnung riechen zu können. Die Nacht. Die Musik. Er riß ein Blatt von seinem Block, kritzelte etwas drauf und schob es unter der Tür durch.
Als er wieder auf die Mulackstraße trat, hörte er schräg gegenüber auf dem Fußweg ein Geräusch. Es mußte von

dem ersten Haus gewesen sein, das links neben der wildwuchernden Freifläche vor ihm wieder in der Straßenflucht stand. Nr. 19. Er sah hoch. Eine Frau beugte sich aus einem Fenster, als ob etwas herausgefallen wäre. Er ging hin und entdeckte einen zerschmetterten Kugelschreiber. »Der ist wohl hin«, rief er hoch.
»Ich komme runter«, rief sie zurück.
Aber sie kam nicht. Roboldt sah wieder auf die Uhr, zog sein frisches Taschentuch aus der Jacke und bettete die Kugelschreiberreste auf die Türschwelle. Dann ging er zu seinem Auto.
Er warf einen Blick in den Stadtplan und vergewisserte sich, daß er nur die Gormannstraße weiter hoch fahren mußte, um auf die Linienstraße zu stoßen. Rechts rum, und er war fast da, wo er längst hätte sein sollen. Falls die Linienstraße nicht auch plötzlich eine Einbahnstraße wurde. Oder eine Sackgasse. Mittendrin.
Wo hatte er diese Frau schon mal gesehen, der er eben eins seiner Taschentücher geopfert hatte? Er ließ den Motor an und rollte aus der Parklücke. Als er auf der Kreuzung Gormann/Mulackstraße ankam, erschien sie in der Tür. Sie war zu weit weg, als daß er hätte erkennen können, was an ihr ihn so gerührt hatte. Aber er wußte, woher er sie kannte. Sie war ihm fast an derselben Stelle vor gut zwölf Stunden über den Weg gelaufen. Es mußte diese seltsame Verhärmtheit sein. Diese Verzweiflung. Sie schien erschreckend genau in diese Gegend zu passen.
Jetzt beugte sie sich hinunter, und Roboldt ließ die Mulackstraße hinter sich. Diese Gegend. Ob hier die Patienten des Dr. Alfred Döblin gelebt hatten? Was heißt gelebt! Gehaust! Er mußte Neumann fragen. Einer wie Neumann, der Büchner nicht bloß kannte, weil sein Theater gerade den *Lenz* auf die Bühne zu bringen versuchte und er nicht bloß die Bretter dafür zusammennagelte, so einer kannte auch den Armenarzt Döblin. Einer wie Neumann – sowas Blödes. Es gab nur einen. Sowas gab's nicht nochmal. Sowas wurde nicht auf Flaschen gezogen! Wieso hat er sich ausgerechnet hier eingerichtet? Zäh und zielstrebig darauf hingearbeitet, die beiden kleinen oberen Wohnungen dieses vergammelten

Hauses zu kriegen. Sein Geld und seine Arbeit hineingesteckt, wie um etwas urbar zu machen. Als läge ein unendlich fruchtbarer Boden unter all dem Schimmel und all der herzzerreißenden Armseligkeit. Wer durch diese Straßen geht, braucht viel Kraft, um nicht mutlos zu werden – wo hatte er das wieder gelesen?
Es war tatsächlich erlaubt, nach rechts in die Linienstraße zu biegen. Roboldt war erleichtert. Er würde jetzt ein paar Stunden frieren und ein Haus anglotzen und dann – er zog den Kopf so schräg nach unten, daß er gleichzeitig die menschenleere Straße im Auge behalten und das Duftwunder erhaschen konnte, das noch immer unverschnitten von künstlichen Aromen und abgeschirmt durch die Jacke auf seiner Haut klebte. Und wie in einem osmotischen Rückwärtsgang durchsickerte ihn plötzlich das Gefühl, ganz genau zu wissen, was für eine Gegend das hier war.

»MACH MA LIEBER DIE BRILLE WIEDER DRUFF!« Helga setzte sich an den großen runden Tisch im Büro der MIGRÄNE e. V. und biß herzhaft in das Käsebrot, mit dem sie aus der Küche gekommen war. »Denn siehste ehmt paar Tahre aus wie Yoko Omo – und?«
Kim wollte lachen, brachte es aber nur auf einen jaulenden Sinuston und knallte zur Entladung die Faust geräuschvoll auf den Tisch. »Auauauscheißauau …«
Mitten durch die Dauer-Auas schrillte die Türklingel. Helga stand auf, klopfte Kim beschwichtigend auf die Schulter und verschwand. Nach ein paar Minuten kam sie mit Kitty zurück. »Samma, hat die damit ooch jeackert heute?«
Kim hatte vor lauter innerem Zähnezusammenbeißen keine Zeit, den majestätischen rothaarigen Glanz mit ihrem notorischen Schmelzblick zu verfolgen. Sie hielt je eine Hand auf je einen Bluterguß und redete sich ein, wie schön es war, wenn der Schmerz nachließ.
»Wat hast du denn jedacht!« fragte Kitty erstaunt. »Seit wann könn' wir uns erlaum, bloß wegen Veilchen ne Blaupause einzulegen? Uff Arbeit jeht do' sowieso grad der blaue

Mohntach in Serie.« Sie schälte sich aus dem voluminösen langen Teddymantel und zeigte wieder beiläufig Figur.
Helga zog die Brauen hoch und ging kauend zurück an den Tisch. »Mach dir nischt draus, Kleene«, sie streichelte Kim über den Kopf und die gepolsterten Schultern, »ich kann's so schlecht mit ansehn. Aber ich wer' ma versuchen, keene Witze zu machen.« Dann nahm sie wieder neben ihr Platz.
Kim manövrierte die große Sonnenbrille auf ihre Nase. »Und wat schlahng Jnädijste für Kinn- und Halspartie so vor?«
Kitty ging um den Tisch, stellte eine Tasche drauf, holte einen Packen Briefumschläge und Zigaretten heraus und zündete zwei an. »Ihr seid fleicht Hühner!« Eine reichte sie Kim über den Tisch. »Wat laßt ihr die denn im Wahng! Wenn Werner die inne Pfoten jekricht hätte!«
»Werner eins oder zwoo?« im Duett aus Bariton und Kontraalt.
Kitty versuchte ein strenges Stirnrunzeln und erinnerte daran, daß ihr Herr Sohn sich derzeit freundlicherweise an seiner nunmehr dritten Lehrstelle aufhalte und also nur Werner eins in Frage komme. »Die Idee war ja janz nett, aber ick hab sie vorhin ma durchjekiekt – also weeßte, nee!«
Kim angelte die Briefe zu sich und fing an zu lesen. Helga murmelte etwas von »Wichtijeret zu tun« und sprang auf, um ein Fenster aufzureißen.
»Verehrtes energisches Damenkränzchen! Möchte mich um die von Ihnen annoncierte Stelle als Haussklave hiermit bewerben. Bin 30/1,70/72kg. Habe keine Bodybuilding-Figur, bin aber sauber und gepflegt. Trinke und rauche nicht. Ich bin bereit, bei Ihnen zu putzen, Wäsche waschen, Essen kochen, den Tisch decken, abwaschen evtl. Gartenarbeiten. Ich bin bereit, diese Arbeiten nackt oder in Kleidung, die Sie vorgeben, zu verrichten. Ich bin bereit, mich für unzufrieden ausgeführte Sachen mich abstrafen zu lassen. Würde mich dann aufbocken lassen und mir den Hintern mit Hand, Peitsche oder Rohrstock zum Tanzen bringen zu lassen. Ebenso können Sie bei Unzufriedenheit auch mich abrichten oder mein Geschlechtsteil ganz nach Ihrem Willen. Speziell habe ich ein Faible für Leck- und Toilettenspiele –« Kim sah hoch und in zwei wackelnde kichernde Köpfe und legte die Hand

wieder zur Beruhigung auf ihr schwarz-violett unterlaufenes Kinn. »Hm?«
»Der jeht schomma nich!« dekretierte Helga glucksend.
»Die jehn alle nich.« Kittys ganzer Körper zuckte inzwischen.
»Stimmt,« bestätigte Kim und legte den Brief beiseite, »den könn wa nich jebrauchen, der raucht nich! Weiter.«
Helga setzte sich wieder zu ihr und riß einen anderen Brief aus dem Umschlag. »Du sollst donnich so ville quasseln, Kleene. Tut do' weh. Wat ham wa'n hier: Würde Sie gern einmal persönlich kennenlernen. Meine Freundin sollte mit einbezogen werden, falls Bedarf besteht –.«
»Ach, du krist die Tür nich zu! 'janzet Haushälterpaar!« stieß Kim hervor. Kitty zuckte derzeit nur »na sahr ick ja« -artig die Schultern.
»... dann mal am Telefon«, fuhr Helga unbeirrt fort, »bitte Manfred verlangen, da meine Freundin bei Bedarf überrascht werden soll. Na, haste Töne!«
»Die sind alle so. Der neechse pappt sein' Fingerabdruck drunter und nimmt jern ma'n Natursekt – samma, hat irnkwer von uns würkich Bock dadruff?« Kitty drückte die Zigarette aus und runzelte wieder die Stirn. Diesmal ungeduldig.
Kim und Helga stöberten durch das restliche Dutzend Briefe, prusteten ab und zu, stöhnten »oh nee!«, warfen mit Zitaten um sich und schoben schließlich alles Papier zu einem Haufen zusammen.
»*Bizarre Wünsche* hatten wa ja anunpfirsich nich jehabt«, fing Helga an.
»Nee eben!« Kitty stand auf, zog den ganzen Haufen zu sich und sortierte. »Wat wa wollten, war jemand, der jern umsonst die Bude hier putzt, weil et sonst immer allet an dir hängen bleibt, Helga!«
»Naja, denn mach ick det ehmt. Jibt Schlümmeret! Oder wie siehst du det, Kim?«
Kim wedelte energisch mit dem rechten Zeigefinger durch die Luft, um den Kopf stillhalten zu können. »Bock uff Domina kriejick einklich erst ab ne bestimmte Summe uffwärts. Nee!«

»Also?« Kitty hatte die Umschläge wieder ordentlich gestapelt. »Fajessn wa det enerjische Dahmkränzchen und machn wieder artich uff jestandener Hausfrauenverein!«
»Na, ick kann det schon sauberhalten hier. Bloß wenn wat los war, Kombinat Koppnuß oder weeß ick wat für Treffen, denn –.«
»Denn räum wa ehmt weiter alle den Dreck mit wech, Helga-Maus. Und die Katzenklos kriehng wa ooch jeregelt!« Kim streichelte Helgas Wange und zwinkerte ihr zu. »Jetze laß uns nomma – wie spät ham wa'n? Wat – glei' halb sieben, na hallo! Wat müssn wa'n allet klarham, bevor die andern Koppnüsse hier einrollen?«
Kitty zog ein Zettelchen aus der Zellophanhülle um die Zigarettenschachtel. »Ick hab hier: die Bongs, die Sache mit dir, Kim, überhaupt die Ludenfrahre, Auto? Wat für'n Auto?«
»Na, deins – wat is'n damit? Hab ick denn wat kaputtjemacht?«
»Ach ja, nee, Kim. Det is völlich in Ornunk, ick weeß nich, wieso det nich anjesprung sein soll, aber is ja ooch ...«
Helga rutschte unruhig auf dem Stuhl hin und her. »Dein Spickzettel meint wahrscheinz det Auto von dem Luden, Kitty! Und det is nemmich vom Dringlichsten. Ick hab Karin heut früh schon anjedroht – wir kriehng den Typ. Und wenn wa die Kiste ham, ham wa den ooch bald. Und dafür müssn wa nachher ne Stratejie entfaltn. So seh ick det.«
»Stümmt«, Kitty legte den Zettel auf den Tisch und bügelte ihn mit den Händen glatt. »Und denn will heut ahmt noch diese Kollegin außen Osten vorbeikomm, wo war die noch her?«
»Leipzich! Jib mir nomma ne fertije, Kitty«, sagte Kim. Kitty zündete eine Zigarette an und reichte sie über den Tisch. »Jenau.«
»Ach du Scheiße, ausjerechnet heute! Kennt die wer?« Helga stand auf und ging zur Tür.
»Mann, Helga, nu mach ma Pause mit deine Zonophobie! Det is ne Kollegin«, Kitty runzelte zum dritten Mal die Stirn, deutlich mißbilligend. »Ick hab mit die telefoniert, und wenn die bloß erzählt, det se anschafft, und sich irnkwie

bloß ranschmeißen will, det hab ick in fünf Minuten raus. Wo rennst'n hin, eh?«
»Inne Küche. Irnkwer muß sich ja ma um die Jetränke kümmern, wenn die hier glei' alle uffkreuzen. Wie sieht'n det aus!«

DER SLOW-BURN BRAUCHTE ETWA ZWANZIG SEKUNDEN. Solange dauerte es, bis die Bewegung an einem der Fenster sich auf ihrer Netzhaut niedergelassen und die anderen Bilder gelöscht hatte. Lietze schreckte hoch. Weil man nie sicher sein kann, ob kleine Lichter nicht plötzlich groß anfangen zu brennen, hatte er gesagt damals.
Der trassologische Schmutz- und Schundfachmann rechts neben ihr hielt für einen Augenblick die Luft an und sah ebenfalls nach oben. Eins der Fenster im zweiten Stock des Hauses Linienstraße 21 wurde aufgerissen, und eine ältere Frau schlenkerte eine Tischdecke zum Entkrümeln.
»Die Mutter«, sagte Lietze. »Das heißt, die Großmutter.«
»Schon klar«, gab Möchtl mit Kennerblick zurück. »Und die wollte das Kind mal adoptieren, kommt also auch für ein Motiv in Frage.«
Warum war ihr dieser Satz von Lang eingefallen? Kleine Lichter. Sie hatte wieder genau seinen onkelhaften Ton im Ohr, der seine Stimme immer schlagartig unerotisch machte. War das eine Warnung? Laß die Finger davon. Eine ausgebrannte Liebe kann man nicht wieder entfachen. Oder war es der Inhalt? Kleine Lichter?
»... denn Frauen können ganz tückisch werden, das muß ich Ihnen ja gar nicht erzählen, nicht, Frau Hauptkommissarin ...«
»Lietze«, sagte Lietze automatisch, während sie das Fenster im Auge behielt, aus dem die Frau verschwunden war. Der Wind blähte die aufgezogenen Gardinen und Gitterstores. Mit kleinen Lichtern hatte sie es schon wieder zu tun. Absolut aufgeräumte kleine Spießer, die nichts eifersüchtiger hüteten als ihre eigenen ordentlichen Verhältnisse. Wie die-

ses Hauswartsehepaar damals in der Nollendorfstraße mit der sauberen deutschen Gesinnung.
»... und Frauen und Kinder, tja!« Möchtl klebte mit dem Gesicht an der Frontscheibe und riskierte einen Bandscheibenvorfall im Bereich der Halswirbelsäule. »Kinder aufziehen wurde ja auch sehr gefördert in der DDR, also, ich möchte fast sagen, die DDR, und das ist eben auch etwas, was eben jetzt also einfach so weggeworfen wird, die DDR, also der Sozialismus überhaupt hat ja einen pädagogischen Ethos. Das ist im Grunde der Kern ...«
Durch den Seitenspiegel fuhr ein Lichtblitz. Er löschte für ein paar Sekunden das leere offene Fenster im zweiten Stock auf Lietzes Netzhaut und ließ einen Gedanken klar und scharf wie eine Leuchtröhre in der totalen Schwärze aufscheinen: Morden wie andere Leute Unkraut jäten oder die Treppe fegen. Aus Gründen der Ordnung.
Ein Auto fuhr langsam an ihr vorbei und in eine Parklücke fünf Autos weiter vorn. Ein Mann stieg aus, warf einen Blick auf den zweiten Stock der Nr. 21 und kam näher.
»... und wenn die Voltaire sich in den Kopf gesetzt hat, also das Kind, na sagen wir mal, für den Sozialismus zu retten ... Ist das der eigentliche Hauptkomm- ...«, Möchtl beobachtete, wie Roboldt näherkam und stieg dann aus.
Die Frau erschien wieder im Fensterrahmen, sah hinaus, musterte die beiden Männer, die sich die Hände schüttelten, schloß, als der kleinere von beiden zu ihr hoch sah, das Fenster und zog die Vorhänge zu. Kurz danach ging die Haustür auf.
»Dusseliger als die Polizei erlaubt!« zischte Lietze, als die beiden einstiegen, und nahm das Fernglas. »Alle beide!«
»Guten Abend, Chef – immer noch nicht wieder runter vom Reizklima?« Roboldt ließ sich in die Rückpolster fallen.
Es war nur ein junges Pärchen, das Arm in Arm das Haus verließ und die Linienstraße in Richtung Rosa-Luxemburg-Straße hochging.
»Falls irgendein Voltaire irgend etwas vorgehabt haben sollte, dann schminkt er sich das heute abend garantiert ab nach Ihrem Auftritt, Kobold«, knurrte Lietze und stellte das Fernglas wieder auf die Ablage zwischen den Vordersitzen.

»Und wer hat Ihnen diese kriminalistische Weltspitzenleistung eben beigebracht, Herr Möchtl?«
Möchtl zog den Kopf zwischen die Schultern und schwieg.
»Lietze – «, Roboldt hielt es für diplomatischer, eine gewisse mütterliche Wärme in seine Stimme und den ausgekühlten, nach kalter Asche stinkenden Wagen zu bringen. »Ich bin da. Sie können jetzt Feierabend machen!«
»Sie haben wohl nicht alle Trassen, äh: Tassen im Schrank!« Lietze riß das Fernglas wieder hoch, starrte zu dem Fenster und ließ das Fernglas wieder sinken. Mit zusammengekniffenen Augen waren die kleinen Schwankungen der Gardinen am besten zu erkennen. »Bravo! Sie haben's so richtig schön vermasselt.«
Sie zog eine *Lucky Luciano* aus der Schachtel, zündete sie an und nahm einen tiefen Lungenzug. Möchtl starrte jetzt reglos auf das Fenster. Roboldt stieß einen ellenlangen Seufzer aus und murmelte »Scheißtag«.
»Und jetzt machen Sie folgendes, Kobold. Sie gehen in das Haus hier, warten, bis das Licht aus ist, stellen sich ans Treppenhausfenster und beobachten die 21. Ich fahre einmal um den Block und parke ein Stück weiter hinten. In zehn Minuten drücken Sie das Licht im Treppenhaus wieder an und gehen aus dem Haus direkt zu Ihrem Auto. *Ohne* da oben hinzukucken!«
Roboldt kannte den Ton. Wenn Lietze in so einer Verfassung war, ertrug sie nicht mal laute Zustimmung. Das ging gewöhnlich von selbst vorbei. Er wunderte sich nur, warum sie ausgerechnet jetzt den Chef raushängen lassen mußte, und warf einen nachdenklichen Blick auf den jungen Mann vor sich.
»Und dann«, Lietze hatte das Haus Nr. 21 auch weiter fest im Blick, »fahren *Sie* erstmal nach Hause.« Sie sah kurz auf die Uhr, dann wieder schräg nach oben. »Und sind –«, sie schien etwas zu berechnen, »um zirka acht wieder hier. Unser junger Mann hier wird es begrüßen, wenn Sie bis dahin auch ein paar frische Sachen anhaben, nicht wahr, Herr ähm –.« Es klang auch ohne den Namen maliziös genug.
Roboldt drückte die Tür auf und war schon halb draußen.
»Jawoll, Chef!«

»Moment!« Lietze riß den Kopf nach hinten und zischte hinter ihm her, bevor er die Tür zuklappen konnte. »Ich meine nach *Hause*, Kobold! *Nicht* ins Theater!«

»LASS MA JUT SEIN, KLEENE. Jeh wieder bei die andern. Ick muß bloß ma ehmt verschnaufen.«
Kim stand schreckensbleich bis auf zwei dunkle Flächen vor Helga, die angezogen, mitsamt Schuhen auf ihrem Bett lag wie eine vom Blitz gefällte Pappel, auf dem Schoß Azubi Fritschi, Fritz und Schischi längs den Flanken. Helgas Gesicht war dunkelrot, fast bläulich gefleckt.
»Mann, Helga, eh! Wat hast du? Dir rast ja die Pumpe, det is – ick ruf'n Notdienst!«
»Quatsch! Ick hab nischt. Jaa nischt!«
Alle drei Katzen unterbrachen das Schnurren und hoben die Köpfe, als Kim sich aufs Bett setzte und Helgas Hand nahm.
»Wat is mit dir los?«
Helga schloß die Augen und schüttelte trotzig den Kopf.
Kim strich ihr über die Stirn und fühlte die Temperatur.
»Kiek mir doch an! Wat hab ick'n an mir?«
»Nischt, Kleene. Du jaa nischt. Jeh wieder rin.«
Fritschi nahm als erstes den Schnurrfaden wieder auf und gab wieder die Brezel in der Mulde zwischen Helgas jerseyweichen Schenkeln und Bauch.
»Die brauchen dir, mit wa endlich zu Potte komm' mit den janzen Tremoli da jetze –«
»Wenn mir hier jemand braucht, denn du! Mach hier nich dauernd uff tapferer Zinnsoldat!«
»Quatsch. Ick brauch niemand.« Helgas geschlossene Lider fingen auch an zu zittern. Sie räusperte sich umständlich, aber es klang wie ein Versuch, ein Schlucken zu vertuschen. Kim sah sie lange an und ließ den Blick dann durch Helgas kleines Zimmer wandern. Über das schmale Bett mit dem dicken plusterigen Daunenpfühl, das an den Seiten fast über Helga und den Herrschaften zusammenschlug, den wackeligen Hocker am Kopfende, auf dem immer eine Flasche Wodka mit einem auf dem Deckel balancierenden Schnapsglas und ein altmodischer Stellrahmen mit einem Foto drin

standen, den Frisiertisch mit dem Triptychonspiegel, das einzige Prunkstück im ganzen Zimmer. Helga war selig gewesen, als sie ihn vor einem Trödelladen entdeckt hatte, und verwandte große Sorgfalt darauf, das klobige silbrige Frisierset – Kamm, Handspiegel und Bürste –, den Parfümflakon mit der stoffbezogenen, trottelbehängten Gummipumpe und ein paar Cremedosen stets so arrangiert zu halten, wie ihre Mutter sie immer arrangiert hatte. »Selber Quatsch und selber Kleene! Et is keene Schande, wenn man ma wen braucht!«

Fritz und Schischi schoben wie zur Bestätigung die Köpfe wieder unter Helgas Armbeugen. Helga schlug die Augen auf. »Ick wer' wohl eimfach alt, Kim.«

Kim sah ihr in die Augen und spürte wieder diese stechende, funkelnde Zärtlichkeit für Helga. Am liebsten hätte sie den ganzen schweren kleinen Körper mit dem weichen alten Fleisch in ihren Händen geborgen. Was wußten sie eigentlich von ihr? Nichts. Fast nichts. In Kims Kopf tauchte zum ersten Mal der Gedanke auf, daß es vielleicht noch eine ganz andere Helga gab als die, die ihnen vertraut war. Eine ganz andere Welt, verborgen hinter schwer bewachten Panzermauern. Eine Welt voller Härte und Trauer und – ja, Glück war das auch, was in Helgas Blick schwamm, ganz tief unten am Grund, Kinderglück, geschundenes Glück, Zerstörung und Elend und Furcht. Und die wütende Entschlossenheit, nie nie wieder so verletzt zu werden. Aber etwas hatte einen haarfeinen Riß in den Panzer gemacht und war mitten ins Herz dieser anderen Welt gedrungen.

»Edith ...«, flüsterte Helga endlich und kniff die Augen zu. Sie zog die Hand aus Kims Händen und wischte sich über die Wange. »Du hast jenau ausjesehn wie Edith, wie de da am Tisch gesessen hast ... käsebleich ... blaue Flecke ... abjekämpft. Jenau wie Edith, wie se endlich wiederjekomm' is ... jenau so hatte se dajesessn am Tisch ... inne Küche bei die Bauern in Polen, wo se ma versteckt hatten. Februar zweenfürzich. Da hatte se endlich geschafft zu türmen aus die Kiste, wo se se im Sommer ringesteckt hatten. Eimfach zack wech. Ich dacht, ick seh se nie wieder. Und denn sitzt se da plötzlich. Knochig wie ne wilde Katze. Und so weiß – die war fast durchsichtig jewesen, meine arme kleene Edith ... ach Mensch, Scheiße! Jib mir ma'n Taschentuch.«

Kim spürte, wie sich ihre Armmuskeln spannten und die Fäuste ballten. Sie zog ein großes Tuch unter dem Kopfkissen hervor. »Wie alt – warst'n da?«

»Elwe.« Ein Trompetenstoß. Alle drei Katzen rissen die Ohren samt Köpfen hoch. »Zwölfe fast.«

»Und wieso ham se deine Mutter in't Jefängnis –?«

»Jefängnis donnich!« Helga schüttelte den Kopf so energisch, daß Fritz, Schischi und Fritschi sich aufsetzten und nach ruhigeren Plätzchen Ausschau hielten. »Det war schlimmer. Weeßte, Kleene: Ich bin nich die erste Jeneration Hure in unse Famieje. Edith hat jeackert, kaum dis se'n Zehner vom Pfund unterscheiden hat könn'! Nehmbei: jenau da, wo wir jestern ahmt jewesen sind. Na, nich janz jenau, n Stücke weiter ohm. Wo se ja ooch her war. Scheunenviertel war damals der Name jewesen. Det is allet nich mehr. Allet unterjegang'.«

Kim betrachtete die weißgespannten Knöchel an ihren Fäusten und versuchte, die Hände zu lockern. Sie fuhr Fritschi über den Kopf, aber die/der suchte das Weite und hoffte auf einen Tip der Erwachsenengeneration. Helga stopfte sich das Taschentuch in den Ärmel und kam mit dem Oberkörper so weit hoch, daß das Kopfkissen zur Hälfte frei wurde. »So Küken wie dir sacht det ja allet nischt.«

»Wat soll mir nischt sahng! Ick warte immer noch uff den Text!« Kim beobachtete das Arrangement in Schwarz-Weiß-Rot und stellte erleichtert fest, daß Helgas Gesicht allmählich wieder eine gesunde Farbe annahm. »Nu spuck schon aus endlich!«

»Ach, ick weeß jaa nich, ob ick det allet ausgrahm soll. Et is vorbei ...«, Helga hievte sich ganz hoch und saß kerzengerade an der Wand, neben sich einen raumgreifenden, schweren Klumpen Fell, »... wahrscheinz malt man hinterher ooch immer paar Heiljenscheine, wo jaa keene hinjehörn ...«

»Helga! Du brauchst hier nich Preise treim, ick bin keen hochkarierter Freier!« Kim wußte, daß Helga immer gern einen Fehdehandschuh nahm, wenn es Schmerz zu vertreiben galt.

Er saß. Und Helga fing endlich an zu erzählen. Von der Grenadierstraße, in der Edith Pioch gewohnt, und der Mulackstraße, in der sie gearbeitet hatte. Eine der wenigen Nichtjuden in diesem Viertel, dessen enge und düstere Gassen von kleinen Männern mit speckigen schwarzen Mänteln und Säcken und kaputten Schuhen und Hüten und Korkenzieherlocken an den Schläfen und von dicken feilschenden Frauen mit blonden oder schwarzen oder Kunsthaaren und von wunderschönen Mädchen mit dichten schwarzen Zöpfen und von mageren kleinen Jungen mit Pejes und Kipa über uralternsten Gesichtern und von hebräischen Buchstaben auf verrotteten Häuserwänden, auf denen der Schimmel und der Kohlenstaub und die ewig verschobene Hoffnung wucherten, und von Kneipen und Koberschuppen, schmal wie Handtücher in Bahnhofspissoirs und genau so zweifelhaft für Leute, deren Vorstellungen von Sauberkeit sich in Äußerlichkeiten erschöpften, und von keifenden Schicksen, die sich immer für etwas Besseres hielten, und hochnäsigen Gojim, die immer die besseren Jidden sein wollten und damit immer auf die Schnauze fielen und schließlich in der SA die schlagkräftigen Argumente fanden, und von dem allabendlich einfallenden Künstlervolk, das sich langweilte in den geschniegelteren Vierteln ohne Dreck und Ratten und Läuse und Zocker und Schieber und Ringvereinsmeier, die womöglich – oj oj, das ist Metropolis, das ist Abenteuer! – gerade das nächste Rififi ausbaldowerten in ihren Hinterzimmerchen, und von Luden von rechts und links und Huren und Hausfrauen und Schustern und Schneidern und Krämern und Kneipiers und Betschülern und Bettlern belebt wurden. Von solchen, die anderswo nicht hinpaßten. Oder noch nicht. Für die das Scheunenviertel der Wartesaal nach Westen war, zwischen Wilna und Westend, Galizien und Grunewald, dem Schwarzen Meer und dem großen Teich, hinter dem Amerika lag. Oder zwischen Geburtskanal und Gaskammer.

»*Belebt*, sahr ick dir!« sagte Helga und angelte behutsam nach der Wodkaflasche. »Willste ooch'n Schlucke? Da war

Lehm uff de Straße, jaa keen Vergleich. Und durchjehnd jeöffnet. Obwohl immer klamm war, allet. Und alle!«
Kim kippte den Wodka, den Helga ihr hinhielt, schüttelte sich und gab ihr das Glas zurück. »Warm schmeckt der echt Scheiße!« war das erste, was sie seit ungefähr zwanzig Minuten sagte. Und auch das vorerst letzte.
Helga ließ sich durch nichts mehr vom Sprudeln abhalten, nicht durch Manu und Ginette und Kitty, die nacheinander den Kopf durch die Tür steckten und kommentarlos wieder zurückzogen, noch durch Kims immer größere Augen, noch auch nur durch die wenige Aufmerksamkeit, die das Vollschütten weiterer Gläschen mit Wodka in Zimmertemperatur vom Erzählen hätte abziehen können.
»Halt ma, halt ma«, stöhnte Kim nach einer guten halben Stunde und drei weiteren Schlucken auf, »also ihr seid denn wech achtendreißich, nach Polen ...«
»Richtich. Glei' nach de Kristallnacht. Sali suchen.«
»Und det war der Lover von Edith jewesen.«
»Lover!« protestierte Helga beschwingt. »Det war Edith ihre große Liebe. Die janz große, verstehste, Kleene? Aber der war ja nu Pole, den hatten se schon fümmendreißich abjeschohm. Sali Goldfinger – plötzich jestern ahmt isser mir wieder einjefallen. Ick hatte den Namen fajessen jehabt die janzen Jahre ...«
»Und den habt ihr aber nich jefunden, und denn habt ihr euch durchjeschlahng ...«
»... auffem Land, ja. Und nur noch Polnisch jeredet ab September neun'ndreißich.«
»Wat war da?«
»Na, der Kriech, Mensch – Kim!«
»Achso, ja. Gottegott. Und Edith ham se jeschnappt und in so'n Nazi-Bordell jesteckt, und da isse abjehauen und hat dich abjeholt, und denn seid ihr zurück? Det war do' aber det Jefährlichste, wat ihr machen konntet!« Kim schwirrte der Kopf. Den fünften Wodka lehnte sie lieber ab.
»Wir sind nich zurück nach Deutschland, mein liebet Kind. Wir sind zurück in die Mulackei. Nach Hause! Det is'n Unterschied wie Tach un Nacht. Wir ham uns da versteckt, mit falsche Papiere, bei Fritze Brandt, und Edith hat wieder je-

ackert, jenau wie früher ooch, bloß dis ehmt die janzen Leute fast alle wech waren, denn zweenfürzich hatten se ja mit ihre Endlösung anjefang' ...«, Helga trank das Glas selbst leer und stellte es mit einem Ausdruck des Ekels knallend neben die Flasche auf den Hocker. Das Pelzknäuel auf dem Kopfkissen gruppierte sich um. »'n paar Juden ham se noch rausjekricht, Edith und die andern, det war ja denn inzwischen nrichtjet Widerstandsnest jeworn, die Mulackritze vor allem, weeßte? Die Kneipiers und die Huren und n paar von die alten Janoven war'n ja no' da, naja und n paar abjetauchte Kommunisten war'n ooch mit bei, und mang de Freier war trotzdem immer noch der eine oder andere Joldfasan –.«
»Der wat?«
»Eener mit Naziuniform.«
»Echt?« Kim warf einen skeptischen Blick erst auf Helga, dann auf die fast leere Wodkaflasche. »Det gloob ick nich!«
»Keene aus Berlin natürch, die hatten ja zu ville Schiß vor die Jungs. Aber aus de Provinz welche – denn die Mulackei war ja ma berühmt und berüchticht jewesen. Na jehmfalz, det wurde allet orjanisiert. Die wußten Bescheid, welche Städte wieder bombardiert wor'n war'n, und wenn aus sonne Stadt n Joldfasan uffjetaucht is, denn ham die Mädels dem die Papiere abjenomm' und sofort weiterjeleitet. Und denn wurde da'n andret Foto rinjepappt, die Stempelecke nachjepinselt, det hat Tahre jedauert, und denn war wieder eener über de Grenze und jerettet.«
Kim sah immer noch skeptisch drein. »Ham die denn nich jemeldet, det se die Papiere jeklaut gekricht ham, diese Joldfasane?«
»Na, weeß ick? Wahrscheinz nich gleich, denn et war ja nich vom Feinsten, wo se jewesen war'n. Einklich hätten se da jaa nich hinjedurft. Det war ja Abschaum. Und denn war'n ja deren Städte bombardiert, also die janzen Behörden konnten nich mehr so zupacken, nehm ick ma an.«
»Und ihr habt denn da bei Karin und ihre Mutter jewohnt.«
»Da doch nich! Du krist aber ooch allet durcheinander!« Helga fühlte sich hörbar wohl und zog genüßlich den wärmenden inneren Fehdehandschuh straff. »Det war in Kla-

mottenburch. Aber Edith und Madamm Schieselle ham sich jekannt, frach ma nich wieso. Und Madamm Schiesell war damals in so'm Nobelladen, det war *der* Edelpuff von Berlin. Und da war'n nu würkich die Joldfasane, deswehng war't da ehmt sicher für mich. Giesebrechtstraße. Det Haus steht heute noch ...«

»Und Karin ist die Tochter von Mme Gisèle –«, sortierte Kim weiter.

»– und zeitenweise meene Schwester. Aber die war no' zimmich kleen damals. Bis achtnfürzich ham wa da zusammjehockt. So. Nu weeßtet janz jenau!«

»Und Edith – is denn ooch dahinjezohng, und ihr wart alle wieder vereint, ick meine, bis uff – Sali ...«, Kim liebte romantische Geschichten, bei denen das Happyend durch besonders scheußliche Schicksalsschläge noch happier wurde. Sie rieb sich einen eingeschlafenen Fuß wach und spann vorfreudig die Fäden weiter. Ob Helga wohl von Sali war? Oder von wem? 'n Verkehrsunfall vielleicht? War doch früher bestimmt ooch vorjekomm'. Wie hatten die damals einklich Seef-Sex jemacht?

»Isse ehmt nich!« Helgas Stimme schnitt quer durch Kims heimelige Hirngespinste, obwohl sie fast flüsterte. »Edith ham se jekricht. Viernfürzich noch. Ick weeß nich wieso und warum, ich weeß bloß, sie is im Lahrer jekomm'. Buchenwald, Ravensbrück, keene Ahnung. Is ooch ejal. Jehmfalz een Lahrer, wo ne Menge Politische war'n ... Sozis, Kommunisten, Leute, die jenauso ville Haß uff det Unkraut hatten wie die Nazis ooch. So Unkraut wie wir, verstehste? Huren, Homos, wat nich paßjerecht is, wat se asozial jenannt ham ...«

Kim war der jähe Abbruch ihrer Träumerei so in die Glieder gefahren, daß sie auch keinen Ton herausbrachte, sondern Helga nur ahnungsvoll anglotzte.

»Und die ham se über de Klinge spring' lassen! Um een von ihre Jenossen zu retten, ham se Edith denunziert. Und Edith is totjeprügelt wor'n – von de Nazis, ja. Aber uff besonderen Wunsch von Sozis, verstehste?«

Es war weder Angst noch Haß was Kim in Helgas Augen flackern sah. Es war die schiere Ratlosigkeit.

Helga verlagerte das Gewicht auf eine Seite und beugte sich über ihre drei Katzen, die immer noch ineinandergeknäuelt auf dem Kopfkissen vor sich hinschnurrten und -schnarchten. »Und det sind die Typen, Kim, wo denn später drühm det Sahren hatten. Inne DDR. Verstehste jetze, wieso …«
Kim verstand. Und wußte auch keinen Rat.

»ENTSCHULDIGEN SIE, wenn ich Sie unterbreche, Herr Möchtl«, Lietze war endlich etwas eingefallen, was ihrem überstrapazierten automatischen Piloten eine Verschnaufpause verschaffen konnte. Sie griff nach dem einen Walkie-Talkie und reichte ihn nach rechts. »Umgehen können Sie damit ja, nicht?«
Er nickte, und bevor er mehr als »selbstverständlich« sagen konnte, hatte sie ihn nach draußen geschickt und beobachtete, wie er über die Straße ging, an der Grünanlage vor dem Häuserblock mit der Nr. 21 entlangschlich und vor dem Haus nach links im Dunkeln verschwand.
Seit einer Viertelstunde war die Linienstraße nicht mehr völlig tot. Autos fuhren in beiden Richtungen Schritt, offensichtlich auf der Suche nach einem Parkplatz. Wahrscheinlich fing das Theater, hinter dessen Torausfahrt sie stand, demnächst mit der Vorstellung an. Im zweiten Stock der Nr. 21 war hinter einem Fenster das Licht ausgegangen, aber sonst nichts passiert. In das Haus hineingegangen war nur noch eine junge Frau mit einem Kinderwagen, die vermutlich in die Wohnung im Parterre gehörte, in der kurz danach das Licht angegangen war. In der Wohnung im ersten Stock unter Voltaires hatten die Gardinen des einen erleuchteten Fensters den Gelbstich gegen etwas bläulich bunt Flimmerndes vertauscht.
Es knackte im zweiten Walkie-Talkie, den Lietze auf den Beifahrersitz gelegt hatte. Sie nahm ihn hoch und drückte.
»Alle Lichter an«, meldete Möchtl. »Nehme an, das ist die Küche, dann noch ein kleines Fenster, vermutlich die Toilette, und daneben ist noch eins. Da brennt auch Licht. Ver-

antwortungsloser Umgang mit Energie, wenn Sie mich fragen!«
Nein, würd ich nie, dachte Lietze. »Haben Sie einen sicheren Platz? Gut. Und die Küche hat keinen Vorhang? Dann behalten Sie sie ein bißchen im Auge. Können Sie auch etwas hören – oder ist das Fenster zu?«
»Zu!« knarzte es aus dem Kasten. »Aber irgendwer im Haus hat die Internationale aufgelegt. Könnte von da oben kommen.«
Lietze legte den Walkie-Talkie beiseite, sah auf die Uhr und stellte die Rückenlehne so weit nach hinten, daß sie sich flachlegen konnte und Haus und Straße direkt über dem Lenkrad im Visier hatte. Wenn Roboldt pünktlich kam, war sie in einer knappen Stunde in der Keithstraße. Und dort war Lang. Oder zumindest Mimi, die wußte, wo er war. Hoffentlich!
Die Schmetterlinge flatterten eben ihre Schenkel hoch und nahmen die Lenden in Angriff, als es neben ihr wieder knackte. Lietze schmetterte ein herzhaftes »Arschloch« gegen die Scheibe und schnappte nach dem Walkie-Talkie. »Ja!«
Möchtl hatte einen Baum erklommen, von dem aus er zwei halbe männliche Hinterköpfe und ein halbes männliches Gesicht, offenbar um einen Tisch sitzend, sowie eine ältere weibliche Person als hin- und herlaufendes Brustbild erkennen konnte. »Vermutlich Frau Voltaire ... trägt Essen auf ... der mit dem Gesicht ist wohl er ... die beiden andern einmal angegraut, leichte Glatze am Hinterkopf, einmal ungekämmt, aschblond ...«, knarzte es aus dem Gerät.
Und dann hörte Lietze etwas sehr laut krächzen und krachen und ein eher quiekendes Geräusch und schließlich gar nichts mehr. Sie grinste, stellte sich darauf ein, Möchtl gleich aus dem Dunkel zwischen Grünanlage und Hauswand humpeln zu sehen, und ließ genüßlich die Fensterscheibe hinuntergleiten. Sie schrak zusammen, als sie die Beifahrertür klicken hörte, riß den Kopf herum und starrte in Langs Augen. »Wo kommst ... wie kommst ... Mensch, Lang, du bist ...!«
Lang stieg ein, schloß die Tür, lächelte einen Augenblick un-

schlüssig und legte Lietze schließlich eine Hand um den Hals, zog ihren Kopf zu sich und küßte sie mitten auf den Mund. »Guten Abend, schöne Frau – ganz allein hier?«
»Bist du – wahnsinnig? Lang!« Lietze riß den Kopf wieder nach links und zeigte auf die andere Straßenseite.
»Was hat der denn?« Lang beobachtete amüsiert, wie ein nicht sehr großer, etwas kantiger Mann walkie-talkieschwenkend über die Straße humpelte. »Ach, ist das der zweite Mann?« Dann pfiff er leise durch die Zähne. »Kleine Männer waren ja immer schon Gift für dich ...«
»Ich für die«, grinste Lietze.
Lang stieg aus, half Möchtl auf den Beifahrersitz und nahm selber im Fond Platz.
»Wer hat Ihnen denn gesagt, Sie sollen auf Bäumen herumturnen – achso«, Lietze registrierte erstaunt, daß das Reizklima verflogen war, »Kriminaloberrat Lang aus Dresden – Herr Möchtl aus Berlin. Haben Sie sich wehgetan, möchteln Sie, achch – 'tschuldigung! Brauchen Sie, ich meine wollen Sie –?«
Möchtl kuckte zerknirscht aus der Wäsche und suchte nach Worten. Er vermied heldenhaft jeden Blick auf seine zerkratzte Hand. »Das Ding geht aber noch!« fiel ihm schließlich ein, als er den Walkie-Talkie ins Handschuhfach legte.
Lang zündete sich eine Zigarette an und hielt Möchtl die Schachtel hin.
»Nein, danke«, sagte Möchtl kleinlaut. »Nichtraucher.«
Lietze musterte ihn und überlegte. »Hören Sie, Sie sollten sich Ihren Fuß aber doch mal bei Licht ankucken. Warum gehen Sie nicht ins Theater? Die sollen da eine sehr nette Kantine haben – wir sind ja hier zu zweit. Und ich«, sie drehte sich nach hinten und stellte befriedigt fest, daß Lang zustimmend lächelte, »teile jetzt einfach einen Oberrat zur ersatzweisen Observation ein!«
Möchtl zögerte, sah Lietze verlegen an, stieg dann aber aus.
»Und – Herr Möchtl«, rief sie hinter ihm her, »kucken Sie doch auch mal, ob Sie da was Eßbares finden, was Sie mitbringen könnten. Mir hängt der Magen in der Kniekehle!«
»Genial«, grinste Lang von hinten. »Das bringt glatt noch eine Viertelstunde!«

Lietze sah hinter Möchtl her, bis er in der kleinen Tür ein paar Meter hinter ihnen verschwunden war, warf einen Blick auf das Haus Nr. 21, an dem sich noch immer nichts verändert hatte, orderte Lang wieder nach vorn neben sich, zeigte ihm das Haus, ließ die Rückenlehne wieder hoch und beugte sich zum Beifahrersitz hinüber. »Guten Abend, Lang!« Sie küßte ihn. »Schön, daß du da bist!«

»SCHSCHSCHTTT!« Kitty schob den Stuhl hinter sich und baute sich in voller Lebensgröße zuzüglich zirka neun Zentimetern Absatz vor dem großen runden Tisch auf. »Wir sind glei' fertich! Und bevor hier allet mit Jeld rumschmeißt und durch'nander hampelt, fasse ick nomma zusamm' ...«
Banana-Mae buffte Dominique die Schultern gegen die linke Hälfte ihres voluminösen Busens und rollte die Augen in Al-Jolson-Manier. »She thinks we ain't got it!«
Dominique rollte zurück und komplettierte die Nummer mit einem rauchigen Lachen. »Hey Kiddy, we dumb niggers, ah?«
Kitty hielt einen Augenblick die Luft an und sah irritiert in die Runde. Alle außer Natascha alias Renate aus Leipzig grinsten und fingen angesichts von Kittys völlig unfreiwilligem Kuh-wenn's-donnert-Gesicht laut an zu prusten. Als sich schließlich auch Natascha anschloß, ließ Kitty sich extra plump auf den Stuhl zurückfallen. »Mensch, macht do' euern Scheiß alleene!« Stöhnte demonstrativ auf, warf ein Stirnrunzeln zu den beiden schwarzen Frauen, verzog den Mund zu einem Grinsen und schaute bald danach in einem ihrer gefürchteten Ganzkörper-Lachkoller vor sich hin.
»Go on, darling!« – »Kitty, weitör!« – »Heh, nicht schlappmachen!« – »Dai, stella, continua!« schwirrte und gackerte es durcheinander, und die ersten des dreiviertel Dutzend Mädels gingen dazu über, mit Geldscheinen zu wedeln und zu knistern.
Rosi alias Gülay fand als erste den zur ordnungsgemäßen Beendigung der heutigen verkürzten Sitzung des Kopfnuß-Kombinats notwendigen Rest preußischer Zuverlässigkeit

wieder. »Kinder, es ist gleich acht. Jetzt mal dalli. Also – alle haben kapiert, wie die Kartei funktioniert, okay?«
»Yeah!« – »Wow!« – »Bravo – Manu!«
Nadine sprang auf und klatschte in die Hände. »Formidable, Manu. Gangs groosartiesch!«
Standing ovations und ein satter Schuß roter Farbe in Manus Gesicht.
»Dann«, brüllte Rosi, »wir haben alle gehört, was Natascha hier über Leipzig erzählt hat, okay? Und wir werden alle die Ohren offenhalten über die Typen, die sie beschrieben hat, okay? Wo waren die her, Natascha?«
Die stattliche schöne Frau in den besten Jahren lief ebenfalls leicht rot an. »Nüja, von dän'n ich wääß, die wor'n aus Monnheim und Gassel. Also, die Schläschortypen. Zwää von dän'n sitzen, aber 's gricht worschäänz gääne von uns Määdels 's Maul uff.«
Kitty hatte sich wieder beruhigt. »Ick finde immer noch, da müssen wa uns bald ma drum kümmern – kann da nich ma wer hinfahrn von uns? Mitte Mädels reden? Kieken, wat wa tun könn'?«
»Unbedingt«, nickte Manu. »Ich hab keinen Bock auf alte Hamburger Verhältnisse. Das darf gar nicht erst einreißen, daß da irgendwo Typen aufkreuzen, die Mädels von ihren Stammplätzen prügeln und ihre eigenen Weiber hinstellen! Wo sind wir denn!«
Natascha nickte besorgt und zuckte die Schultern.
»Inne Große-Germania!« Maria schmiß beim Aufspringen ihren Stuhl um, schickte einen Lippenfurz hinterher und reckte das Fäustchen gut anderthalb Meter über dem Erdboden. »Basta!«
»What about those – diese, what's der name, man! Diese bongs?« fragte Banana-Mae unter Marias schwirrendem Fäustchen durch.
»Jenau!« stöhnte Kitty auf. »Da könn' wa erstma nischt machen als wie rumfragen und rumtratschen, wa?«
»'elga 'at auch niescht gesehn, nein?« Nadine sah Kitty an. »Dann wir könn' nur wartönn und 'offönn.«
»Los, los, los«, drängelte Rosi wieder. »Wir haben heute keine Zeit, wir müssen los. Also, was noch – die Knete!«

Die Tür ging auf und eine perfekt inszenierte Blondine mit einem erstaunlich muskulösen Gang, kräftigen Beinen, großen Füßen und riesigen Händen schritt in das Büro des eigennützigen und demzufolge noch immer nicht richtig eingetragenen Vereins namens MIGRÄNE und nahm Platz vor einem Zettel voller Notizen.
»Ich geh jetzt rum, einsammeln, und dann ab durch die Mitte!« Rosi stand auf und ging Frau für Frau um den Tisch herum.
»Ich find's richtig Scheiße, daß ich heute abend gerade nicht kann!« sagte die blonde Perfektion zu Kitty. »Aber wenn's losgeht, will ich dabeisein!«
»Is do' keen Problem, Ginette«, tuschelte Kitty zurück. »Heute ahmt jehn wa ja bloß schnüffeln. Und dis du Violetta uff'n Kieker nimmst, is ville wichtijer. Grad ooch, wenn de an Lietze denkst. Denn die brauchen wa denn, und et is eimfach jünstich, wenn wa vorher ihr wat jeholfen ham, wa? Du jeh ma in det Konzert da – aber mach keen Scheiß, hörste?«
Rosi kam mit vollen Händen an ihren Platz zurück.
Die Tür flog auf, Kim hielt sie fest, bevor sie gegen das Regal krachen konnte, und Helga schwankte hoheitsvoll und mit einem schwarz-weißen Pelzklümpchen auf dem Arm und einer sichtbar frischen Schicht Puder um die Nase in den Raum. »Komm' ick ja grade richtich!« grinste sie. »Et jibt do' nischt Scheeneret wie die Musike von Jeldscheine!«
»Dreihundertzwanzig«, verkündete Rosi. »Und wieviel Läden fehlen jetzt noch?«
»Dreie«, schaltete sich Kim ein. »Wir ham jestern bloß viere jeschafft, bevor ...«
»Jaja, da komm' wa glei' zu.« Kitty stand auf, nahm Rosi die Scheine ab und ging damit zu einem Kasten mit der Aufschrift *Hausapotheke*, der in einem verschließbaren Rollschrank stand. »Zusamm' mit jestern sind det vier'natfuffzig. Damit komm' wa ersma aus für Miete und so. Aber et müßte ma wieder wer zur Bank jehn!«
»Könnte ruich mehr sein!« knurrte Helga gutmütig. »Ick jeh mohrng früh. Wie weit seid ihr'n sonst so?«
Kitty kam wieder zurück an den Tisch, blieb aber stehen,

sah Helga an, ließ den Blick dann einmal die Runde machen und einen Moment freundlich auf Natascha ruhen und sah schließlich Helga fest in die Augen. »Ick weeß ja nich«, fing sie an, »wat ihr da sehpareh zu bequasseln jehabt habt, aber et is schade, dis du verpaßt hast, wat Natascha außen Osten erzählt hat. Und wat den Fall Oranienburjer betrifft – da ham wir wat beschlossen. Und damit fang' wa jetze sofort an. Wir jehn nemmich alle außer Ginette uff de Oranienburjer und kieken uns den Lahn da an. Mädels, Luden, Autos, allet. Ik weeß ja nich, ob du dir fühlst, Helga –.«
»Na, wofür denn nu?« Helga tappte ungeduldig von einem Bein aufs andere und wußte nicht, wohin mit Fritschi. »Wat habt ihr denn nu beschlossen?«
»Krieg!« Neuntönend.

»DAS HAT MIR NOCH GEFEHLT!« Lietze drehte sich abrupt aus der Umarmung, hob Langs Hand von der Flanke unter dem Mantel, plazierte sie auf seinem eigenen Knie und drückte sie heftig.
Der grün-weiße *VW*-Bulli kam im Schrittempo von hinten näher.
»Karin – die kennen dich doch gar nicht!« grinste Lang.
Jetzt war er auf derselben Höhe. Der Beifahrer warf einen tiefen Blick ins Innere des grauen *Opels* und ließ gut zehn Meter weiter vorn halten.
»Noch nicht«, stöhnte Lietze und schlug die Mantelhälften wieder korrekt übereinander. »Aber spätestens morgen werden sie mich kennenlernen. Und ich hab keine Lust, dann mit der Frage begrüßt zu werden, ob ich kein Bett zu Hause habe.« Sie erzählte Lang von den Hinweisen, Eva-Maria Adam alias Violetta könnte als Helsinki Cowgirl nach Berlin zurückgekehrt sein.
Der Fahrer und der Beifahrer stiegen aus, mit Blöckchen in der Hand.
»Da vorn ist Roboldt!«
Und noch dichter vorn kam der eine Polizist näher, während der andere sich daran machte, ein Knöllchen für das erste in

der Reihe der Autos im absoluten Halteverbot vor dem Hintereingang zur Volksbühne auszufüllen.
Lietze fluchte.
»Und da ist Bewegung!« Lang deutete auf die Haustür Linienstraße 21. »Ist das vielleicht euer Voltaire? Und wer ist *sie*?«
Lietze beobachtete die Tür. Lang stieg aus dem *Opel.* Aus dem Haus Nr. 21 schälten sich zerrend und schiebend ein älterer Mann mit einer sowjetischen Pelzkappe sowie einem dicken großen Umschlag unterm Arm und eine jüngere Frau mit einer dunklen Schlägermütze und einer Reisetasche. Etwas weiter rechts klemmte ein Uniformierter einen Zettel hinter einen Schweibenwischer. Lang ging, an seiner Brusttasche nestelnd, dem anderen Polizisten entgegen. Aus der kleinen Tür zwischen den Glasbausteinen des düsteren Theaterkolosses kam ein sichtlich zu kurz geratener junger Mann mit einem sichtlich verstauchten Fuß und einer Art Paket in Zeitungspapier in der verbundenen Hand.
»Ich freß'n Besen!« preßte Lietze durch die Zähne und ließ den Motor an.
Der Polizist wurde unruhig. Lang flüsterte auf ihn ein und wedelte ihm mit seinem Ausweis unter der Nase herum. Das rangelnde Paar hatte sich vor der Haustür entzerrt. Der Mann stapfte im Marschtritt auf den *Opel* zu, aber auf der anderen Straßenseite. Er warf einen hämischen Blick auf die knöllchenschreibenden beziehungsweise Protzwessikutschenbesitzer zur Brust nehmenden Ordnungshüter und schob sich den Umschlag unter den anderen Arm. Lietze dreht ihm den Rücken zu und zog den Kopf ein. Die junge Frau eilte in die entgegengesetzte Richtung. Kurz vor der Weydinger Straße war sie plötzlich verschwunden. Der Polizist hatte sich zu einem verkehrspädagogischen Grundsatzreferat aufgeworfen und verpaßte mit einem seiner Arme dem sichtlich lädierten jungen Mann einen vollen Ruderschlag an die Schläfe. Dem glitt pünktlich das zeitungsumwickelte Paket aus den Händen. Auf allerlei Weise belegte Brötchen kollerten auf den Bürgersteig und zwischen den Füßen eines Kriminaloberrats, eines Polizeiobermeisters und eines Eventualkommissars herum. Der alte Mann hatte

den *Opel* hinter sich gebracht und wechselte die Straßenseite. In der Parkreihe in Höhe des vorletzten Hauses links oben an der Linienstraße gingen rote und dann weiße Rücklichter an. Aus derselben Richtung, aber auf der anderen Straßenseite herunter kam ein schlanker, blendend aussehender Mann in den besten Jahren mit wehenden schwarzen Haaren und unverschämt federnden Schritten.

»Lang! Hier – gib ihm das!« Lietze reichte ein Walkie-Talkie aus der Beifahrertür.

Auch der zweite Polizist bequemte sich jetzt zum Schauplatz grauer *Opel* und verstärkte seinen Kollegen. Möchtl stand innerlich im Totalstau und bestaunte abwechselnd halbe Brötchen mit und ohne Belag, blöckchenschwingende und »wenn-das-jeder-macht!«-nuschelnde Sicherheitsorgane, einen händeringenden Lang, einen aufreizend schlendernden Roboldt und schließlich eine vor sich hin fluchende und gestikulierende Lietze.

Am östlichen Ende der Linienstraße schob sich schräg aus einer Parklücke ein weißer Sportflitzer, der falsch herum geparkt war.

»Steig ein, Lang! Für so'n Scheiß haben wir keine Zeit jetzt!« schrie Lietze aus der Beifahrertür. »Roboldt soll Möchtl untern Arm nehmen und hinter Voltaire her!«

Der weiße Sportwagen brauchte nur zwei Rangiermanöver.

Lang sprang in den *Opel* und war die nächsten Minuten damit beschäftigt, die Tür festzuhalten. Lietze drehte den Wagen krachend und quietschend aus der Parklücke und raste die Straße hoch. Der weiße Sportwagen war nicht mehr zu sehen.

»Soll Kobold denen das doch verklickern!« fauchte sie. »Nimm das Walkie-Talkie und sag's durch. Die sollen dranbleiben, und wenn der sonstwohin fährt.«

Lang gab nach drei Versuchen auf, Kontakt herzustellen. »Zu kurze Reichweite!« bot er als Entschuldigung an.

Lietze kicherte begeistert und ging vom Gas. »Ach, Herr Oberrat. Basisarbeit verlernt, was?«

Der weiße Sportwagen fuhr gemächlich die Weydinger Straße hinunter, bog schräg nach rechts auf eine Fahrbahn direkt vor der Theaterfront mit der halbrunden Freitreppe, weil das restliche kurze Stück Weydinger Straße aus uner-

findlichen Gründen zur Einbahnstraße erklärt war, glitt zwischen letzten in die Volksbühne hastenden Menschen hindurch und bog mit einem gewagten Sprint nach links auf die vierspurige Rosa-Luxemburg-Straße.
Die ist breit genug, dachte Lietze. »Nimm den Funk, Lieb-, äh, Lang!« Sie kicherte wieder. »Hab ich dir nicht gesagt, die lernen mich bald kennen hier vom Abschnitt?«
Lang fummelte solange herum, bis er seine Meldung loswurde, daß ein weißer japanischer Sportwagen –.
»Italienischer!« schrie Lietze dazwischen, während sie sich zwischen einem LKW von links, der die zweite Spur gnädigerweise verdeckte, und einer Schlange von rechts heranrasender PKWs auf die Rosa-Luxemburg-Straße mogelte.
»Das ist ein japanischer, glaub's mir!« schrie Lang zurück und stotterte dem Mann am anderen Funkende ein paar weitere spärliche Details hin. Bei der Ortsangabe mußte er passen. »Ich sehe – keine – Straßenschilder –.«
Der weiße Sportwagen war gleich hinter der Kurve rechts in die enge Hirtenstraße verschwunden. Die Frau schien gemerkt zu haben, daß sie verfolgt wurde. Aber es gab am Ende der Hirtenstraße nur eine Möglichkeit, wenn man Einbahnstraßen respektieren wollte. Also bog sie nach rechts in die Almstadtstraße.
»Das kann ja heiter werden!« stöhnte Lietze auf. »Die Gegend hier ist ein Irrgarten! Der helle Wahn!«
»Der finstere, wenn ich mir diesen Widerspruch erlauben darf. Sag mal ein paar Straßennamen, die wollen wissen, wo wir sind.« Lang ließ das Fenster runter und suchte selbst nach Schildern. Vergeblich. Es war der erste Abend nach Neumond, die Straßenbeleuchtung vermittelte tapfer das sinnliche Erlebnis sozialistischer Mangelwirtschaft, die seltenen und noch seltener richtig gewinkelten Straßenschilder waren obendrein häufig schwarz übermalt.
»Die fährt doch im Kreis! Wo will die denn hin?«
Der weiße Sportwagen bog am Ende der Almstadtstraße wieder nach rechts, zurück auf die Rosa-Luxemburg-Straße.
»Jetzt krieg ich sie!« Lietze trat aufs Gas und fädelte sich drei Autos dahinter ein.
Aber die Frau zeigte beachtliche Leistungen als Slalom-

künstlerin, wechselte ständig die Spuren, ließ die Hirtenstraße diesmal rechts liegen und schoß an der Ampel, die natürlich in diesem Augenblick auf Rot sprang, nach rechts in die Münzstraße.
»Münzstraße!« funkte Lang stolz.
»Laß doch den Quatsch. Die haben unsere Nummer. Sollen doch selber sehen, wie sie uns finden. Die müssen sich ja hier auskennen!« Lietze schoß ebenfalls um die Ecke, bevor die Autos von rechts über die Kreuzung waren. »Das war die einzige breite Straße hier«, schnaubte sie. »Ich komme nie an der vorbei!« Sie verwünschte sämtliche Pferdestärken dieses Wagens. Hoffentlich gehen wenigstens die Bremsen!
Der weiße Sportwagen war wieder nach rechts gebogen. Die Max-Beer-Straße war nicht ganz so eng wie die Almstadtstraße, aber dafür zweispurig. Und ebenso befahren. Er schrammte zwischen der Parkreihe rechts und dem Gegenverkehr durch, quietschte in letzter Sekunde vor einem kleinen Lieferwagen nach links in eine kurze enge Gasse, in der ordnungshalber ausschließlich Gegenverkehr hätte stattfinden sollen. Aber der fand gerade nicht statt. Lietze ließ den Lieferwagen vorbei und sah die Rücklichter des weißen Sportwagens aus der Schendelgasse nach links in die Alte Schönhauser Straße verschwinden. Sekundenbruchteile später kreischte aus der Richtung, in die er gefahren war, eine Straßenbahn heran.
»Such das Blaulicht!« keuchte Lietze.
Die Straßenbahn schuckelte kreischend und blitzend vorbei.
»Scheiße verdammte! Wenn die hier eben geradeaus weitergefahren wäre, hätte ich sie gehabt. Ich hab ein Sackgassenschild gesehen!«
»Die vermutlich auch.« Lang klappte Handschuhfächer auf und zu und tastete unter seinen Sitz.
Endlich konnte Lietze nach links. Eine Ampel ein paar hundert Meter weiter vorn sprang auf Grün. Lietze bohrte das Gaspedal fast in den Asphalt. Lang brüllte sein funkendes Gegenüber an und fragte nach berlintypischen Verstecken für Blaulichter in zivilen Einsatzfahrzeugen. Alles, was er zurückbekam, war ein amtsstubenbräsiges »Wie wär't mitten Kofferraum – vielleicht?«

»Ist die lebensmüde!« brüllte jetzt auch Lietze.
Der weiße Sportwagen donnerte geradeaus über eine völlig unübersichtliche Kreuzung mit Straßenbahnschienen in alle möglichen Richtungen, raste in die Neue Schönhauser, obwohl die nicht bloß Einbahnstraße, sondern auch mit Schienen mehr als ausgefüllt war, überholte eine Straßenbahn in Fahrtrichtung und schoß gleich danach links in die Rosenthaler Straße.
Lang, der sich gerade auf seinen Sitz gestellt hatte und zum Hechtsprung in den Fonds ansetzen wollte, wurde durch das Bremsmanöver zwischen Fahrersitz und Rückbank katapultiert, fand dortselbst das Blaulicht, zwängte sich gegen alle zentrifugalen Kräfte wieder nach vorn und schaffte trotz Lietzes völlig haltloser Spekulation auf die Gnade von Schwer- und Fliehkraft tatsächlich, das Blaulicht aufs Dach zu ploppen und anzuschließen. Lietze stand mitten auf der Kreuzung der Alten und Neuen Schönhauser mit der Münz- und der Weinmeisterstraße, als es endlich blauweiß blinkte. Noch immer blockierte die Straßenbahn die ohnehin verbotene Durchfahrt. Lietze bohrte die linke Faust in die Hupe und hoffte das Beste. Lang grapschte nach dem Griff rechts über sich und hielt die Luft an.
Der graue *Opel* preschte mit mordlusterregendem Gehupe und Geblinke links an der Straßenbahn vorbei und erwischte die Linkskurve auf die Rosenthaler Straße ein Haar, bevor die nächste Straßenbahn von dort in die Neue Schönhauser einbog. Quietschende Schienen, quietschende Reifen, quietschende Menschen.
»Müssen die ihre sämtliche verdammten Straßenbahnen jetzt hier auffahren!«
Der weiße Sportwagen war weg.
»Der muß nach rechts sein!« ächzte Lang durch die Arme, die den Griff umklammert hielten. »Links würden wir ihn sehen.«
»Und wenn er schon unter der Brücke durch ist?« Lietze nahm die Faust wieder von der Hupe und verließ sich auf Langs Riecher.
»Das ist die Oranienburger, die kenne ich!« Lang riß die Hände vom Haltegriff und nutzte sie funktechnisch.

»Da vorn ist sie!«
Lietze hatte den Engpaß am Anfang der Oranienburger hinter sich gebracht. Der weiße Sportwagen war ungefähr dreißig Meter und drei Autos vor ihr. Dort wurde die Straße breit. Zwei Parkspuren, zwei Paar Straßenbahnschienen und je zwei Fahrspuren. Die Gegenfahrbahnen beide verstopft. Dicht neben den parkenden Autos krochen PKWs, deren Insassen, einzelne Herrn zumeist, die Köpfe vorwiegend rechtsgerichtet hielten und auf dem Bürgersteig herumtänzelnden jungen Frauen in knappsten Tangas über neonbunten Strumpfhosen hinterherglotzten. Auf der zweiten Spur ein atemberaubendes Durcheinander von durchstartenden Überholern und anderen jungen Frauen in ebenso frühlingsleichtem Outfit. In Fahrtrichtung des weißen Sportwagens sorgten eine Straßenbahn und eine entsprechende Autoschlange für Stillstand.
Plötzlich scherte der weiße Sportwagen nach rechts aus und verschwand in der Krausnickstraße, die wieder dunkel und zweispurig war, aber so schmal, daß er nur ein Stück zu weit links fahren mußte, um nicht überholt werden zu können. Was er auch tat.
Und so bogen kurz nacheinander zwei Autos notgedrungen wieder nach rechts, diesmal in der vorgesehenen Einbahnrichtung, und kamen am Ende der Großen Hamburger Straße wie durch einen hautengen Schlauch, aus dem es kein Entrinnen gab, wieder auf die Oranienburger Straße.
»Möchte wirklich wissen, wo die hinwill!« schnaubte Lietze noch einmal und hoffte, daß wenigstens die Straßenbahn weg war.
»Würde dir auch nichts nützen. Solange du hier keine Schleichwege kennst ...«, Lang setzte sich auf. »Da sind sie!«
Die Oranienburger herunter kam ein grün-weißer Bulli mit Blaulicht. Die Straßenbahn war weitergeschuckelt. Dafür verengte direkt vor der Synagoge ein Bauzaun die Spur. Der weiße Sportwagen riskierte einen Geisterfahrerausfall nach links, quetschte sich zwischen zwei Autos wieder nach rechts, nahm den Rest der Strecke bis zur Ampel Tucholskystraße im Slalom zwischen Geradeaus- und Linksabbieger-

spur und raste unter mittlerweile vertrautem Rotlicht über die Kreuzung. Desgleichen der graue *Opel*. Im selben Moment erscholl Lalülala und drehte der grün-weiße Bulli mitten auf der Oranienburger Straße, um sich hinter beide zu setzen.

Kurz vor der Auguststraße hatte der weiße Sportwagen die Straßenbahn wieder eingeholt, wollte rechts daran vorbeischlüpfen, mußte aber bremsen, schlingerte und verlor kostbare Zeit.

Lietze setzte sich dahinter und flehte die Straßenbahn an, durch klaren Rechtskurs am Ende der Oranienburger dem weißen Sportwagen den Weg endgültig abzuschneiden.

Der schlingerte und schlidderte die ganze Strecke zwischen der August- und der Linienstraße, sodaß Lietze Mühe hatte, nicht hinten draufzuprallen.

Aus einem dunklen unbebauten Gelände direkt neben einer großen düsteren buntbemalten Ruine namens TACHELES schob sich ein zweiter grün-weißer Bulli und glitt mit Blaulicht und Lalülala auf die Oranienburger Straße.

Die Straßenbahn überholte den weißen Sportwagen. Lietze rutschte dicht hinter ihr her ebenfalls an ihm vorbei. Lang schrie aus dem offenen Fenster auf die Fahrerin ein. Der erste Bulli überholte die beiden Wagen und stellte sich hinter der Straßenbahn am Ende der Oranienburger Straße quer.

Lietze zog scharf nach rechts. »Achtung, Lang, komm rüber!« Sie schrammte den weißen Sportwagen.

Der drohte umzukippen, schleuderte nach rechts auf ein kleines Dreieck zwischen dem wirklichen und dem eigentlichen äußersten westlichen Ende der Linienstraße und bohrte sich in die Seite eines fliederfarbenen Imbißwagens, auf dessen Vorderfront der Name BARBIECUE prangte.

Das Letzte, was Dolores Wolter sah, bevor sie hinter dem Steuer zusammensank, falls sie nicht schon vorher der Methode »Augen zu und durch!« den Vorzug gegeben hatte, war ein aufgesprühtes Graffito in Fraktur: HOTEL TERMINUS.

III

Und wir haben ihn

SCHADE ROCH DEN BRATEN erst nach einer Schrecksekunde. Solange dauerte es, bis sie sich aus dem Staub unter dem Regal noch unsortierter Täterakten gemacht hatte, aus dem ein Steckkasten mit Phiolen für Blutgruppentests zu rutschen und sie unter sich zu begraben drohte.
»Oh Sch ...!« Eine stimmliche Mischung aus Ächzen, Fluchen und Flüstern vermengte sich mit der raschelnden Bettdecke.
Irgendwie kam sie Schade bekannt vor. Sie riß den Arm, mit dem sie versuchte, den Kasten aufzuhalten, herunter und die Augenlider hoch. Und der Kasten wälzte sich keuchend von ihrem andern Arm und zog den Ellbogen aus ihren Rippen und war Anita.
»Ich wollte dich doch nicht wecken, Herzlein!« Ein lüsternes Frettchen flirrte durch den zerknirschten Oberton. »Du hast da so gelegen, so so – und dann hast du den Arm aufgemacht, als ob ...«
»... ich dich an mich reißen wollte? Nee, ich –. Doch! Komm. Komm ganz schnell her!« Schade schlug die Decke, unter der sie in voller Montur geschlafen hatte, hoch und zog den schmalen, zerbrechlichen Leib in ihre Arme. Er bebte vor Anstrengung.
»Von wegen!« Anita wühlte solange weiter, bis sie halb auf ihr lag, arbeitete sich mit dem Kopf unter Schades dicken Pullover, zurrte am Reißverschluß der Jeans und legte ihr als erstes den Nabel frei. »Als ob du – Herrgott! – sagen wolltest, daß ich – uhhh, was hast du denn noch alles an! Daß ich – über dich – upphh – herfallen soll! Jetzt!«
»Anita, ich – ächh«, Schade fühlte sich wie eine eingeschweißte Salami, der die Frischhaltefolie aufgerissen wird und die, statt ihre volle feuchte Würze zu entfalten, zu einem klebrigen Brett verdorrt. »Es ist arschkalt draußen!«
»Aber hier drin nicht – hmmmh, diese Titten!« Anita arbei-

tete den Kopf wieder aus den Pullover- und Hemdenschichten und blitzte Schade durch das abgedunkelte Licht herausfordernd an. »Du bist klatschnaß, Süße.«
»Und stinke wie, wie –.«
»Au ja, hmm – lecker! Wie'n frisch gevögeltes Eichhörnchen ... chlllp!«
Schade lag steif da und suchte nach einer Lichtung in dem Gedankendschungel in ihrem Kopf. Statt dessen verfing sie sich ständig neu im Unterholz aus vergilbten Aktenblättern und Adressen und antifaschistischen Biedermännern und Wilmersdorfer Witwen und mageren Kleinkindergliedern und -muskeln, denen für immer die Kraft ausgetrieben worden war, und Bangen und Hoffen und Angst und Schrecken. Alles schien undurchdringlich. Unentwirrbar. Undurchsichtig. Sie zog Anita zu sich hoch, so behutsam wie möglich. Gelüste nicht zu erwidern tat immer weh. Sie wollte ihr nicht wehtun. Nur, daß es aufhörte. Nicht auch noch Sex jetzt. Keine Tretmine. Alles würde ihnen nur noch um die Ohren fliegen. »Liebes – wie spät ist es eigentlich?«
Anita schien die Aussicht auf fliegende Fetzen regelrecht zu beflügeln. Sie schlängelte die Beine um Schades Schenkel, drängelte die Hand solange durch den engen Hohlraum zwischen Jeans und Bauch, bis sie Schades Hüften fest im Griff hatte, und knabberte durch mehrere Wollschichten hindurch genießerisch an Schades weichen kleinen Brüsten herum. »Eben war's noch neun ...«
»Wielange hab ich denn geschlafen?« Daß die sich auch noch wohlig versteiften auf die Berührung! Daß unter dem Unterholz aus düsteren Bedrohlichkeiten auch noch ein glitschiger Dschungelboden aus nachtblauer Begehrlichkeit schimmerte! Daß sie selber fast platzte vor Lust auf ihrer Liebsten Leib nach dem langen Entzug! Alles machte Schades Unruhe unerträglich.
»Anderthalb Stunden fast.« Anita ging mit dem Oberkörper auf Abstand, ließ aber die Hand auf Schades Leib. »Ich hab dich angekuckt. Die ganze Zeit. Du bist so schön, Sonnie!«
»Du auch, Liebchen. Du auch!«
»Du hast nicht mal das Telefon gehört! Du bist einfach weggesackt. Plonk! Gerade als ich erzählen wollte, was ich mir

im Krankenhaus überlegt habe. Zu den Bildern, die ich in meinem neuen –.«

»Telefon? Wer!« Die Hitze, die Anitas Schenkel auf ihren Schenkel pumpte, brannte plötzlich wie Trockeneis.

»Mimi. Detlev hat diesen Alten kassiert und ...«

»Bist du wahnsinnig!« Schade fuhr so abrupt hoch, daß es Anita fast aus dem Sattel schmiß. »Das sagst du mir jetzt! Da muß ich hin!«

»Mußt du nicht, Sonnie. Ich hab Mimi erzählt, wie's dich gefällt hat. Sie ruft wieder an.«

Schade wußte nicht, was sie aufregender finden sollte – daß Mimi sie fürsorglich abschirmte oder daß niemand sie für wichtig genug hielt, sofort herbeigerufen zu werden. Sie war ja auch bloß der unterste Rang, wie der Name schon sagte: Kriminaloberkommissar. Ppffhh! Sie langte nach der Zigarettenschachtel und warf einen giftigen Blick auf das Telefon, das daneben auf dem Nachttisch stand. Sie spürte, daß Anitas Blick jeder ihrer Bewegungen folgte, schloß die Augen, lehnte den Kopf an die Wand und sog schweigend das Nikotin ein.

Anita zurrte leise die Hand aus Schades Hose und strich ihr besänftigend über Bauch und Flanke. Das Frettchen funkelte noch immer aus ihren Augen.

»Entschuldige, ich ... ich kann nicht!« Schade tätschelte abwesend Anitas Kopf. »Erzähl mir nochmal, was du dir überlegt hast, ja?«

»Du und nicht können ...«, gluckste das Frettchen. Aber Anita stemmte sich hoch und angelte einen Zettel aus dem Rollstuhl, aus dem sie sich ein paar Minuten zuvor aufs Bett geschwungen hatte. »Gut. Also. Es geht um Kunst, ja? *Ich verlange in allem – Leben, Möglichkeit des Daseins, und dann ist's gut; wir haben dann nicht zu fragen, ob es schön, ob es häßlich ist. Die schönsten Bilder lösen sich auf. Nur eins bleibt: eine unendliche Schönheit, die aus einer Form in die andre tritt, ewig aufgeblättert, verändert* ... verstehst du, Sonnie? Das gehört zusammen: Ich hatte mich nicht bloß in ein Bild von meinem Scheißvater verrannt, meine eigenen Bilder hatten auch kein Leben mehr. Oder noch keins!«

»Aber die sind doch so – schön!«

»Nein! Die sind hübsch, viel zu hübsch. Und viel zu – ängstlich. Ich hab doch immer bloß gemalt, was ein schönes Bild ergibt. Sachen, Leute ... Kuck dir doch an, an wen ich mich rangetraut habe! Ich hatte Schiß vor der Wahrheit, vor allem Häßlichen, weil ich Schiß vor dem Häßlichen hatte, das mein Vater mir eingetrieben hat! Und den hab ich verdammt immer noch! Aber *man muß die Menschheit lieben, um in das eigentümliche Wesen jedes einzudringen; es darf einem keiner zu gering, keiner zu häßlich sein, erst dann kann man sie verstehen; das unbedeutende Gesicht macht einen tiefern Eindruck als die bloße Empfindung des Schönen, und man kann die Gestalten aus sich heraustreten lassen, ohne etwas vom Äußern hinein zu kopieren, wo einem kein Leben, keine Muskeln, kein Puls entgegenschwillt und pocht.*«
In Schades Kopf pochten die Gedanken, als wären sie ein einziger an- und abschwellender dicker Strang. Die Menschheit lieben? Wie denn bei all diesen Voltaires und ihren kuschenden Weibern und bestialisch zugerichteten Opfern und den herzlosen, kaltschnäuzigen Figuren, die von gar nichts zu erschüttern waren, nicht einmal von einem zweieinhalbjährigen Kind mit ausgekugelten Gelenken und verbrühten Hautfetzen und zerschmettertem Gesicht, das sie identifizieren sollten. Na, war doch klar, mußte ja mal so kommen, hatte die Nachbarin erklärt und in angewiderter Kumpelhaftigkeit den Kopf geschüttelt. Als wäre der gewaltsame Tod eines Menschen bloß das Ergebnis einer Wahrscheinlichkeitsanalyse. Wie ein Lottogewinn. Die einen trifft's, die anderen nicht! Wie die Wanzen unterm Bett von Verliebten, die auch noch deren Lustlaute für die Akten protokollierten. Wie konnte man in einer Mordkommission arbeiten und die Menschen lieben? Wo Delikte am Menschen zur organisierten Trivialität wurden. Die Arbeit machte einen doch nicht deshalb so marode, weil sie einen mit schlimmen Menschen konfrontierte, sondern weil sie einen mit dem Schlimmsten im Menschen konfrontierte. Ständig! Und das Schlimmste nahm nie ab. Es nahm rapide zu. In dieser Stadt und dieser Zeit. Es tauchte plötzlich auf an Ecken, die man für unberührt gehalten hatte, aber bloß weil man sich erlaubt hatte, nicht genau hinzukucken. Denn wenn sich die Idee,

daß Menschen der letzte Dreck sind, erstmal festfraß, dann mußte man damit leben, daß man selber auch ein Mensch ist.
»Sonnie – heh? Wo bist du?«
Das machte alles vollends undurchdringlich. Wozu sollte sie ausgerechnet Anitas Vater verstehen, lieben, aus sich heraustreten lassen? Oder diesen Kindsvater, dem sie noch immer zugegebenermaßen unterstellte, daß er sein Kind zerschlagen hatte wie eine lästige Fliege. Bloß nicht! »Die sollen bloß alle in sich bleiben!« Mir vom Hals!
»Heheh ...«
Nein, es war ungerecht. Schade drückte die Zigarette aus und holte tief Luft. Anita hatte von *ihrer* Arbeit gesprochen. »Das hast du – alles – im Krankenhaus – geschrieben?« fragte sie schließlich matt.
»Nähäh!« lachte Anita und schmiegte ihren Kopf in Schades Schoß, »gelesen! Wiedergefunden. Büchner – über hundertfünfzig Jahre alt. Gut, was?«
Verwirrt verscheuchte Schade die Frage, warum sie heute dauernd auf Herren aus dem neunzehnten Jahrhundert gestoßen wurde, und entdeckte zwischen den zerfaserten Gedankensträngen eine schwach schimmernde Perle. Vielleicht wäre das doch keine Tretmine? Das das – Sex! Vielleicht würde er sie im Gegenteil wieder zusammenfügen und auf den Boden zurückbringen?
»Und weißt du«, lachten Anita und das Frettchen weiter, »wenn Polette wieder da ist, dann muß sie mit mir um die Häuser ziehen! Es wird Zeit, daß jemand dieses verdammte verpennte Provinznest mal ohne Wehleidigkeit fotografiert. Und ich muß endlich wieder raus ins Leben, auf die freie Wildbahn – rein nach BEROLINA KAPUTT MUNDI!«
Schade hatte das Gefühl, unter Anitas Keckheit dahinzuschmelzen wie ein Eßlöffel Parmesan zwischen heißen Nudeln. Ja klar, komm, lös mich auf! Los! »Mit mir – hast du dich aber hoffentlich nicht – verrannt, hm?« fragte sie begehrlich und ließ sich wieder tiefer unter Anita gleiten.
Anita quiekte begeistert auf und fing sofort an, Schade den Pullover über den Kopf zu zerren. »Von wegen! Wer hat eigentlich behauptet, du kannst nicht – kkchäh!«

Anita lag nackt auf der Decke, Schade klemmte von den Knien an abwärts noch in der widerspenstigen Hose, als das Telefon diese Frage für die nächste Zeit beantwortete. Mimi entbot ein triumphierend-balsamisches »Masel tow!«, das sich jedoch leider auf die endliche Ergreifung des flüchtigen Fräulein Mutter be- und den sofortigen Ausstieg aus der Sexualenergie nach sich zog. Zehn Minuten später saß Schade frierend und auf dem Weg in die Oranienburger Straße im Auto und grübelte, ob sie dort auch auf Voltaire treffen würde oder ob man den in der Keithstraße links liegen gelassen hatte.

REIN ZUFÄLLIG UND GANZ SPONTAN war niemand um diese Zeit an diesem Ort. Nicht mal die Touristen. Die Oranienburger, ihr neu erblühtes Straßenleben, sogar im Februar, wenn alle Straßen grau sind, und vor allem die Synagoge in der Mitte, die als einzige die Pogromnacht von 1938 überlebt hatte, waren ein touristisches *must.* Daß die stolzeste aller Berliner Synagogen ausgerechnet von einem preußischen Polizisten gerettet worden war, der dem Revier am östlichen Ende der Oranienburger vorstand, *am Hackeschen Markt achda jaja weiß schon die Höfe die typischen Berliner Hinterhöfe alles klar*, und der beherzt genug war, aus den ersten Flammen des Novemberabends die Wahrheit leuchten zu sehen, die brennende Wahrheit, daß dieser ganz spontane Ausbruch glühenden Volksempfindens kühl kalkuliertes Morden und Brandschatzen war, staatlich insinuiert und organisiert – das wußten die wenigsten. Die es gewußt hatten, waren fast alle tot. Der beherzte Reviervorsteher hatte das meiste von seinem Wissen mit ins Grab genommen. Und sein Archäologe mit dem sächsischen Querkopf und dem hellblauen Zwinkern, der mit Herrn Moses und der liebsten Mathilde auf schönen Umwegen und zwischen den Zeilen lebte und flanierte und die Sprache der Steine verstand und aus ihren Fugen Funken zu zünden wußte, der war eben keiner, dessen Kleinode in Schulbüchern glitzern oder das recht öffentliche Fernsehprogramm beschließen dürfen. Statt der Nationalhymne.

Was die Touristen wußten, war, daß die Synagoge und vor allem die goldene Kuppel restauriert wurden. Und der Gedanke daran ließ sie, wenn sie Täterkinder waren, die eine oder andere Träne beklommener Rührung zerdrücken. *Jaja je schneller und schöner desto besser so Ruinen achnein das ist doch ein zu und zu unschöner Anblick wie das in den Himmel ragt so düster so drohend so unheilvoll wie Krieg und Zerstörung eine goldene Kuppel dagegen eine heile Synagoge ganz prächtig ganz schön jaja daß es vorbei ist der ganze Alptraum vorbei achja und endlich draus erwachen dürfen in Deutschland erwachen.* Und wenn sie aus den westlichen Stadtbezirken gekommen waren, die Täterkindischen Touristen, interessierten sie sich nicht mal dafür. Dann steckten sie ihre immer leicht gerümpften Nasen in die neuen Kellerkneipen und Kunstgalerien und Ateliers und Restaurants, wo es roch wie zu Haus in Charlottenburg und Westend *und ab und zu ein leiser Schimmelhauch* und wähnten, den Duft der neuen alten Metropolis zu inhalieren, bevor er in jedem Allerweltsführer markiert sein würde.

»Kennst *du* Lettow-Strich?« Lietze zwängte sich wieder aus der verzogenen Fahrertür des weißen japanischen Sportwagens, der jetzt etwa zwei Meter von der zerborstenen Wand des Imbißwagens entfernt auf dem Pflaster stand.

Lang lehnte an dem gesplitterten, verbeulten Rest des Tresens und beobachtete, seit Lietze in das Fluchtauto gekrochen war, einen geschmeidigen, schlanken jungen Mann in Uniform, der mit ungewohnter Freundlichkeit und Geschick die immer enger klumpenden Schaulustigen in immer weiteren Kreisen vom Schauplatz wegkomplimentierte. »Öhm, ich kenne Lettow-Schnaps. Soll ekelhaft geschmeckt haben – wieso?«

»Und Lettow-Strich stinkt ekelhaft. Du kannst gern mal deinen Rüssel in den Wagen halten, dann weißt du, was ein Mordsgestank ist.« Lietze zog die weißen Micky-Maus-Handschuhe von den Fingern und stopfte sie in die Tasche. Der Imbißwagen war völlig erloschen. Die Havarie hatte die Stromanlage ausgeschaltet, kein BARBIECUE flackerte mehr über die Vorderfront, aber auch keine wärmenden Fettschwaden kamen mehr aus Bratrost und Frittüren. Wer

jetzt einen Schnaps haben könnte, dachte sie sehnsüchtig, während sie mit klammen Fingern Notizblock und Kugelschreiber aus der Tasche angelte und auf den Tresen legte. Aber die Verkäuferin hatte ihren Posten vor über einer halben Stunde verlassen und wartete in einem der vielen grünweißen Bullis mit Standheizung auf ihren Chef.
Lang beobachtete, wie Lietze den Block so lange herumschob, bis er unter einem schmalen Lichtstrang von einer der beiden Giraffen lag, und Seiten vollkritzelte. Er zündete eine seiner Zigaretten an und reichte sie ihr.
»Nullkommanichts in der ganzen Protzkutsche!« Lietze nahm einen hastigen Zug. »Danke. Dieser Chris muß ein Profi sein, oder das ist ein Firmenwagen. Kein persönliches Stück. Würde mich gar nicht wundern, wenn der Lenkrad und Gangschaltung abwischt, bevor er aussteigt!«
»C'mon let's go ah'm freezin«, sagte neben dem publikumswirksamen Uniformierten mit dem Megaphon eine stattliche schwarze Frau im roten Lackmantel zu einer anderen, schmalen in einem dramatisch gestylten Kunstzebra-Paletot, bei der sie sich eingehängt hatte. Und beide quetschten sich durch die Menge nach hinten und hielten Ausschau nach einem etwa vierzigjährigen Glanz mit langen roten Haaren auf zirka neun Zentimeter hohen Absätzen und einer quirligen barocken Brünetten, die auf dem Bürgersteig vor dem Kulturzentrum TACHELES um sie herumhüpfte und vor Kälte und Aufregung mit den Zähnen klapperte.
Vom Imbißwagen aus war all das nicht zu sehen. Die buntgemischten Klumpen aus sehr jungen Menschen mit grell gefärbten Haaren und Outfits der Marke »Geschmacklos aber gewagt« und sehr alten Menschen mit ebenso gebrechlichen Hunden auf dem Arm und Männern mit kalten kleinen Augen und nervös schlenkernden Beinen in teuren Trainingsanzügen von fränkischen Weltfirmen und Frauen mit perfektem Makeup und supergeringelten Supermähnen in der schock- bis neonfarbenen Berufsbekleidung der mittelklassigen Bordsteinschwalbe und ganz normal aussehenden Leuten jeden Alters und Geschlechts, allermöglicher Hautfarben und Zungen, waren dem Mann mit der gar nicht uniformen Höflichkeit gewichen und bildeten jetzt, zusam-

men mit den Wannen, die die Oranienburger von der Friedrichstraße her abriegelten, einen weiten Cordon um das Dreieck mit dem Imbißwagen und den weißen Flitzer und den grün-weißen Fuhrpark mit Mannschaftwagen und Lichtgiraffen und die hin- und hereilenden, zumeist männlichen Wesen, die mit Funkgeräten und Maßbändern und Fotoapparaten und Schreibunterlagen hantierten. Die beiden roten Rettungswagen konnten endlich manövrieren und durch die Friedrichstraße zu ihrem nächsten Einsatz fahren. Aus dem Notarztwagen, der noch immer dastand, kam eine Frau in Weiß von ungefähr vierzig Jahren auf den Tresen zu. Lietze steckte Block und Stift weg und ging ihr entgegen.
»Bleiben Sie ruhig da, Sie können jetzt nicht –.«
Lietze lief an ihr vorbei zum NAW.
Die Notärztin drehte, rannte hinter ihr und stellte sich vor die offene Tür. »Sie gehen da nicht rein! Dies ist mein Verantwortungsbereich, und ich kann Ihnen nicht erlauben ...«
Lietze zog hastig an der Zigarette und widmete ihre Aufmerksamkeit dem Geschehen hinter dem Rücken der Ärztin. Dolores Wolter versuchte, von der Trage zu springen, und stieß delirierende Wortfetzen aus. »Scheißkerl du ... jönn ick dir ... jeschieht dir recht ...!« Mehr konnte Lietze nicht erkennen. Die beiden Sanitäter hechteten immer wieder vors Blickfeld.
«... hat Platzwunden am Kopf, einen wahrscheinlich gebrochenen Fuß und vermutlich eine Gehirnerschütterung, wenn nicht mehr. Im übrigen steht sie unter Schock, also seien Sie vernünftig!«
Lietze warf den Zigarettenstummel auf den Boden, trat ihn aus und sah der kampflustigen Ärztin herausfordernd in die Augen. »Ich weiß nicht, ob Sie begreifen, daß es sich hier nicht um irgendeinen Unfall handelt«, sagte sie schließlich ruhig und scharf, »sondern um den Mord an einem Kind, bei dessen Anblick sogar Sie eine gewisse Erregung nicht hätten unterdrücken können. Und was da drin tobt, ist eine dringend Tatverdächtige!«
»Verdächtige, korrekt«, konterte die Ärztin ungerührt. »Oder haben Sie das Urteil schon in der Tasche? Also. Dann ist das, was da drin tobt, wie Sie sich auszudrücken belie-

ben, eine verletzte Person und wird von mir sofort in die Charité gefahren, Punkt.«
Lietze zögerte einen Augenblick. Die Frage, ob die weiße Halbgöttin auch zu anderen Zeiten soviel Courage gegenüber der Staatsgewalt bewiesen hatte, kitzelte ihr auf der Zunge. Dann fiel ihr ein, daß sie in letzter Zeit ein unerklärliches Übersoll an Gift verspritzte. Einfach so. Plötzlich. Sie runzelte bekümmert die Stirn, wandte den Blick noch einmal ins Innere des NAWs, wo Dolores Wolter jetzt Ruhe zu geben schien, dachte, erfolgreich sediert immerhin, wer weiß, wozu's gut ist, und spendierte der Ärztin, die immer noch mit untergeschlagenen Armen und breitbeinig vor ihr stand, ein komplizenhaftes Augenzwinkern. »Darf ich Ihren Namen wissen?«
»Selbstverständlich, *das* Recht haben Sie.«
Lietze notierte auch, in welche Abteilung Dolores Wolter gebracht wurde. »Danke und – bleiben Sie bloß bei Ihrem Verantwortungsbewußtsein. Gibt viel zu wenig davon. Ich meine, passen Sie gut auf auf Ihre Verletzte.« Es klang fast liebenswürdig. Dann gab sie Lang am Tresen ein Zeichen mit dem Kopf, sah auf die Uhr und setzte sich in Bewegung zu einem der grün-weißen Bullis. 21 Uhr 43. Wo blieb eigentlich Schade! Wie lange brauchte Roboldt überhaupt, um diesen Voltaire in Sicherheit zu bringen, bis sie endlich Zeit hatten, ihn zu vernehmen! Und mußte sich Fritz ausgerechnet heute seine verdammten Mandeln raussäbeln lassen! Muß man denn alles alleine machen! Und immer erstmal wochenlang auf der Stelle treten, damit dann plötzlich alles auf einem Haufen kommt!
Sie machte auf dem Absatz kehrt und knallte Lang in den Bauch. Sie hätte schreien können vor Wut und wünschte sich gleichzeitig nichts sehnlicher, als daß er einfach beide Arme um sie schlingen und alles drumrum einfach verschwinden möge. Wie die scheußlichen Kulissen in einem albernen Theaterstück, das irgendwer anders irgendwann später genauso gut weiterspielen konnte ... nein: genauso schlecht!
Und fing einfach an zu lachen.
Aber Lang bot keinen einzigen Arm, sondern reichte ihr ga-

lant die Hand, wie einer gehbehinderten alten Dame, und deutete nach links hinter sich. »Ich nehme an, den suchst du, damit er seine Leute vor die Krankenzimmertür setzt, hm?«
Lietze sah den schlanken jungen Mann in Uniform, der das Megaphon, mit dem er das Publikum umgruppiert hatte, noch in einer Hand schwenkte und sich mit der anderen Schweiß von der Stirn wischte, an. »Woher weißt du –.«
»Scheint der Chef zu sein.«
Weiter kam niemand der drei Polizisten. Ein etwa Vierzigjähriger in einem wurstartig gegürtelten braunen Ledermantel hatte offenbar geschafft, den Cordon zu durchbrechen, und kam auf sie zugerannt, nachdem er den blauroten Kopf mehrmals suchend hin- und hergerissen hatte. Er fuchtelte mit einem Papier.
»Mein Wagen – das ist mein Eigentum – ich bin der Besitzer, hier! Wer ist hier zuständig! Das ist das vierte Mal in fürz'n Tagen!« bellte es ihnen entgegen.
Der Uniformierte klemmte das Megaphon unter den Arm und nahm dem schweißüberströmten Mann den Gewerbeschein aus der Hand. »Herr – ach, Herr Jähder, ja!« Er reichte ihn Lietze.
»Diese Sitteazion ist nicht mehr hinzunehmen! Fakt ist –«, keuchte Jähder weiter.
Lietze studierte das Papier und musterte ihn, während sie es ihm zurückreichte. Sie hatte ihn schon mal gesehen, und sie wußte jetzt auch wo. Er war aus einem roten *Porsche* gestiegen. Vor der Tür der Weydinger Straße 2. Vor Wochen. Damals hatte er auch schon geklungen, als ob er sich nicht zwischen Herrenreiter und Herzinfarkt entscheiden konnte. Sie wußte jetzt auch, wieso sie vorhin, als sie den Namen der Imbißbude nebenbei zur Kenntnis genommen hatte, gestutzt hatte. Und sie begriff, warum die Verkäuferin, die durch die Wucht des Zusammenpralls hinter dem Tresen zu Boden geschleudert worden war und sich die Hand verstaucht hatte und aus einer kleinen Wunde am Kopf blutete, nur eine Angst zu haben schien: Von ihrem Chef zusammengestaucht zu werden.
Warum tauchte er eigentlich schon wieder da auf, wo Dolores Wolter vor kurzem noch gewesen war?

»Schön, daß Sie da sind, Herr Jähder – ähm, rauchen Sie?« Sie hielt erst ihm, dann den beiden anderen die Schachtel *Lucky Luciano* hin.
Jähder schüttelte empört den Kopf, hielt aber den Mund, als er sah, daß der Mann in Uniform zugriff und der andere sich eine Filterzigarette ansteckte.
»Kennen Sie Frau Wolter gut oder sehr gut?«
Jähder zuckte und sah hektisch zwischen den drei Polizisten hin und her. »Wen?«
»Dolores Wolter. Weydinger 2.«
»Kenn ich nicht – soll die für mich gearbeitet haben?« Er fummelte den Kragen des Ledermantels auf und fächelte sich mit seinem Gewerbeschein klamme graue Luft zu. »Kann mir ja nicht jeden – Namen – merken – öhhh!«
Lietze sah Lang und den Mann in Uniform an. »Aber den Wagen hier, den kennen Sie doch, oder? Sie haben ja auch ein Faible für Sportwagen.«
Jähder starrte auf den weißen Flitzer und stöhnte auf. »*Deutsche* Wagen. Das da – ist – jap-jap-japanischer Dreck!«
»Na gut.« Lietze zog betont gelassen am Zigarillo. »Dann gehen Sie erstmal zu Ihrer Angestellten, die weint sich bei unserer Schreibkraft aus und hat schon Himmel und Hölle in Bewegung gesetzt, damit wir Sie benachrichtigen.« Sie warf Lang einen fragenden Blick zu.
»Kommen Sie«, sagte Lang. »Ich bringe Sie zu Frau Jacob.«
»Kennen Sie den näher, Herr –?«
Der Uniformierte, mit dem sie jetzt allein im milchigen Kegel der einen Lichtgiraffe stand, lächelte. »Man kommt ja zu nix – entschuldigen Sie. Mein Name ist Seidel, Abschnitt Mitte Eins. Sie sind Frau Lietze, hat man mir das richtig gesagt?«
»Lietze reicht«, sagte Lietze.
»Nein, ich seh den zum ersten Mal. Der nervt uns bloß dauernd mit seinen Autos. Mal zerkloppen sie ihm eins, mal schmieren sie ihm eins mit blöden Sprüchen voll ... Man kann's ja verstehen, das kannten die alle nicht, früher im Osten. Das kommt jetzt wie eine Schockwelle, und da wünscht sich mancher im Osten die Mauer zurück ...«, er

lachte vorsichtig, wie jemand, der mehr gesehen hat als die meisten und trotzdem nie behaupten würde, er wisse schon alles.
»Nicht nur im Osten!« parierte Lietze grinsend. »Mögen Sie noch eine?«
»Danke. Nein. Ich rauche eigentlich nicht.«
»Na, macht ja nichts – irgendein Laster werden Sie schon haben ...«, sie steckte zu ihrer eigenen Überraschung die Zigarilloschachtel in die Tasche zurück, ohne sich eine angezündet zu haben.
Seidel verfolgte ihre Bewegungen, bis sie fertig war und ihm mit einer Art konzentrierter Offenheit in die Augen sah. »Meine Vorgesetzten finden, daß ich mich zuviel um die Öffentlichkeit kümmere.« Er gab den Blick mit derselben Offenheit zurück. »Vielleicht bin ich ja wirklich bloß eitel und publicitygeil.«
Lietze zog die Augenränder zu tausend kritischen Fältchen zusammen. »Nein. Viel schlimmer. Unsere Vorgesetzten können sich nichts anderes vorstellen, weil sie selber nichts anderes sind als publicitygeile Gockel.« Sie registrierte, daß er sein Einverständnis nur durch ein beiläufiges Schulterzucken äußerte. Der Mann gefiel ihr, obwohl er zu der Truppe gehörte, die sie gern als *kostümierte Clowns* bezeichnete. Sie konnte mit den wenigsten von ihnen. Und vor allem konnten die wenigsten mit ihr. War der hier die neue Generation? Oder einfach ein angenehmer Zufall. Er sah gut aus, er bewegte sich mit einer gewissen Grazie. Und er schien seinen Kopf für eigenes Denken zu benutzen. »Im Grunde kein Wunder – der eine wird seiner Mutter nie verzeihen, daß er für Waterloo das falsche Jahrhundert erwischt hat, und innerlich nie von St. Helena runterkommen, dem nächsten ist die Universität als Einsatzgebiet für seinen Nußknackercharme nicht groß genug ... Die nächsten dadrunter spielen Poker mit Parteibüchern und greifen zwischendurch zum verkehrten ... Haben Sie da schon mal jemanden gesehen, der Ahnung von der verdammten Arbeit hat, für die er bezahlt wird? Ich meine *hoch* bezahlt!«
Seidel lachte wieder vorsichtig. »Zwei. Drei max.«

»Ein echtes Überangebot, was?« Lietze lachte auch und winkte ab. »Sie sind der Chef von Mitte Eins?«
»Seit dem ersten Oktober 1990.«
Wenn die Vereinigung dazu gut war, daß solche Polizisten aus irgendwelchen Versenkungen in leitende Positionen gespült wurden, dann war sie wenigstens zu etwas gut, dachte Lietze aufgekratzt. Und dann berichtete sie Seidel in knappstmöglichen Worten, welchen Hintergrund das augenblickliche Gewühl auf der Oranienburger Straße hatte, und erklärte ihm, daß sie seine Hilfe brauchte. »Erstens, jemand wirklich Zuverlässiges muß die Nacht auf einem Stuhl in der Charité verbringen. Zweitens, kann man in diesem Tacheles eventuell jemanden verhaften, ohne eine Operette oder ein Blutbad draus zu machen. Und drittens – wie gut kennen Sie die Zuhälter in Ihrem Kiez hier.«
Am Ende dieses Sondierungsgesprächs war sie sicher, mit Seidel einen guten Griff getan zu haben, und freute sich fast auf weitere Fälle im Einflußbereich des Polizeiabschnitts Mitte Eins. Sie fror nur noch aus klimatischen Gründen. Es war nach zehn, als sie Lang aus einem der Bullis treten und nach etwas Ausschau halten sah. Sie ging ihm entgegen.
»Ich höre also von Ihnen«, sagte Seidel auf halbem Weg und bog dann ab zu seinen eigenen Leuten.
»Sowie ich Klarheit habe – danke!« Lietze beschleunigte ihre Schritte und blieb dicht vor Lang ruckartig stehen. Erstaunliche Männer, schoß ihr durch den Kopf. Schon der zweite erstaunliche Mann heute. Roboldts Herzchen nicht mitgezählt! Was ist denn hier los? »Lang – äh, du – hast mir noch nicht erzählt, was dein Lettow-Dingsda ist!«
Er stutzte. Und lächelte. »Lettow? Achja. Lettow.«
Diese Stimme! Du kannst doch jetzt nicht so eine Stimme haben! Die macht einen doch fertig, da will man doch bloß noch ... und zwar sofort ... Lietze ballte eine Faust in der Manteltasche. Ob sie ihm ihren Schlüssel geben und ihn nach Hause schicken sollte?
»Lettow-Schnaps, den haben sie sich in Afrika gekocht, wenn sie an Chinin nicht rankamen, unsere Kolonialherrschaften.«
Lietze starrte ihn an, als wäre sie in den verkehrten Bus gestiegen.

»Naja – im Ersten Weltkrieg. Da gab's noch deutsche Kolonien ... Mein Großvater hat da mitgemischt. War der einzige Soldatenhaufen, der ungeschlagen geblieben ist. Der ist dann natürlich legendär geworden. Mein Großvater hat bis zu seinem Tod davon geschwärmt. Die haben sogar das Kriegsende verpaßt, das haben die Engländer dem Lettow-Vorbeck ein paar Tage später mitgeteilt. Oder die Franzosen ...«
»Lettow-Fohrbeck?«
»Ja, so hieß der Kommandeur, der hatte auch den Trick mit der ausgekochten Chinarinde –«
»Fohrbeck? Moment mal – Fohrbeck stand als Ort auf dieser Flasche ... und was ist das hier für ein Autokennzeichen? FK – oder?«
»*Den* Vorbeck schreibt man mit –«, fing Lang an, um sofort wieder aufzuhören.
»Ist doch völlig wurscht, wie man den schreibt!« Lietzes Adrenalinspiegel schrie nach Nikotin. Sie zündete hastig ein Zigarillo an. »Voltaire hatte eine Agentin in Fohrbeck bei einem Neonaziverein.«
»Rechtsradikale haben einen Hang zu symbolträchtigen Traditionen – und?« Lang steckte sich eine seiner Filterzigaretten an.
»Linke auch. Weißt du zufällig, ob es in der DDR auch solche Traditionspflege gab? Warum nimmt dieser Chris ausgerechnet das Stinkzeug mit dem Namen Lettow-Strich, wenn er Offizier der Firma Mielke ist?«
»Zur Tarnung vielleicht – ich denke das mal durch. Ich möchte nämlich jetzt weg, Karin. Ich werde hier nicht gebraucht, und ich habe morgen einen sozusagen entscheidenden Termin ... ich muß ein bißchen Ruhe haben.« Er sah Lietze sehr eindringlich in die Augen. Fast flehentlich.
Lietze spürte seine Stimme durch ihren Bauch schwingen. Sie schloß eine Sekunde die Augen und blies den Rauch langsam aus der Lunge. Dann griff sie in die Manteltasche, zog ein Schlüsselbund heraus, knippste zwei Schlüssel ab und gab sie ihm. »Ich weiß nicht, ob – ich meine, wann – ich –.«
An der Ecke zur Friedrichstraße rangierten seit ein paar Minuten zwei grün-weiße Wannen. Jetzt standen sie so, daß ein Auto hindurchschießen konnte. Er hielt mit kreischenden

Bremsen vor einem der Bullis. Eine drahtige junge Frau sprang heraus, besah die Szenerie, schüttelte ärgerlich den Kopf und stürmte in den Bulli.
»Das macht nichts. Dann weckst du mich eben. Jedenfalls – seh ich dich noch.«
Auch das hörte Lietze wie durch eine Gazewand. Phasenverschoben. Es dauerte einen Augenblick, bis sie begriff, was es hieß, daß Schade endlich da war. Schade würde die Verkäuferin übernehmen und sie diesen *Porsche*fahrer. Es dauerte noch länger, bis sie aufhörte, hinter Lang herzusinnen. Sie starrte in den Himmel, unter dem etwas weiter östlich eine lange schmale Neonblondine von gut zwanzig Jahren, eine elegante Dame in den besten Jahren mit bezaubernd frongsösieschöm Acksong und eine Berliner Asphaltpflanze mit Hang zu rutschenden Perücken in voller Pensionsreife Autokennzeichen notierten und eben in die Monbijoustraße einbogen. Sie sah keine von ihnen. Obwohl sie sie hätte erwarten können. Sie sah jetzt auf das zerklüftete und bunt bemalte Gebäude, aus dem vor ein paar Wochen, beinah unter ihren Augen, ein alter Jude gestürzt war, der Leonid Malkosch hieß und sich vielleicht wirklich für einen Chagallschen Engel hielt, und in dem jetzt eine Frau Musik machte, die vielleicht wirklich Eva-Maria Adam hieß und sich nicht mehr Violetta nannte, und jedesmal hatte sie mit Lang vor diesem zerklüfteten Gebäuderest gestanden, der Tacheles hieß, ausgerechnet, und auf dem irgendwo geschrieben gestanden hatte: DIE IDEALE SIND RUINIERT – RETTET DIE RUINEN.

DIE MÄNNER KAMEN gegen 22.00 Uhr, sie waren zu viert, und sie sagten keinen Ton, solange sie sich im Treppenhaus befanden und sich die eine der beiden Wohnungstüren im ersten Stock noch nicht hinter ihnen geschlossen hatte. Bis auf einen schwiegen sie auch danach, ruckten höchstens mit gespielter Gelassenheit an ihren sperrigen Koppeln oder quietschten mit ihren schweren Stiefeln oder knackten einen Fingerknöchel nach dem anderen. Lockerungsübung. Warming up.

Am bedrohlichsten aber war die joviale, fast fürsorgliche Stimme des vierten Mannes. »Sieht jaanich jut aus, hm?« Er war ungefähr Mitte vierzig und trug keine martialische Uniform, sondern die klassische Kombination aus grauer Flanellhose, weißem Hemd mit dezent gemusterter Fliege und dunkelblauem Sakko, die ihn als deutsche Antwort auf die Yuppie-Welle für jeden Posten zwischen Kreissparkasse und Consulting-Firma qualifiziert hätte.

»Ähhh – hälb so schlemm«, sagte der Mann in der ausgeleierten Trainingshose. Sein hastiger Blick auf die vier kippte von freudiger Erwartung in Panik. Auf der Ausbuchtung im Sakko blieb er kurz hängen. »Däs fäwächst sech ...« Der Mann sah noch einmal in die Runde. Er mußte unbedingt vermeiden, vor den vieren in das Zimmer zu gehen. Sie mußten vorgehen. Die Wohnungstür war seine einzige Chance.

Aber sie schienen seine Gedanken zu lesen.

»Na, seit wann bitteste'n deine Kam'raden nich mehr rin?« fragte der mit dem ausgebeulten Sakko mit ironischem Tadel. »Wird ooch keena 'n Schluck ablehn, oda?«

Auf den starren Gesichtern der drei anderen erschien in Zeitlupe ein undefinierbares Grinsen. Es konnte einfach die Aussicht auf Stoff sein, was sie grinsen ließ. Aber der Mann in der Trainingshose glaubte nicht daran. Sie grinsten über ihn. Oder aus lauter Freude über eine noch schönere Aussicht.

»Nä klää – aber das Bier iss im Kühlschränk, ihr könnt jä schommä –«, er brach ab, als er sah, wie sich der Kahlköpfige der drei Uniformierten breitbeinig vor der Wohnungstür postierte und sich wieder der Lockerung seiner Fingerknöchel widmete.

Die anderen beiden Gestiefelten, die ihre dünnen farblosen Fettsträhnen als Hommage an den Verein »Rettet den deutschen Seitenscheitel!« über die Schädel geklebt hatten, was ihr nahezu völliges Stirndefizit besonders hervorhob, schoben ihn beiseite und verschwanden in einer Tür gleich rechts von der Wohnungstür.

Er sah fragend zu dem Mann im Yuppie-Look, der eine Verbeugung andeutete, mit dem Kopf in Richtung des Zimmers wies und ihn vorbeiließ. »Nach dir, Chris!«

»SOLANGE SIE NICHT SAGEN, woher Sie den Schlüssel hatten, müssen wir davon ausgehen, daß Sie sich den widerrechtlich angeeignet haben, Herr Voltaire«, Roboldt schwitzte vor Zorn über sein bockiges Gegenüber. »Genauso widerrechtlich, wie Sie das Siegel an der Wohnungstür Ihrer Tochter gebrochen haben!« Außerdem waren die Zimmer auch diesen Winter wieder völlig überheizt!

Voltaire schien auch das zu nichts bewegen zu können. Er saß seit einer halben Stunde kerzengerade auf dem Stuhl vor Roboldts Schreibtisch und verzog keine Miene. Sein undurchdringlicher Blick, mit dem er nacheinander das Tonbandgerät und die anderen Gegenstände auf dem Tisch, dann Roboldt, dann einen etwas älteren Mann neben ihm und einen jüngeren, vierschrötigen, der in einer Ecke saß und sich bemühte, zwei blessierte Gliedmaßen zu ignorieren, einer Prüfung unterzog, war von einer solchen Überheblichkeit, als ob Voltaire sich einfach langweilte. Oder womöglich sogar amüsierte?

»Na schön!« Roboldt spürte wieder eine heiße Zornwoge hochschwappen. »Wir kriegen das auch ohne Sie raus! Und vor allem –«, er fixierte Voltaire irritiert, weil etwas seine Nase kitzelte, das in diese Situation paßte wie Himbeersaft über Fleischsalat, »– *ohne* die Foltermethoden aus Ihren spanischen Abenteuern! Warten Sie nebenan.«

Der ältere Kollege ging um den Tisch und führte Voltaire durch die Tür ins Nebenszimmer, wo zwei Uniformierte saßen. Er sah Roboldt fragend an. Roboldt nickte und schnupperte noch immer irritiert an sich herum.

Eine dralle Mittsechzigerin mit grauen Strähnen, die eine Kittelschürze unter dem offenen Mantel trug, nahm widerwillig auf dem noch warmen Stuhl Platz. Sie sah beklommen drein, aber ihr steifer Körper und die in die Manteltaschen gebohrten Fäuste sagten deutlich, daß sie ebenso wenig bereit war zu dem, was sie als »Kollaboration« empfand, wie ihr Mann. Alles, was sie bekannt gab, waren ihre Personalien. Alle Bewegung, die ihre Lippen danach noch machten, mußte über kurz oder lang zu blutenden Wunden führen.

»Frau Voltaire – wir haben Ihren Mann dabei erwischt, wie er mit einem Schlüssel in die Wohnung Ihrer Tochter einge-

drungen ist. Wir wissen, daß Ihre Tochter nicht wollte, daß Sie beide einen Schlüssel haben. Wie ist Ihr Mann an den Schlüssel gekommen?«
Schweigen. Bisse.
»Ihr Mann hatte Akten bei sich, die er in der Wohnung Ihrer Tochter verstecken wollte – vermutlich, um den Mann oder Freund Ihrer Tochter zu belasten. Was wissen Sie über diese Akten?«
Bisse. Schweigen.
»Woher stammen sie?«
Schweigen. Gesenkte Augen.
Roboldt wühlte hastig durch die Papiere, die er Voltaire vor gut anderthalb Stunden abgenommen hatte, und kämpfte die Frage nieder, wieso ihm schon wieder die Gerüche der letzten Nacht aus den Poren platzten und ihm das Bild seines neuen Liebhabers auf die innere Leinwand projizierten. Er hatte doch wirklich geduscht. Er hatte lauter frische Sachen angezogen. Das gab's doch gar nicht. Das war ein Wunder. Ein Naturwunder! Endlich hatte er die kopierte Seite mit dem Foto gefunden. Bebend hielt er sie Frau Voltaire vor die Nase. »Ist er das? Ist das der Mann, von dem Sie behauptet haben, Sie kennen ihn kaum, und es gibt kein Bild!«
Bisse. Fäuste, die sich fast schon durch die Taschen bohren.
»Wissen Sie, daß falsche Zeugenaussagen strafbar sind? Kucken Sie das Foto an! Ist das Chris?«
Bisse. Atembeschleunigung. Augen, schmal und unklar wie Sehschlitze in einem Panzer.
»Wie heißt er weiter? Wofür steht 'E.'!«
Das Telefon schrillte dazwischen. Der ältere Kollege sprang an den Schreibtisch und riß den Hörer hoch: »Wagner Apparat Roboldt!«
Frau Voltaire benutzte die Unterbrechung, um eine Hand aus der Tasche zu ziehen und sich über das Gesicht und durch die Strähnen zu fahren, die unter der Neonlampe aussahen wie plötzlich weiß geworden.
»Lietze, sagte Wagner und gab Roboldt den Hörer.
Roboldt hielt den Blick auf Frau Voltaire fixiert. »Ja ... Nein, noch nicht ... das hat gut geklappt, ja ... drei von

MI/5 sind hier … Nein, mit Tonband … Ich hab noch keine Zeit gehabt, das Zeug in Ruhe anzukucken … Wie heißt der?« Er angelte seinen Block, »ja … wie alt? 1941? Das ist er … Aktuelle Adresse hab ich …«
Frau Voltaire hatte wieder beide Fäuste in den Taschen und zuckte zusammen.
»Zwei, ja … eine in Neukölln, eine klingt nach Wedding … Wann? … Gut, ja.« Er knallte den Hörer auf, steckte sich eine Zigarette an und hielt abwesend die Schachtel in die Gegend.
Wagner nahm sie ihm ab.
Frau Voltaire schien die Lippen noch mehr verschwinden lassen zu wollen.
»Sie haben auch gelogen, als Sie mir weismachen wollten, dieser Herr Zillke, der bei Ihnen in der Küche saß, sei einfach ein früherer Nachbar, Frau Voltaire, obwohl Sie genau wissen, daß er ein Kollege Ihres Mannes aus Stasi-Zeiten ist.« Auch das Nikotin übertönte den verlockenden Wunderduft nicht. Es brannte einfach in der Nase, weil er die Zigarette zu dicht druntergehalten hatte, hektisch, aufgebracht, hin- und hergerissen zwischen den hochspülenden libidinösen Schauern und den Wogen von heißem Zorn auf diese ganze bockige Bagage namens Voltaire und diesen Möchtlgern-Kriminalisten genauso, bestimmt lachten die sich alle heimlich ins Fäustchen über ihn, weil er ihnen keine Angst machen konnte, weil sie wußten, daß er keine Mittel hatte, sie zum Reden zu bringen, sie waren ihm nicht erlaubt, und er hätte sie nicht gewollt, und deshalb nahmen sie ihn nicht ernst, sie nahmen diese ganze Polizei nicht ernst, sie schissen drauf, sie hielten alles für läppisch, sie waren an Staatsmacht gewöhnt, Demokratie war Impotenz für die, keine starke Hand oh pardon: FAUST natürlich Demokratie war unmännlich genauso wie du Detlev weibisch womöglich so sehen sie dich das sagen sie nicht aber fühlen lassen sie's dich eiskalt von keinem Skrupel angekränkelt von keiner humanitären Gesinnung getrübt ihre an ihrer eigenen satten Normalität verfettete Verachtung das ist es was aus ihren Poren sickert das ist der Mief der in ihren Treppenhäusern und Wohnzimmern hängt nicht Lysol nicht

Braunkohlenschwaden es ist die Selbstgerechtigkeit der selbsternannten Menschheitsbeglücker die noch selbstgefällig grinst wenn die Menschheit nachhaltig nein zu deren Glücksvorstellungen gebrüllt hat!
»Wenn ich vielleicht ...«, der blessierte junge Mann hatte Roboldts Kampf mit dem beißenden Qualm beobachtet und sprang auf, »Frau Voltaire, Sie sind uns hier die Wahrheit schuldig!«
»Halten Sie den Mund!« Roboldt hatte sich noch nie so brüllen gehört. »Setzen Sie sich hin! Mir ist niemand etwas schuldig – und Ihnen schon gar nicht! Es ist das Recht von Zeugen, die Aussage zu verweigern, selbst wenn sie sich damit ihr eigenes Grab schaufeln. Und wenn Sie das nicht gelernt haben, dann weiß ich nicht, was Sie bei der Polizei zu suchen haben –!« Roboldt brach erschöpft ab, drückte die Zigarette aus und wischte sich die Stirn.
Wagner stand weiter unbewegt neben ihm und beobachtete die Szene. Frau Voltaire schwieg weiter verbissen, aber aus ihren Augen sprühten kleine Haßfontänen in Richtung Möchtl. Der schien sich auf seinem Stuhl in der Ecke buchstäblich zu ducken.
»Verehrte Frau Voltaire«, hob Roboldt nach ein paar Atemzügen in seiner üblichen Zimmerlautstärke wieder an, »wir haben Ihre Tochter. Sie ist verletzt, aber sie lebt. Es ist eine Frage der Zeit, bis sie uns den vollständigen Namen ihres Genossen nennt, mit Adresse und allem. Sie hat nämlich eine Stinkwut auf ihn. Warum nehmen Sie nicht endlich Vernunft an und sagen, wie er heißt und welche von diesen beiden Adressen hier in den Akten die richtige ist.«
Schweigen. Bisse. Unruhig wandernde Augen.
»Wo wollte Ihre Tochter hin mit dem Wagen?«
Lautloses tiefes Luftholen.
»Nach Neukölln oder Wedding?«
»... ck weeßet doch nicht ...«, gesenkte Augen, gesenkte Stimme.
»Ihre Tochter könnte unversehrt sein, wenn Sie nicht –.«
»... ck hab keene Tochter. Aus!«
Roboldt gab auf. Er fand es entschieden sinnvoller, diesen stählern-wehleidigen Trotz sich selbst zu überlassen,

schickte alle aus dem Zimmer, riß das Fenster auf und inhalierte minutenlang die mondlose Nachtluft vom Hof der normannoiden Festung, deren Bedienstete sich der Bekämpfung von Kapitalverbrechen und sonstigen Delikten am Menschen verpflichtet hatten. Die Luft war grau und schwer und angereichert mit einem seltsamen modrig-feuchten Aroma, das aus der Richtung des nahen Landwehrkanals zu kommen schien. Verwesungsgeruch.
Er drückte das Fenster zu und steckte endlich seine Nase in die Papiere aus Voltaires Umschlag.

»... CX 7227 KLICK – wat für'ne Sorte war det?«
»Corvette Chevrolet.«
»Klick Korwättschäwroleh rot mit Krohmschpeuler Klick. So!« Helga steckte das elektronische Notizbuch in die Manteltasche und zog mit einem Ruck ihren schwarzen Haarhut nach unten, als ob sie meinte, sie müßte einen energischen Punkt machen. »Vier Kisten, det is ne janz schöne Ausbeute, det reicht für heute.«
Die drei Frauen, die auch auf den dritten Blick keinerlei verbindendes Merkmal zu haben schienen, blieben an der Ecke Monbijou/Oranienburger Straße stehen. Die elegante Dame in den besten Jahren sah die Oranienburger nach links hoch.
»Die sient immör nor niesch fertiesch miet ihre Unfall!«
»Is do' jut, Nadine!« Straßen mit einer gewissen Sorte Nahverkehr versetzten Kim neuerdings offenbar regelmäßig in Veitstanzstimmung. Sie hüpfte von einem Bein auf das andere und klopfte sich rhythmisch abwechselnd auf die Schenkel und die Oberarme. »Deswehng hat uns nemmich hier keene Streife belämmert – hähä. Die wahn alle beschäfticht. Und det wer'n se morng ahmt erst rechte!«
Nadine warf ein bezauberndes Lächeln gegen den Himmel und fuhr mit den Händen über ihr lavendelblaues Wollkostüm und die Stulpen und den Kragen aus schwarzem Samt, als müßte sie unsichtbaren Schmutz entfernen.
»Nu hört domma mit dieset Jehampel uff«, knurrte Helga. »Ihr könnt ein' janz fuchtich machen.«
Aber Kim lachte nur und hüpfte mit beiden Beinen gleich-

zeitig den Bordstein rauf und runter. »Macht warm, Helga! Sollt'ste ruich ma mitmachen – denn fabrennt ooch der janze Wodka von vorhin besser!«
Auf der gegenüberliegenden Seite, kurz vor der Krausnickstraße, hielt ein Wagen, spuckte eine magere blasse Wasserstoffblondine in viel zu dünnen Sachen aus und gab Vollgas.
»Meen Wodka macht ooch warm!« knurrte Helga, die ihr Mäuerchen vermißte. »Und Ehrobbick soll jaa nich jesund sein!«
Kim stand augenblicklich still und fixierte jeden Schritt der Blondine, die kurz herübersah, die Krausnickstraße überquerte und dann erst auf diese Seite der Oranienburger wechselte.
»A propos – gesund sieht die auch niesch aussö«, kommentierte Nadine kühl. »Iesch 'ab die vorrien schon gösehn –.«
»Und ick hab se jerochen!« fiel Kim ihr ins Wort. »Macht die so'n Bohng um uns, weil wa aussehn wie die Sauberfrauen, die bloß jaffen? Oder weeß die wat?«
Nadine und Helga sahen jetzt auch hinter der mageren Blondine her, die sich etwa fünf Meter links von ihnen auf der Fahrbahn postierte und betont wegkuckte.
Der Wind war fast sanft, aber er kam noch immer aus dem Westen.
»Was soll sie wiessönn?«
Kim blähte nur die Nasenlöcher und sah Helga an. »Riechst du ooch, wat ich rieche?«
»Warte ma – hmhm-mh.«
»Und denkst du ooch, wat ick denke?«
»Logo – und jetze?«
»Nischt wie hin!« Kim stürmte los. »Bevor die wieder wo eensteicht!«
Helga schaffte gerade noch, Nadine die olfaktorischen Details von Kims gestriger Keilerei zu vermitteln, bevor sie sie eingeholt hatten.
Es war an sich nicht Kims Art, fremden Menschen auf den Pelz zu rücken. Nicht mal den begehrenswertesten Frauen, die ihr hin und wieder über den Weg liefen. Der mageren blassen Kollegin allerdings stand sie fast auf den Füßen.
Helga fand den Auftritt peinlich und riß das elektronische

Notizbuch wieder aus der Tasche. »Hier, Nadine, schnell – tu, als ob wa'n Interwjuh wollen!«
Nadine war stehengeblieben und zögerte. Der Anblick zweier ausgesprochen schmaler und ausgesprochen kunstblonder Frauen, die sekundenlang ihre jeweils zwischen Hell und Dunkel changierenden Gesichter aufeinander gerichtet hielten, reizte eigentlich zum Lachen. Die Riesenunschuldsaugen der einen waren krakelig schwarzumrandet und fielen fast heraus. Aber das schwarze Veilchen um Kims linkes Auge sah doch zu sehr nach Schmerz aus. Nadine fiel so schnell nichts ein.
Das elektronische Notizbuch wedelte an Helgas Arm ins Leere und verschwand schließlich wieder in der Tasche. »Na, Meechen – so alle, wie du aussiehst, sollt'ste aber nich ackern jehn!« sagte Helga weich.
Die Blondine sah verdattert zwischen den drei Frauen hin und her. Kim schwieg noch immer, naserümpfend. Nadine schnupperte jetzt auch und verzog leicht angewidert den Mund.
»Komma her, Kleene«, Helga schnappte sich die Hand der mageren jungen Frau, »du hast doch Fieber! Wie willste'n da'n Überblick behalten. Oder biste uff irnkwat druff – na?«
Die Blondine schüttelte heftig die Wasserstoffsträhnen und senkte den Kopf.
»Na Mönsch, wat is denn?« Helga sah Nadine und Kim an. »Wat heulste denn jetze? Is do' keen Beenbruch. Wenn man krank is, bleibt man wech vonne Straße! Is do' viezu jefährlich, Kind. Wie willste'n die Scheißkerle in Schach halten, wenn de dir mies fühlst – hm?«
Breite schwarze Bäche flossen über das hagere weiße Gesicht. »Ick – ick – hnnpfpf – ick hab ja jesacht – hnnpf – ick kann nich«, kam schniefend aus den dünnen blaustichigrosa Lippen, »ick hab – Niern-Niern-hnnnnpf-entzündunk! Aber der – der hat mir wieder rausjejaacht. Hnnnpfpf!« Die Unschuldsaugen fielen Helga fast entgegen. »Wer – wer – seid'n ihr?«
»Kollegienönn.«
Die aufgelöste Blondine starrte die Dame im eleganten Kostüm an. Dann sank sie Helga in die Arme.

»Die wat jehng Luden ham – prinziepjell!« Auch Kim schien sich verbal wieder einmischen zu wollen.
»Hnnnpf – Westvotzen, wa?«
»Na klar, du Ostvotze!« krähte Helga fröhlich dazwischen. Die Riesenunschuldsaugen in dem schwarz-weiß marmorierten Gesicht blitzten verblüfft auf, und kurz danach legte sich das Marmormuster in Lachfalten.
Nadine und Kim warteten, Helga tätschelte und taxierte die Umgebung. Die anderen Huren, die in der Nähe gestanden und mißtrauische Blicke geworfen hatten, hatten sich verzogen. Eine Hure, die einen Moralischen hat, ist keine gute Reklame.
»Hnpf –«, die Blondine richtete sich auf und versuchte, wieder auf eigenen Beinen zu stehen, »jehnfalz hat mir lange keena mehr so'n freundlichet Wort jesacht.« Sie schniefte ausgiebig, wischte sich die verlaufende Wimperntusche auch noch über die Wangen- und Nasenpartien, die bisher weiß geblieben waren, und betrachtete Kims schwarze und violette Flecken. »Einklich noch nie – hhff. Hat deiner dich so vermackelt, weil de ihm jesacht hast, daß de ne nich riechen kannst?«
Kim sah Helga an, dann Nadine, und alle drei sahen die Blondine an. Treuherzig.
»Könnte man so sahng, ja«, sagte Kim versonnen. »Wat is? Jehn wa een trinken, und du erzählst uns die janze Sache?«
Helga hätte am liebsten bewundernd den Hut gezogen, unterließ es aber klugerweise, da sie keinen aufhatte. Nadine hakte die Blondine unter und schnupperte ein bißchen sehr indezent an ihr herum.
»Is die Marke von meim«, sagte die Blondine verlegen. »Lettoff. Findste't ooch zu heftig für mich?«
»Absolut!« bestätigte Kim. »Braucht der so'ne Dröhung? Ick meine – na, wie soll ick sahng ...«
»Ach wat weeß ick«, die Stimme oszillierte jetzt zwischen Schulterzucken und Fäusteballen, »der kann mir jestohln bleim', vorhin hab ick nemmich ooch noch rausjekricht, der hat noch ne Braut zu loofen. Ick hab die Neese pläng! Der is für mich jestorm, der Chris!«

»WO IST DER JETZT WIEDER – VERDAMMT NOCH EINS!« Lietze fegte durch sämtliche Zimmer. Die Linoleumböden jaulten auf unter ihren Schritten, und die Böen, die ihre fliegenden Mantelschöße hervorriefen, wirbelten Zettel auf Aktenschränkchen und Schreibtischen auf. »Kann man sich eigentlich auf niemanden verlassen!«
Schade rettete sich durch einen Sprung in ihr bereits heimgesuchtes Zimmer, schloß die Tür und griff zum Hörer. »Anita? – Ich kann jetzt nicht lange, ich wollte nur wissen – wirklich? Ganz bestimmt? – Gut – nee, vielleicht die ganze Nacht – schlaf schön weiter – ich dich auch, Liebes!« Erst dann legte sie Schal und Jacke ab, warf ihren Block auf den Tisch und sank erschöpft auf den Stuhl. Sie hörte Türen knallen. Stimmen auf dem Flur. Viel zu hektische, viel zu laute. Es wurde immer viel zu hektisch, wenn man kurz vorm Zupacken war. Als ob sich die wochenlange Lähmung, in der nichts vorwärtsging, nichts zusammenpaßte, nichts greifbar war, diese entsetzliche Zeitlupe, in der man das elende Gefühl der Untätigkeit nicht loswurde, plötzlich zusammenknautschte und alles durch einen Zeitraffer jagte.
Sie stand auf, zog die Schachtel Zigaretten aus der Hosentasche, steckte sich eine an und ging zur Tür.
»– sind Sie sicher, daß er nicht aus Versehen ins Theater gegangen ist?« fauchte Lietze gerade einen freundlich-behäbigen älteren Kollegen an.
»Um die Zeit? Da spielt kein Theater mehr.« Wagner hielt ihr seinen linken Arm entgegen.
»Bei Kobold weiß man das nie!« Lietze wußte selbst, wie spät es war.
In der Tür zum Schreib- und Vorzimmer erschien ein halb neugieriges, halb verzagtes Gesicht.
»Nu mal halblang, Lietze.« Wagner schwante, daß gutmütiges Lachen nicht das probateste Mittel für die mürben Nerven seiner Kollegin EKHK war, hatte aber auch rein methodisch etwas gegen den homöopathischen Ansatz. »Der hat sich den Papierkram da angekuckt, und da hat er wohl was gefunden. Jedenfalls ist er aus seinem Zimmer gerast, hat die Bendel und unsern Ober geschnappt und ab durch die Mitte! Ich bin hier bloß noch die Stallwache.«

»Dettmann?«
»Hat vor zehn Minuten nach Ihnen gefragt, ein Butterbrot ausgepackt, mir die Hälfte abgegeben und mit der Silberfolie Fußball gespielt.«
»Na schön«, Lietze hatte inzwischen gemerkt, daß sie aus zwei Türen gleichzeitig beobachtet wurde, «nehmen wir mal an, daß Roboldts Aktivismus einen Sinn hat!« War das Kaffee, was sie roch? Sie sah zu einer der Türen. »Was wollen Sie denn, Möchtl?«
Bevor der junge Mann in Mimis Tür Luft geholt hatte, fuhr Wagner fort: »Und dann haben wir gemeinsam versucht, die beiden Herrschaften bei Laune zu halten, die Roboldt da mitgebracht hatte – komische Typen! Zäh wie ... hat sich wirklich die Zähne dran ausgebissen. Bißchen aufbrausend kommt er mir heute vor, euer Kobold ...«
»Ich soll sagen äh der Kaffee ist –«, für mehr reichte Möchtls Puste noch immer nicht.
»Auja!« seufzte Wagner auf, wieder eine Nuance zu gutgelaunt, »nichts für ungut, Lietze, aber ich könnte auf alles verzichten in diesem Laden hier, bloß nicht auf eure Mimi! So'n Kaffee macht –.«
Lietze wandte sich ab, warf einen undefinierbaren Blick auf Schade, die noch immer eingehüllt in blauen Dunst in ihrer Tür lehnte, und stürmte los, dem Duft entgegen. Niemals, schoß ihr durch den Kopf, niemals schmeckt Kaffee so gut, wie er riecht.
Möchtl humpelte beiseite, sah hilfeheischend zu Wagner und riß die Tür sicherheitshalber weit auf.
Lietze blieb stehen. Schabte an ihrer Nase. Gedankenverloren. Kaffeeduft. Verheißung. Ahnung. Idee. Es roch. Der Fehler stank zum Himmel. Sie hatten Voltaires viel zu lange bloß als Zeugen betrachtet. Wie war das mit dem richtigen Kriminalisten, der sich nicht auf eine Spur versteift! Sie rieb sich die Augen und funkelte Möchtl an. Es stank ihr vor allem, daß er recht gehabt hatte mit diesem – diesem – kalter Kaffee! Niemals, dachte sie, niemals riecht ein Fall so, wie's einem schmeckt. Als wüßte der Geruchssinn um Dinge, an die heranzukommen der Geschmack keine Chance hat. Lettow. Lysol. OBerlin und WBerlin. Zwei Welten. Hoffentlich hat

Roboldt richtig gerochen – gerochen! Der roch nicht bloß, der stank ja. Vor Glück. Beneidenswert. Lietze! Trink deinen Kaffee jetzt und dann los. Bring's hinter dich. Damit du – damit du nach Hause – vielleicht morgen früh? Kaffee im Bett mit – sie trat endlich ins Schreibzimmer. Der Anblick des gurgelnden braunen Monsters auf Mimis Aktenschrank setzte dem Gedankenspiel ein rigoroses Ende.
»Wieviel sind wir denn?« Mimis Stimme klang mürbe wie Lietzes Nerven.
»Vier«, sagte Möchtl hinter der Tür.
»Wieso – trinken Sie keinen? Ich *sehe* nämlich vier Leute: macht fünf.« Noch mürber.
»Ach so, ich dachte –.«
»Wie geht's denn jetzt überhaupt weiter!« Schade ging an Mimis Schreibtisch und drückte ihre Zigarette aus. »Kaffeepause, bis Detlev wieder da ist?«
Lietze nickte und schälte sich endlich aus dem Mantel. »Wann sind die los, Wagner?«
»Na«, Wagner griff freudig nach der vollen Tasse, die Mimi ihm entgegenhielt, »dreiviertel Stunde, würde ich sagen.«
»Gut. Dann geben wir ihnen noch eine Viertelstunde und –.«
Das Telefon fuhr dazwischen. Schade nahm ab. »Ja ...? Ach, Herr Dettmann? ... Ja, Augenblick –«, sie hielt den Hörer vom Kopf und sah Lietze an. »Detlev von unterwegs –«
Lietze nickte wieder.
»In ungefähr einer Viertelstunde bei Ihnen. Gut, Herr Dettmann.« Schade drückte auf einen der Knöpfe, sagte kühl »Schade«, hörte zu, ließ ab und zu ein ebenso kühles »na bravo!« fallen und beschloß das Gespräch mit einem knappen »wir warten, Detlev.«
»Soll ich raten?« Lietze griff ihren Mantel und ging in Richtung Tür zu ihrem Zimmer. »Roboldt hat den Nachnamen rausgekriegt und beide Adressen überprüft.«
Alle starrten auf Schade. Aber die, anstatt zu nicken, schlug sich mit der flachen Hand auf die Stirn und starrte kopfschüttelnd zurück. Lietze stampfte in ihr Zimmer und kam erst wieder, als Schade nach ein paar fassungslosen Stamm-

lern einen halbwegs vollständigen Satz zu formulieren schaffte. »– der heißt, also – der Name – Eube!« Dann verfiel sie in einen Lachkrampf.

SIE HOB DEN KOPF, als im zweiten Stock des Hauses schräg gegenüber Licht anging. Das einzige in dem Ausschnitt der Mulack- und der Gormannstraße, den sie von ihrem Fenster aus im Blick hatte. Außer ihrem eigenen, von einer Gründerzeit-Stehlampe neben dem Tisch vor dem Fenster beleuchtet, auf dem in einem seltsamen Muster verteilt Fotos lagen. Winzig kleine, unscharfe in bräunlichem Schwarz-Weiß mit gezackten hellen Rändern und größere in ORWO-Farben oder verwaschenen Grautönen. Die schwache Birne von links oben gab den Räumen zwischen den Fotorändern und den Kanten der Schreibhefte, auf denen manche Fotos balancierten, etwas Abgründiges. Eine verheißungsvolle friedliche Tiefe.
Sie knipste die Lampe aus und lehnte sich zurück. Der große Mann, der immer mindestens so dunkel gekleidet war wie seine Haut, schien allein. Unruhig. Jetzt schaltete er Licht in den zwei angrenzenden Zimmern an. Lief hin und her. Hielt immer wieder einen Zettel hoch und las und drückte ihn gegen den Bauch. Plötzlich zerknüllte er ihn. Warf ihn mit einem kleinen Sprung gegen eine Wand. Lachte. Schüttelte den Kopf. Lief wieder durch alle drei Zimmer. Blieb stehen und schlug die rechte Faust in die linke Handfläche und schnippte mit den Fingern und schüttelte wieder lachend den Kopf und dann den ganzen Körper. Jetzt kam er ans Fenster und riß es auf, verschwand nach hinten, tauchte mit einer Bierdose in der Hand wieder auf und hantierte an einer Wand, die außerhalb ihrer schrägen Perspektive lag. In die trat er kurz darauf mit geschlossenen Augen, Kopf, Schultern und Arme rhythmisch schwingend, wieder ein.
Sie zog ihr Fenster auf und die Strickjacke fester zu. Gitarrenklänge, die der naßkalten Nacht und den dumpfen fernen Asphaltgeräuschen wie Finger auf die Schulter zu tippen schienen. Aus einem Metall von erschütternder Wärme. Dann Sing-Sang von einem alten Mann.

I'm gonna build me a heaven. Die Lippen des tanzenden Mannes bewegten sich dazu, seine geschlossenen Lider schienen zu lachen, sein ganzer Körper schien zu lachen. Nicht lauthals. *A small!* Still für sich. *I'm gonna build me a heaven of my own.*
Sie hatte Russisch gelernt.
You know, so all of these lovin womens.
Das bißchen Englisch, das sie verstand, waren chemische Fachausdrücke.
Man, I can give them a happy home!
Alles, was sie erkannte, war das Glück auf dem Gesicht des tanzenden Mannes. Sein Lachen erschien ihr wie Spott.
Men ain't allowed in there!
Die entsetzliche Wärme der Stimme schrie um den ganzen Horizont und ließ sie frösteln. Sie kam aus einer anderen Welt, einer Welt, aus der sie ausgeschlossen war. Die ungeheure Schwere der Luft legte sich wieder über sie. Sie war immer ausgeschlossen gewesen. Sie hatte nirgends dazugehört. Schon gar nicht zu denen, die ihr eigenes Eingeschlossensein wie einen Stachanow-Orden trugen. Die das eigene Abgeschnittensein von der Wirklichkeit der Welt in Freiheit umdichteten, Freiheit von schlechten Einflüssen, von Dekadenz und Dreck. Die sich nur dadurch ihrer selbst versichern konnten, daß sie andere ausschlossen aus ihren glasglockendichten Biotopen. Nein, die DDR-Gesellschaft hatte keine Nischen gehabt, in denen man eigen und anders hätte leben können. Es war eine Alkoven-Gesellschaft gewesen. Wer in der Stube nicht mitspielen wollte, durfte sich schlafen legen. Vorhang zu. Schlafmütze auf. Wer nicht schlafmützig genug war, wurde eingeschläfert. Und die Stubenhocker nickten beifällig und mischten das Blatt neu. Es war immer dasselbe Blatt. Es war auch im Westen dasselbe Blatt.
Sie schloß zitternd das Fenster und knipste die Stehlampe wieder an. Mit steifen Fingern gruppierte sie ein paar der Fotos um. Die Ordnung nach Namen wurde ihr unerträglich. Namen waren unerträglich. Ob sie auf einem Foto mehr nach »Swetlana« aussah oder mehr nach »Karin«, sagte gar nichts. Sie war alle beide und also nichts. Sie hatte

zu lange ein Leben versucht, als sei sie doppelt, und der eine Teil suche den andern zu retten und riefe sich selbst zu. Eine Zeitlang hatte sie es als Mödlareuther Erbe auf sich genommen. Mödlareuth war seit Jahrhunderten geteilt und verdoppelt und von ständig wechselnder Herrschaft gezeichnet. Dann hatte sie gelernt, daß sie nicht dieselbe Sprache sprach wie die, mit denen sie hatte reden wollen. Und noch später, als sie aufgehört hatte, das Wort »Vereinigung« wörtlich zu nehmen, war ihr der Sinn dafür abhanden gekommen, ob sie eine Zweiraum- oder eine Zweizimmerwohnung bewohnte, ob jemand verhaftet oder zugeführt wurde und ob der Schandfleck, die Dreckecke, an dem ein Verbrechen passiert war, als Tatort oder als Ereignisort vermessen wurde. Auch der Dreck bot keine Rettung mehr. Dieses unbeschreibliche Gefühl des Mißbehagens hatte sich über die Straßenschilder mit den wieder und wieder geänderten Namen gelegt.

Sie raffte die Fotos zusammen und stand auf. Das Taschentuch mit den Resten ihres Kugelschreibers rutschte vom Tisch. Sie stopfte die Fotos in die Klappe des Kachelofens. Der Feuerschein ließ die schimmeligen Tapetenfetzen vibrieren und kolorierte die graugrünen Landschaften auf der Wand um zu gelbroten Vulkanausschnitten oder weißlich blaustichigen Blitzformationen. Je nachdem, ob die Flammen an den gezackten Kinderbildern nagten oder den entfalteten fotochemischen Fortschritt verzehrten. Dann ging sie zurück, sammelte die Kugelschreiberteile in das fremde Taschentuch, verknotete es, warf es den Bildern hinterher und schloß die Ofenklappe.

Sie brauchte kein Schreibgerät mehr. Als sie wieder am Tisch saß und die Tagebuchhefte chronologisch geordnet nebeneinander stellte, waren die Fenster des glücklichen schwarzen Mannes geschlossen und die Gardinen zugezogen. Sie lächelte grimmig und schlug das erste Heft auf. Ihr Leben. *Am glücklichsten die Augenblicke, in denen ihr Geist auf irgendeiner wahnwitzigen Idee zu reiten schien.* Die letzten Versuche, sich selbst zuzurufen. Es war ihr unangenehm, daß sie nicht auch die Seiten, die Zeilen, die Wörter rückwärts lesen konnte.

Sie überschlug die Überlegungen, die sie ein paar Stunden vorher über den herzkranken Wurstbudenbesitzer gemacht hatte. Es war egal, ob er hinter ihr her war. Es interessierte sie auch nicht mehr, ob sie recht gehabt hatte mit ihrer halluzinatorischen Idee, er könnte auf ihr Herz scharf sein. Die wahnwitzigste Groteske bot ihr jetzt keinen Trost mehr. Sie sah hoch auf die Reihe der Hefte. Dann blätterte sie weiter zurück im letzten. An einer Eintragung blieben ihre Gedanken hängen. *Es gibt keine Freiheit. Das Dasein ist ihr eine notwendige Last.* Sie stutzte. Etwas stimmte daran nicht. Sie sah wieder hoch und starrte auf die warm-gelb leuchtenden Gardinen gegenüber, ohne sie wirklich anzusehen. Dann fiel es ihr ein. Das *keine* und das *eine* waren falsch zugeordnet. Es gab eine Freiheit. Eine einzige.
Sie fragte sich, wielange sie brauchen würde.

CHRISTIAN EUBE SASS IN DER SCHEISSE. Seit dreieinhalb Wochen sowieso. Seit über einer Stunde erst recht. Und seit ein paar Minuten auch noch wörtlich. Der Tritt, den einer der beiden gestriegelten Seitenscheitel auf seine Weichteile gezielt hatte, hatte gar nicht mehr treffen müssen. Christian Eube war so panisch bemüht, seine schmerzhaft geschwollene Männlichkeit selbst vor zartester Berührung zu schützen, daß er sich gekrümmt hatte und freiwillig zu Boden gegangen war. Dabei mußte es passiert sein.
Das höhnische Gekicher, mit dem sie sein Eingeständnis, von einer Frau verkloppt worden zu sein, quittiert hatten, hielt sich seit einer Stunde hartnäckig in seinem Kopf und bekam jetzt wieder Hall. Er hätte sich ohrfeigen können. Wenn nicht direkt neben seinem einen Ohr die rotgrünen Striemen gejault hätten wie – wie sein – dieses Bälg!
Woher wußten die *däs* überhaupt? Der hatte ächt sowäs von gejault! Däs war ja – da *konnte* män doch gaanich ändas –.
»... und viertens«, die widerlich freundliche Stimme des Mannes mit der Beule im Sakko hatte von Punkt zu Punkt schneidendere Schwingungen bekommen, »n Tellefon is keene Quasselbude ...«
Darüber hatte er doch gar nicht gequasselt. Mit nieman-

dem! Er war offiziell abgetaucht wegen Ärger mit dem Alten von Dolores. Und deswegen hatten sie Dolores auch nach Fohrbeck geschickt. Ächso?
»... kurze Meldung! Keene Nahm! Keen jaanischt!«
War die *so* blöd, die Kuh? Seine eisblauen Augen flackerten kreuz und quer über den Mann mit dem Sakko, der dem kahlköpfigen Uniformierten ein Zeichen gab. Der Kahlköpfige kippte den Rest Bier in sich, warf die Flasche weg, schob mit einem Ruck den Schrank neben der Tür beiseite und riß die Telefonschnur mitsamt Putz-, Gips- und Tapetenstücken aus der Wand.
Hät die däs ausgequätscht, die Votzä!
Erst jetzt kam die Brutalität des Risses in Eubes Hirn an. Sie schoß ihm direkt in die wunden Stellen im Gesicht und von da in den Unterbauch. Er versuchte wegzusehen. Alles unterhalb des ausgeleierten Gummis seiner labberigen Trainingshose zu vergessen. Die Beule in der linken Brusthälfte des Sakkos auch. Wie heiß'n bloß der Männ noch? Irnktn höhres Tiä is der doch. Bloß aimä gesehn. Höchsn zweimä. Wieso is der einklich hiä?
»So, Kam'rad!«
War er so wichtig? Was wollten die denn noch?
Die drei in Kampfmontur gruppierten sich dicht neben den Mann im Sakko und schienen auf einen Einsatzbefehl zu warten. Aber der Führer schwieg, schob langsam mit den Händen die Sakkohälften auseinander, beobachtete mit spöttischen Lippen, wie in Eubes Augen alles Blau verschwand und das Eis schmolz, und hängte beide Daumen lässig in den Hosenbund.
Eube klemmte zwischen Sessel und Tisch in einem Gemisch aus verklebtem Geschirr und Gläsern mit Schaumkrusten an den Rändern und Senf- und Ketchupgeschmier und Asche und Kippen. Er wußte nicht, wo er hinkucken sollte, in den Syph, in dem er halb saß, halb lag, oder in die Gesichter der Besucher, die er herbeitelefoniert hatte, damit sie ihm halfen! Fiesäschen! Aber die waren gar nicht gekommen, um einem Kameraden unter die Arme zu greifen ... Kämerädn! So'n Schaißdr-! Nicht! Nicht drän denken! Er tupfte hektisch mit der grimmeligen Binde um seine eine Hand auf den

nässenden, jaulenden Kratzern im Gesicht herum. Er wußte nicht, was gemeiner wehtat, seine Eier, seine Fresse oder – er hatte Schiß. Einfach Schiß. Er hatte sie gerufen, weil ihm mulmig geworden war nach Dolores' Auftritt. Und jetzt waren sie da, und er hatte nur noch Schiß. Vor dem, was noch kam. Vor dieser Schleimscheißerstimme. Vor der Beule im Sakko. Vor den Pranken von – als ob er nicht wüßte – als ob er nicht oft genug mit den dreien zusammen – wo die hinläng' wächst kein Gräs mehr. Schiß Schiß Schiß. Vor dem Hohngelächter am allermeisten. Wenn die erst raushatten, wie tief er in der Scheiße saß –.
Der Führer nickte kurz, und die beiden mit dem Beil gezogenen Scheitel packten Eubes Oberarme und zerrten ihn hoch.
»Nimm jefällichs Haltung an, wenn ick mit dir rede!«
Sie stellten ihn auf die Beine. Er knickte weg. Sie rissen an seinen Armen. Er schrie auf und kniff die Schenkel zusammen. Machte sich schwer. Schloß die Augen. Riß sie wieder auf, glotzte dem Führer mitten in die grinsende Fresse und hatte nur noch einen Wunsch. Ruhe. Wäch. Fägäßt mich eimfäch. Schmeißt mich raus.
»Haltunck, Mann! Kam'rad Oibe!«
Er registrierte erleichtert, daß alle Jovialität aus der Stimme verschwunden war. Aber sie zerrten noch immer an ihm herum. Sein ganzer Körper kreischte. Seine Beine knickten immer wieder weg. Schließlich griffen sie ihm unter die Arme. Er hing zwischen ihnen wie ein Sack fauliger Abfälle.
»Punkt fünf: Wo is deine Frau hin! Die muß her, sonst –.«
Achso? Wollten sie ihm doch helfen? Häb ich auch schon überleecht, wenn män der die gänze Säche in die Schuhe –. Die Trainingshose fing an zu rutschen. Etwas zog sie nach unten. Etwas, das schwerer war, als das ausgeleierte Gummiband halten konnte. Er versuchte wieder, nach unten wegzusacken.
»Sechstens: Wo sind diese Unterlahren!«
Aber es war zu spät. Die beiden Scheitelträger blähten die Nüstern, tauschten einen angewiderten Blick und stießen gleichzeitig ein verächtliches Gurgeln aus. Im nächsten Au-

genblick zogen sie ihre Hände so heftig unter seinen Armen weg, daß es ihn nach hinten wegriß und er vor der Landung mit dem Hinterkopf gegen die Kante des flachen Tisches krachte.
»Rede! Wo is det Zeuch, wat ne Jefahr für die janze Doitsche Front ...«
Mehr hörte er nicht. Er sah auch nicht den Ekel im Gesicht des Redners noch das geringschätzige Grinsen, mit dem er dann einem der beiden Befehl gab, die Wohnung auf den Kopf zu stellen. Er fühlte sich wie etwas, das die hungrigste Katze nicht ins Haus schleppen würde. Sein einziger Gedanke zog Spiralen um die Frage, ob sie das alles machten, um ihn rauszuhauen oder um ihn hochgehen zu lassen.

»IN IHRER REISETASCHE«, Lietze klappte die Seiten des Notizblocks wieder zurück und bohrte den Stift auf eine Stelle, »war ein Haufen ungewaschene Klamotten, Sachen für Körperpflege und Kosmetik, zwei Liebesromane, ein Rätselheft. Kein Adreßbuch, kein Brief, nichts. Im Portemonnaie haben wir einen Zettel mit einer Berliner Telefonnummer und einer anderen gefunden –«, sie warf den Stift weg und angelte nach der Schachtel *Lucky Luciano*.
Schade ergänzte die Kunstpause durch eine eigene, formvollendete, und übernahm dann einfach. »Die gehört nach Fohrbeck in Schleswig-Holstein. Da hat sich ein Anrufbeantworter gemeldet, irgendeine Firma ›Deutsche Wertarbeit‹ oder so – eine Stimme wie Frakturschrift! Ich nehme an«, sie warf einen Blick auf Lietze, aber der schien die Arbeitsentlastung zu gefallen, »das sind auch diese Deutsche-Front-Fritzen, und da wird sich unser Frollein Dorle versteckt haben. Fragt sich bloß, ob mit oder ohne ihren – Kerl.«
Der Konferenztisch im Zimmer des Kriminaloberrats Dettmann lag unter einer dichten Wolke aus Nikotin, überheizter Luft, Anspannung und Müdigkeit. Der Erste Kriminalhauptkommissar Wagner vom MI/5 bearbeitete seine fünfte Tasse Kaffee. KHK Bendel polierte ihre diamantenreklamefähigen dunkelroten Fingernägel am Revers ihres Wollhemds und warf Roboldt einen fragenden Blick zu. Der

junge Mann, den alle »unser Ober« nannten, weil er noch nicht lange zum MI/5 gehörte, starrte weiter fasziniert auf seine gleichrangige Kollegin Schade, die einfach mitmischte, wie er sich nie mitzumischen getraut hätte.
Roboldt erwiderte Bendels Blick mit zwei verschieden hoch gezogenen Augenbrauen. »Wie ist denn die Berliner Nummer?«
Schade schob ihm ihren Block zu.
»465 und so weiter – Wedding! Könnte die Böttgerstraße sein. Ich sag's doch – ich hab's im Urin – ich meine –.«
Lietze verkniff sich den giftigen Kommentar, der ihr hinsichtlich Roboldts Unterleib auf der Zunge lag, und rieb sich die Nase. »Aber gefunden haben Sie da nichts.«
Dettmann stand auf, öffnete ein Fenster und blieb in der dunstigen Kälte stehen. »Morgen früh Kiel anrufen. Sollen die sich drum kümmern, um diese Truppe in Fohrbeck!«
»Und ich sage, der ist in Berlin«, schnaubte Roboldt. »Dagmar, sag doch mal was!« Er sah KHK Bendel an, wartete aber gar nicht erst ab. »Bei der Neuköllner Adresse war die ganze Straße dunkel, aber in der Böttgerstraße, genau in dem Haus, das in Voltaires Papieren angegeben ist, da hat ein Licht gebrannt. Ein einziges –.«
»Und?« Lietze rieb sich wieder erregt die Nase.
»Gott ja«, fand Schade, »es wäre ja nicht das erste Mal, daß einer irgendwo wohnt, ohne daß sein Name an der Tür steht ...«
»– funzeliges, im ersten Stock. Sonst nirgends!«
»Ja – na und! Was dann?« Dettmanns Geduld schien auch nicht strapazierfähiger.
Wagner sah Roboldt an, dann die Bendel und den Ober und schließlich Lietze. Lietze kniff die Augen zusammen.
»Na, dann *haben* wir geklingelt«, Dagmar Bendel faltete die polierten Finger vor dem Bauch und wartete.
Dettmann runzelte die Stirn und kam drohend zum Tisch zurück. »Zwei ausgewachsene Hauptkommissare – sagen Sie mal: Was haben Sie den Leuten da denn erzählt? Ob hier ein Herr Eube wohnt, Sie hätten den gern mal verhaftet oder was?«
»Wir hätten gefragt, ob ihre Schwester da noch wohnt ...«,

Roboldt atmete tief durch und ballte die Fäuste, bis die Knöchel sich weiß färbten.
»... falls jemand aufgemacht hätte, ja?« ergänzte Schade spitz.
Lietze ersparte sich den Anblick von Dettmanns mißbilligendem Gesicht und beschränkte sich auf ein knappes »bravo, Kobold!« Sie wollte weder wissen, ob irgend jemand der drei daran gedacht hatte, eine Waffe einzustecken, noch sich ausmalen, was hätte passieren können, falls wirklich ein mutmaßlicher Kindermörder und Schlägertyp die Tür aufgemacht hätte.
Die Stille im Raum war so geladen, daß man den Knall, der demnächst kommen mußte, riechen konnte wie eine Lunte. Und sie dröhnte so in den Ohren, daß niemand hörte, woher der Knall dann kam. Eine Bö, die ein paar Sekunden vorher Abfälle über den Hof des Gebäudes Keithstraße 28 getrieben hatte, packte die offenen Fensterflügel und warf sie gegen den Rahmen. Sie zerriß auch den Dornröschenbann, in dem die sieben Polizisten und die eine Schreibkraft gefangen gewesen waren.
»Ich brauch was zu trinken!« Mimi fand als erste die Stimme wieder, allerdings, um sie gleich danach in heilloses helles Gekicher zu investieren.
Niemand blieb davon verschont. Mimi hatte nun mal die Gnade der unwiderstehlichen akustischen Äußerung. Als sie selbst den Tränen nahe war, raffte sich endlich Dettmann glucksend und ächzend in seinem Stuhl hoch, holte eine Flasche spanischen Brandy aus dem Schrank, knallte sie auf den Tisch und haute Roboldt auf die Schulter. »Es *hat* aber keiner aufgemacht, was, Roboldt?« quetschte er hervor. »Wollen Sie nicht für ein paar Gläser sorgen – ich meine, damit Sie heut abend wenigstens *ein* Erfolgserlebnis haben!«
Erstaunlich, dachte Schade, manchmal greifen beide Teile der Menschheit gleichzeitig zu beiden wässrigen Lösungen. Wir haben Tränen gelacht und einen gekippt, würde sie Anita nachher berichten, und sie wußte, das würde Anita gefallen. »Was machen wir denn nun mit diesem Traumpaar aus dem – häh! spanischen – ich meine, mit Voltaires?«

»Nochmal zur Brust nehmen!« hörte Lietze sich sagen. »Sie und ich.«
»Und ich!« erklärte Mimi. »Geht nämlich schneller, als wenn ich Bänder abtippen darf.«
»Und dann ist Sendepause bis morgen früh – das haben wir ja wohl alles beredet, oder?«
Niemand widersprach. Obwohl in diesem Augenblick niemand hätte zusammenfassen können, was sie eigentlich in den letzten zwei Stunden alles beredet hatten.
»Ach, Roboldt?« sagte Lietze im allgemeinen Aufbruch, »müssen wir außer dem, was Sie erzählt haben, noch irgendwas wissen über Voltaire?«
Roboldt trat einen Schritt zurück. »Nicht daß ich wüßte. Wir haben ihn solange beobachtet, bis er die Tür aufgeschlossen hatte und in der Wohnung stand mit dem Umschlag. Dann haben wir ihn uns geschnappt und hierhergebracht. Und dann sind wir sofort wieder los und haben sie geholt, sie wollte sofort mit. Den andern Mann mußten wir ja dalassen ... Ich möchte wetten, der hätte auch eine Menge zu erzählen ...«
»Würd's aber nicht tun!« Schade hatte ihre Sachen unter dem Arm und trat zu Lietze und Roboldt.
»Abwarten«, empfahl Lietze. »Lassen Sie zur Sicherheit die Telefonnummer da, unter der man Sie – also, falls noch irgendwas reinkommen sollte?«
»Was soll denn noch reinkommen?« fragte Roboldt irritiert, weil sie ihn schon wieder ertappt hatte. Dann versprach er, in etwa einer Stunde bei sich zu Hause zu sein, weil sein Liebster erstens kein Telefon hatte und zweitens übrigens Neumann hieß, Detlef.
»Na – Kollege Zufall, nicht?« grinste Lietze.

DIE ELEGANTE DAME IN DEN BESTEN JAHREN hatte sich nach einer Tasse Kaffee mit viel *Olè* verabschiedet, weil sie diese Nacht doch wenigstens noch ein paar Mark machen wollte.
»Und dann – iesch förschteh kein Wocht 'ier ...«
Kim, Helga und die Bleiche Blondine, die in den mageren Resten ihres bürgerlichen Lebens Evelyn Müller hieß, hat-

ten vor einer guten Stunde einen der Tische am Fenster erobert, und das Café-Restaurant Oren war wahrlich kein Ort der gedämpften Konversation. Es war rappelvoll. Auch nach Mitternacht.

»... is ümma so hier – wie inne Judenschule!« Evelyn schniefte schon lange nicht mehr.

»Bitte?« schoß Helga zurück.

»Na, sacht man doch so!« sagte Evelyn. »Sacht jehmfalz Chris!«

Kim und Helga sagten nichts und sahen sich an.

»Is hier wieder wie vormals, sahng alle: Juden und Luden.« Halt's Maul, dachte Helga, halt bloß dein blödes Maul! Noch so'n Programm kriej' ick heut ahmt nich uff de Reihe. »Wat willste'n damit sahng?« Sie funkelte Evelyn an, aber der Ton klang nach ermatteter Wut. Nee, sahret lieber nich!

Kim, die allmählich ein Gespür für den Zeitpunkt entwickelt hatte, an dem Helgas Nervenenden komplett bloß lagen, fand so schnell kein passendes Wort zum Sonntag und sah Evelyn einfach streng an.

»Na, nee – wie?« Evelyns Stuhl schien plötzlich mit Schmierseife belegt. »Luden jab's bei uns ja nich, hier uff de Oranienburjer. War'n ooch soweso bloß'n paar Mädels, weeßte? Mehr oben, vor de Friedrichstraße, da wo früher ooch die Kneipe vonne warmen Brüder jewesen war –.« Irgendwie zeitigte der Abwiegelungsversuch nicht die erhoffte Wirkung. Helga schwieg stur und ließ Evelyn nicht aus den Augen. Kim legte ihr unter dem Tisch eine warme Hand auf das wippende Jersey-Knie.

» 'n richtjer Strich is det hier erst seite Wiedervereinijung – bei uns war det nich ...«

Nöö, bei euch war sauber! Allet! In Helgas Kopf arbeitete es fieberhaft. Gedankenfetzen. Gedankenverbote. Nicht dran denken! Nich rinziehn lassen! Zuhälter habt ihr ja nich jebraucht, nö. Hattet ihr ja eure Stasi für, haste ja vorhin sehr schön erzählt, du blöde Schnalle! Schluß – denk an wat andret! Polizeistaat is aber immer n Ludenstaat, fastehste? Und det habt ihr ooch von de Nazis abjekupfert.

»Ham ja die Bullen ooch schuld, mit ihre Schikane jetze, wa?« Evelyn riskierte einen Blick zwischen eingezogenen

Schultern hervor und war konsterniert, weil auch dieses Angebot nicht zur Entspannung führte. Scheiß-Westvotzen! Die hatten sie reinjeleecht von wegen Bullenschikane und da wollten se was jehng unternehmen! »Irnkwer muß ein' davor doch beschützen ...?«
Edith hilf! dachte Helga. Nich die Sülze noch ma! Früher, wie de im feinen »Hotelfach« jewesen warst, da haste jedacht, der Typ anne Rezeptzjohn is dein Mann, dabei wußteste janz jenau, wo der abliefern jeht, wa? Nich die Knete, die de *dem* abjeliefert hast, die nich. Aber wat immer die hörn wolltn! Und denn war die DDR wech. Aber die Stasifritzen, die warn immer no' da, bloß det se jetze frei rumflottiern mit die janzen Kisten, wo se wissen über dir! Und du gloobst, da könntn dir deine Scheißluden vor schützen ... ma janz abjesehn, ob se überhaupt wollen! Und jetze solln se dir ooch noch vor unse Bullen schützen – ausjerechnet! Du hast doch nicht alle Wimpern am Lid!
Kim hielt weiter die Hand wärmend auf Helgas Knie und wandte den Kopf, um aus dem Fenster zu starren, auf das Treiben der Autofahrer und der zwei, drei Mädels auf der gegenüberliegenden Seite der Oranienburger Straße.
»... und übrigens, seit n paar Monate looft hier soweso een Ding – Mann! Jetze komm' nemmich ooch die Luden außen Osten!« Evelyn war sicher, damit mußte sie wieder ankommen bei diesen undurchsichtigen Westtussis. »Teils Ex-Stasi, teils weeß icke. Keene Ahnung vom Jeschäft, aber brutahl – also der Chris, der sacht zwar nischt, aber man hat ja Ohng im Kopp, ne? Der is echt uff Rückzuck deshalb ...«
Kims Kopf kam ruckartig an den Tisch zurück. »Ah – soo? Deswehng hat der mir – hat ma für die Konkurrenz jehalten!«
Die Blondine wurde wieder bleich. »Ach – du warst ... *det* war Chris?« Sie sah fest in Kims eines veilchenloses Auge.
Helga schnaubte und erwog, dringend aufs Klo zu müssen.
Evelyns Augen flatterten ängstlich zwischen Kims einem und Helgas beiden hin und her. »Und – jetze? Wollt ihr nischt mehr mit mir zu tun ham, wa? Jetze schickt ihr mir zurück zu dem ... det hätt ick wissn solln!«
Kim sprang auf. »Jetze«, zischte sie Evelyn an, »hältst du ma

die Luft an. Und denn jehn wa, weil wa nemmich alle Schlaf jebrauchn könn, wa Helga?«
»Oder so«, bestätigte Helga erleichtert. »Fleicht weeß unser Evchen aber ooch noch mehr sonne interessanten Sachen. Denn wir wolln ja vor lauter Luden die verdammten Bongs nich fajessn!«

ER HATTE SICH WIEDER VERFRANST, weil er wieder versucht hatte, nach der Logik westlicher Verkehrsplanung vorzugehen. Er konnte sich partout nicht merken, zwischen welchen Seitenstraßen die Linienstraße wie rum befahren werden durfte. Es hatte ihn am frühen Abend schon eine Viertelstunde gekostet. Und jetzt irrte er wieder seit zehn Minuten durch absolut finstere, menschenleere Straßen und kämpfte gegen die immer windigeren Flügel wütender Paranoia an. Das haben die extra gemacht in ihrem verdammten – Polizeistaat! Damit die Bürger ja nicht das Gefühl kriegen, sie könnten einfach überall hin! Vor allem nicht zu ihren Liebsten! Hoho – die Menschheit beglücken wollen, aber wehe wenn einer sein eigenes Glück besuchen will!
Endlich hoppelten die Reifen wieder über einen Boden aus Pflastersteinen und Straßenbahnschienen, der ihm bekannt vorkam. Er entzifferte mit Mühe und in letzter Sekunde, obwohl er höchstens zwanzig fuhr: Alte Schönhauser Straße. Da rechts, das mußte wieder die Linienstraße sein. Dann wäre die nächste die Mulackstraße. Richtig. Rechts rein. Links das Haus mit der Aufschrift, über die er sich schon mal gewundert hatte. WAS DER KRIEG VERSCHONTE, ÜBERLEBT IM SOZIALISMUS NICHT. Merkwürdiger Satz. Dahinter Freifläche und ein eingerüstetes Haus. Die ganze Straße stockdunkel. Die wenigen müden Laternen standen in dem kurzen westlichen Stück, in dem auch sein Haus stand. Neumanns Haus. Das Haus, in dem er die – doch! Klar! Das war die schönste Nacht seines Lebens. Bisher!
Schläfst du schon, mein Glück? Dann wirst du aufgeweckt ... dann wirst du aufgedeckt ... denn ich bin dein Nachtgespenst ... dein süßes Nachtgespenst ... ick weck dich, wenn

du pennst – und? weiter? Er kicherte erwartungsfroh und ließ die düstere Kneipe, die tatsächlich noch offen hatte, links an sich vorbeiziehen. Wie hieß die noch? Ich weck dich, wenn du pennst, damit du – mit mir zu mir kömmst! Nee. Blöd! Rennst! Mit zu mir rennst. Und bei mir pennst! Hähä, reim dich oder ich freß dich ... ach Neumann – was bin ich *scharf* auf dich!
Roboldt parkte das Auto in der erstbesten Lücke, noch vor der Kreuzung Gormannstraße, weil er das Licht im zweiten Stock des Hauses Nr. 23 gesehen hatte. Er sprang heraus und lief über die Straße, um vor der Ecke stehenzubleiben, einen kurzen Heuler auszustoßen und wieder zurückzulaufen. Wenigstens abziehen und mitnehmen sollte er den Schlüssel! Als er sich wieder umdrehte und über die Straße hüpfen wollte, sah er einen großen Mann in Schwarz auf sich zukommen. Er warf einen Blick nach vorn oben. Das Licht war aus. Dann war das – das war – schon wieder ein Wunder!
Mitten auf der Kreuzung Mulack/Gormannstraße, zwischen einer zugerammelten und drei angenagten Ecken, an denen ein leiser Wind durch magere Äste strich, in der Kälte der Nacht, in der eben der fünfte Februartag des Jahres 1992 begonnen hatte, fielen sich zwei Detlefvs in die Arme, verhakten sich, als hätten sie Tentakeln, verbissen sich ineinander und tanzten und schaukelten auf dem maroden Pflaster, als wär's ein meschuggenes Meer oder gleich der Himmel.
»Momänt mor«, keuchte Neumann schließlich, »dorf'sch fleischt n Orngblick driebor norchdängn!«
Und da Roboldt fand, daß einvernehmliche Entführungen noch viel reizvoller waren, und da nichts die Macht routinierter Disziplin besser unterminiert als die Macht heilloser Verliebtheit, fädelten sich beide kurz danach durch die Tür zwischen den beiden großen Fenstern, auf denen zwei Ausstellungen über DIE VERLORENE STRASSE und DIE VERSCHWUNDENE STADT ebenso beiläufig für sich warben wie Japanische Nudelsuppe in drei Variationen zu 3,80 DM und Schwäbische Maultaschen und Frühlingsrollen und, nicht zu vergessen, das Tequila-Angebot, täglich ab 18 Uhr,

braun oder weiß zu einer Mark, in eine ochsenblutdunkle Kneipe voller sehr junger Leute, Studenten vielleicht.
»Mulackritze – genau!« fiel Roboldt wieder ein, als er die handgemalte dunkelrote Fibelschrift über dem Eingang gelesen hatte.
»Von Egon!« brüllte Neumann durch die weißen Popmusikschwaden zurück. »*Die* wor bei mir gäschniebor! Und jetzt isse jottwädä, in Mahlsdorf!«

DASS MIRIAM JACOB GENANNT MIMI ebenso entbehrlich war wie irgendein Tonbandgerät, stand zehn Minuten nach Beginn des sehr einseitigen Gesprächs der beiden un-uniformierten Polizistinnen mit Erich Voltaire zweifelsfrei fest. Sie konnte ebenso gut in die nächste Pizzeria fahren und etwas zu essen holen, was auch angesichts des Voltaireschen Magens, der sein Schweigen um etliche Dezibel übertönte, keine schlechte Idee war. Das schien auch Frau Voltaire, die in Begleitung eines Uniformierten im Schreibzimmer saß und an die Decke starrte, so zu sehen.
»Aber keene Pizza!« war der erste Satz, den sie nach ihrer Behauptung, keine Tochter zu haben, laut zu Protokoll gab.
»Bringen Sie sie auch rein, Mimi«, seufzte Lietze. Sie hatte noch einen Rest Hoffnung, das Ehepaar Voltaire mittels Speis und Trank nach seiner Wahl aufweichen zu können.
Tatsächlich ließ sich das Paar nach wenigen Minuten gnädig herab, mit »ner Wurscht und Brot« einverstanden zu sein.
»Von mir aus Körrie.« Voltaire schien es eilig zu haben.
»Rostbratwurscht is aber nich so schaaf!« Madame schien regelrecht zum Leben zu erwachen.
Mimi hatte nur eine Hoffnung: Daß am nahen Wittenbergplatz eine diesbezügliche Bude noch in Betrieb war und sie nicht bis zur Potsdamer Straße fahren mußte. Sie hatte Hunger, sie war müde, und ihre Laune war auf ein gemeingefährliches Maß geschrumpft.
»Setzen Sie sich, Frau Voltaire«, fing Lietze an, nachdem die Tür hinter Mimi ins Schloß geknallt und Schade vor Schreck die Zigarette aus dem Mund gefallen war, die sie eben an-

zünden wollte. »Wir haben uns gerade gefragt, warum Ihr Mann eigentlich einerseits keine Mühen scheut, Ihrem – naja, Schwiegersohn allesmögliche anzuhängen, andererseits aber uns nicht helfen will, ihn zu finden. Er konnte uns da keine befriedigende Antwort geben ...«, sie sah zu Schade, die einen mokanten Augenroller gegen die Decke schickte, »... können Sie's? Ich meine, Sie müßten doch ein Interesse daran haben, daß der Mann gefaßt wird.«
Frau Voltaire sah zu Herrn Voltaire, aber der hielt den Blick exakt auf der sowjetischen Pelzkappe auf seinem Schoß, von der er seit einer Ewigkeit imaginäre Fussel schnippte.
»Soll ich Ihnen mal sagen, was *ich* glaube?« schnitt Schades Stimme durch die Schweigemauer. »Ich glaube, Sie, Herr Voltaire, und Ihre ehemaligen Kollegen von der Hauptabteilung XXII, mit denen Sie so lebhafte, so gar nicht rentnermäßige Aktivitäten entfalten, Sie haben etwas vor, das sich gegen Herrn Eube richtet. Oder Sie bereiten eine Zusammenarbeit vor ... Auf jeden Fall müssen Sie verhindern, daß wir ihn vorher kriegen – hm?«
Auch der etwa dreihundertvierundfünfzigste Fussel bekam seinen Schnippser. Frau Voltaire bohrte derweil Löcher in die Zimmerdecke und ihre Manteltaschen.
»Ist Ihnen klar, daß Sie sich strafbar machen, wenn Sie einen mutmaßlichen Täter seiner Verhaftung entziehen?« Lietze wunderte sich über ihre makellos bürokratischen Formulierungen. Wenn ich schon mal protokollreife Sätze sage, dann gibt's keine Aufzeichnung. Warum erzähle ich dem eigentlich nicht, was ich ihm wirklich sagen will? Daß ich zwar nicht weiß, wie man das nennt, was er da zu planen scheint, daß ich das aber noch rauskriege. Und dann Gnade ihm – ach was. Blödsinn!
Es war zwecklos.
»Vergessen Sie ihren Plan ganz schnell«, fuhr Schade fort. »Die beiden Adressen, die Sie uns von Herrn Eube zugespielt haben, werden überwacht. Die Adressen Ihrer Kollegen kennen wir auch – wollen Sie's hören?« Sie blätterte in ihrem Block zurück und fing an, Namen, Geburtsdaten und Anschriften vorzulesen, die sie in den Unterlagen des Bundesbeauftragten für die Stasi-Abwicklung gefunden hatte.

Voltaire war keinerlei Regung zu entlocken. Er schien nur immer starrer zu werden, und sein Geschnippse bekam etwas ebenso Manisches wie sein überheblicher Gesichtsausdruck.
Lietze fixierte Frau Voltaire, die ihre Augen jetzt ebenfalls stur auf ihren Schoß gerichtet hielt. Aber etwas in ihr zuckte nervös. Sie hatte sich schon lange nicht mehr auf die Lippe gebissen. Vielleicht tat die einfach weh?
»Und noch was«, Schade warf Lietze einen fragenden Blick zu, und Lietze reagierte nickend, »sollten Sie wissen, Herr Voltaire, und Sie auch, Frau Voltaire – nach Ihnen und nach einem der anderen, nämlich Ihrem Freund, den mein Kollege bei Ihnen in der Küche angetroffen hat, während Sie unterwegs in die Wohnung Ihrer Tochter waren, hat sich jemand erkundigt bei der Gauck-Behörde ...«
Es war keine schmerzende Lippe, was Frau Voltaire zusammenzucken ließ. Herr Voltaire, der ihre Nervosität spürte, warf ihr einen kurzen verächtlichen Blick zu, um gleich danach die beiden Polizistinnen mit einem verrutschten ironischen Grinsen zu bedenken.
»... und dieser Jemand ist, raten Sie mal, wo gemeldet?« Schade, die in den Jahren mit den bitter-ironischen Unberechenbarkeiten von Anitas Krankheit auch zur Meisterin der liebreizenden Gift-Emission gereift war, beobachtete genüßlich, wie Voltaire nach dem Grinsen auch die Mütze wegrutschte und Frau Voltaire eine Hand aus der Tasche riß und sich damit durch die Haare fuhr.
Lietze formulierte innerlich ein »Chapeau!« in Schades Richtung, lehnte sich im Stuhl zurück und beschloß, die *Lucky Luciano* in ihrer Hand nicht anzuzünden.
»Sie dürfen's ruhig laut sagen – in Fohrbeck. Ganz recht. Genau da, wo Ihre damalige Truppe schon eifrig Informationen gesammelt hat. Wir werden bald wissen, ob dieser jemand auch zur Deutschen Front gehört ...«
Die Tür flog auf und mit einem Knall gegen einen Aktenschrank. Beiden Voltaires riß es die Köpfe herum.
» 'tschuldigung«, flötete Mimi in überraschend blendender Laune, »es hat ein bißchen gedauert, weil ich mit dem Ganef an der Bude Zores gekriegt hab und dem erstmal den Kopf

waschen mußte!« Sie legte das riesige, in die bekannte Berliner Boulevard-Zeitung mit dem erhöhten Holzgehalt gewickelte Paket auf Lietzes Tisch ab und zog sich den Mantel aus. »Rostbratwürstchen hatte er auch nicht mehr. Nur noch Currywürste.«

Die Genossenschaft Voltaire war entweder sehr hungrig oder sehr dankbar für den unverhofften Themenwechsel. Nur Frau Voltaire sah immer öfter hoch von ihrem Pappteller und musterte Lietze und Schade, die sich in gedämpftem Ton über Einzelheiten aus Schades Aktenstudium und das Alibi der Großeltern des ermordeten Kindes unterhielten. Warum ihr plötzlich Tränen die Wangen hinunterzulaufen begannen, ließ sich nicht eindeutig erkennen. Wahrscheinlich lag es nur an der Vereinigung der reichlich pikanten Currysoße mit den malträtierten Lippen der armen Frau. Jedenfalls ließ sie irgendwann den Pappteller in den Schoß sinken. »Wie – wie jeht's – Dorle denn?«

»KARIN? HIER IS HELGA. Zwee Uhr achtndreißich Mittwoch früh. Irnkwann müssn wa ooch ma wieder über wat andret rehn als ewich Arbeit, und vor all'ning müssn wa würkich unsern Spazierjang durch de Mulackei verabrehn – ick gloob, ick brauche echt Begleitschutz! Aber jetze ersma die andre Sache. Mit Kim mein ick. Wir ham n jutet Dutzend Autonummern, wo wir vermuten, det sind Ludenschlitten. Die könnte man anunpfirsich ma jenauer ankucken. Also, foljende: IVY dreifünf ...«

Mitten in der dritten Autobeschreibung sagte der automatische Sekretär »Pieiep!« und ließ Helga mit ihren Zahlen und Typen und Farben und Spoilern in einem dumpf vor sich hin wabernden Raum hängen. Sie seufzte, wartete einen Augenblick und wählte wieder. »Mann, Karin – manche Leute ham dir mehr als wie ne Minute zu erzählen!«

Als sie fertig war mit den Durchsagen, lief Lietzes Band zum vierten Mal.

»So, det war ma det!« Helga schnaufte kurz auf und hastete sofort weiter im Text. »Jetze ham wa überhaupt *den* heißen Tip: Der Drecksack, wo Kim jestern ahmt inne Mangel jehabt hatte, der heißt Chris. Also wahrscheinz Christoph oder Christjan oder sowat. Nachname krieng wa ooch noch. Wir ham nemmich die Tussi, wo für den ackert uff de Oranienburjer. Und die hat ne Stinkwut uff den, die is hier bei mir, also im Büro mit, weeßte? Und dieser Chris wohnt bei die, det is Wedding, obwohl, die is außen Osten, na, is ja ooch ejal, jehmfalz, wohnt die Böttchastraße siebz'n eene Treppe, und anne Tür steht Müller. So, det wollt ick dir bloß sahng. Du kannst hier jederzeit zurückrufen – mach det bitte, ja? Denn wir wolln da dringend wat unternehm ...«

Ausschweifende Verabschiedungen wurden vom vierten Piep abgewürgt. Helga legte auf und sank im Stuhl, in dem tagsüber zumeist Manu saß und Telefon und Telefax und Computerkartei gleichzeitig bediente, zurück. Dann fiel ihr ein, daß der Unfall, den es oben auf der Oranienburger Straße gegeben haben mußte, vielleicht auch Hinweise für Lietze enthalten könnte. Aber sie war zu müde, um den Hörer zum fünften Mal hochzunehmen. Sie schlief auf dem Bürostuhl ein, mit dem tröstlichen Gedanken, daß Kim ja noch jung war und mehr Geduld für Fälle wie Evelyn Müller aufbrachte. Und überhaupt – macht *die* Mijräne hier det schönste Koppzerbrechen, wat icke im Lehm am Hals hatte!

VON DER ROSA-LUXEMBURG-STRASSE ließ er den Taxifahrer nach links in die Weydinger einbiegen und an der Ecke zur Kleinen Alexanderstraße halten.

»Um die Zeit noch ins Karl-Liebknecht-Haus? Det nenn ick parteiverbunden!« Der Taxifahrer war von herzzerreißender Gutmütigkeit, obwohl er die gesamte Strecke vom Wittenbergplatz an allein für Unterhaltung hatte sorgen müssen.

Voltaire stieg aus und lief ein paar Schritte zurück.

Frau Voltaire zahlte. »Erich – wo rennst du denn hin!« rief sie hinter ihm her, als das Taxi gewendet hatte und an der klobigen Freitreppe der Volksbühne vorbei wieder auf die Rosa-Luxemburg-Straße fuhr.

»Hier haben sie jedenfalls keine Bewachung!« murmelte er kurz vor der Weydinger Nr. 2 und machte auf dem Absatz kehrt, ohne das Treppenhaus auch noch zu inspizieren.

»Du hast doch gar keen Schlüssel –«, sie schaffte in letzter Sekunde, ihm aus dem Weg zu springen.
Nirgends eine Spur von Menschen. Er ging kalt und unerschütterlich durch das unheimliche Dunkel des Platzes, aus dem ernsthaft und hell, wie ein dämmernder Traum, das frisch geweißte Parteigebäude ragte, vorwärts zur Linienstraße.
Sie lief hinter ihm her.
»... ganz schlechte Figur gemacht ...«, schnappte sie auf, »... keinen guten Dienst erwiesen ...«
Weiterer oder auch deutlicherer Worte schien er sie nicht für würdig zu befinden. Sie verlangsamte ihre Schritte – er würde vor ihrem Haus auf sie warten müssen, denn sie hatte den Schlüssel, nicht er! – und füllte den größer werdenden Abstand mit trotzigen Gedanken und Fragen, über die sie das Ausatmen immer wieder vergaß. Was *hatte* sie denn alles erzählt? Sie *hatte* doch nichts gesagt, bloß daß – natürlich, die drehten einem aus allem einen Strick. Weeß man ja. Die warten ja bloß druff, uns alle abzewickeln. Wer nich für'n Anschluß is, is von vornerein verdächtich ... hat man ja jesehn – vor Jericht – unsre Führung! Klassenjustiz! Die janze Unmenschlichkeit des kapitalistischen Süstehms, da kann man se sehn! 'n Erich jehört nich vor een Jericht! Keen Erich!
Voltaires Erich trat vor dem Haus Linienstraße 21 vorwurfsvoll von einem Bein aufs andere.
Voltaires Frau blieb ein Haus davor stehen und suchte besonders umständlich ihre Tasche nach dem Schlüsselbund ab. Und ick *hab* denen nischt jesacht, wat die nützen könnte, beschloß sie. Und Dorle *braucht* unsere Hilfe – warum soll't denn nich so jewesen sein, wie die sich det denken? Is doch möchlich, det Dorle jaa nischt zu tun hat mit die Sache selbst! Die is da bloß rinjeraten, weil se ne liebt, diesen – dieset – Scheusal!
Endlich schloß sie die Haustür auf. Voltaire stürmte die Treppe hoch.
Sie schleppte sich hinterher. Ick hab dich nemmich ooch mal so – so ... Sie hörte, wie oben die Wohnungstür aufging. Geliebt. Jawoll!
Der etwa fünfzigjährige schlanke große Mann stand in sei-

nem pelzgefütterten Ledermantel im Türrahmen. Erich Voltaire schob ihn beiseite, wartete, bis seine Frau auch oben war, und schloß persönlich die Tür. »Bring uns die Flasche und zwei Gläser!« Und zu dem anderen Mann gewandt: »Zieh dich wieder aus. Gibt Arbeit!«

DER MENSCH IST ENDLICH, verdammt nochmal! Lietze trat die Bremse fast bis zum Asphalt durch und blieb auf der Hupe, als wäre Sekundenkleber dran. Das Intervall-Training, neudeutsch Stop-and-Go, in dem sie seit zwanzig Minuten steckte, war zermürbend. Gegen die Schwaden aus Abgasen von Dutzenden Autos vor und neben ihr, den Gestank von angekokeltem Gummi, wenn wieder mal jemand die Nase voll hatte und den Startkavalier raushängen mußte, gegen die ganze müde feuchte Luft half kein Nikotin, und kreischende Hupen schlugen keinen Millimeter Bresche in die rollende, anfahrende, dann wieder stehende Mauer aus Blech und Glas, die das nördliche Ende der Martin-Luther-Straße verstopfte.
Sie kurbelte das Fenster drei Zentimeter herunter, warf die *Lucky-Luciano*-Kippe hinaus und kurbelte sofort wieder zu. Sie sah auf die Uhr an ihrem Arm. Sieben Uhr sechsundzwanzig. Sie haßte es, auf den letzten Drücker aus dem Haus zu stürzen. Vor allem morgens. Gehetze am Morgen bringt Kummer und – Quatsch! Heute morgen nicht. Heute morgen hatte das Gehetze einen Grund. Einen ganz und gar phantastischen – wunderbaren – hmmmh!
Sie ließ die Kupplung ganz sachte kommen und rollte gut zehn Meter vorwärts. Dann drehte sie den Rückspiegel zu sich und sah hinein. Sieht man dir gar nicht an, daß du kaum eine Stunde geschlafen hast, stellte sie fest. Bißchen dunkel um die Augen, aber sonst –? So ein übernächtigter Zug, das hat ja was! Ob er gemerkt hat, daß ich älter geworden bin? Wieviel eigentlich? Seine Haut ist auch dünner geworden. Nicht mehr so – proper. Gespannt. Feiner irgendwie. Kostbarer. Aber Zeit hat er immer noch nicht – wie früher. Kein Halten. Oder sollte mir das schmeicheln? Findet er mich so – so – wie er wohl bei seiner Frau ist?

Eine Hupe hinter ihr und Vorwärtsbewegung auf den beiden Spuren neben ihr beendeten Lietzes wohlige kleine Rückblende, bevor sie unangenehm umkippen konnte. »Ja, du Affe! Ich fahr ja schon!« brüllte sie fröhlich durch die Scheibe in ein übellauniges Gesicht, das in eine Lücke und an ihr vorbei geschossen war.
Der Mensch ist eben endlich, entschuldigte sie sich kichernd, als ihr einfiel, daß sie Lang immer noch nicht gefragt hatte, was für einen entscheidenden Termin er heute mittag in Berlin eigentlich hatte. Der Mensch Lietze war auch gestern nacht endlich gewesen, als der Anrufbeantworter die Frechheit besessen hatte, gleich vier aufgezeichnete Nachrichten anzuzeigen, und schon die erste sie an diese blödsinnige Zuhältersache und Kim und die ganze Migräne zu erinnern gewagt hatte. Ich kann mich doch nicht um alles gleichzeitig kümmern, hatte sie gebrummt, den Apparat vorlaufen lassen, beim zweiten Anruf wieder nur Autonummern diktiert bekommen, genauso beim dritten und beim vierten, und dann hatte sie ihn ausgeschaltet. Weil sie erst morgen früh wieder im Dienst sein würde, soviel Zeit mußte sein! Denn viel war das sowieso nicht mehr gewesen, zwischen viertel nach drei, als sie endlich nach Hause gekommen war, und viertel nach sechs, als sie eigentlich wieder ins Auto hätte steigen müssen ...
Sie sah in den Seitenspiegel, setzte den linken Blinker und scherte aus, im dreisten Vertrauen darauf, daß der von hinten anrollende Fahrer nicht eingeschlafen war. Nein. Knapp hinter ihrem Heck schaffte er den Tritt in die Bremse, schien sie jetzt aber seinerseits wecken zu wollen. Die Lichthupe blitzte ihr fünfmal durch den Seitenspiegel in die Augen, und sie konstatierte vergnügt, wozu es gut war, daß sie vergessen hatte, den Innenspiegel wieder in den richtigen Winkel zu drehen.
Genau so ein Choleriker wie dieser – wie hieß der noch mit seiner Imbißbude? Jähder. Wieso fiel der ihr jetzt ein? Komischer Vogel. Wie hatte Seidel gesagt – mal schmieren sie dem ein Auto voll, mal hauen sie ihm eins kaputt. Oh Gott, Seidel!
Sie stand tatsächlich in der richtigen Spur, um an der Ampel

nach links in die Kleist- und kurz danach wieder nach rechts in die Keithstraße zu biegen. Sie mußte Seidel noch vormittags anrufen. Noch so eine Zusatzgeschichte! Warum muß diese Violetta ausgerechnet jetzt hier wieder aufkreuzen! Falls sie's überhaupt ist ... Das heißt? Vorher doch Helgas vier Anrufe abhören! Womöglich war doch außer Autonummern noch etwas Wichtiges dabei gewesen! Lietze, du bist eine dumme Nuß – gierig wie ein Teenager! Bloß weil in deinem Schlafzimmer ein Mann liegt und lockt ... Schluß jetzt!
Sie nahm die Rechtskurve bei vollem Rot, was sich in der milchigen Finsternis zwischen den flimmernden Autolichtern besonders harmonisch auf die Netzhaut schmiegt. Eins nach dem andern. Erst kommen mal die andern – Roboldt und Bendel in die ... hoffentlich sind die nicht schon losgefahren! Dann dringend die Charité anrufen, Dolores Wolter – was diese Voltaires jetzt wohl machten? Aber es gab keine Möglichkeiten, sie festzuhalten. Das Alibi war sicher. Die waren zum Tatzeitpunkt nicht in Berlin gewesen, das ganze Wochenende nicht, alle beide. Mit dem, was sie und Schade von Voltaire wußten oder vermuteten, hätte sich nicht mal eine Wohnungsdurchsuchung durchkriegen lassen. Jedenfalls: Dolores muß so schnell wie möglich reden. Und wenigstens sagen, wo Eube nun wirklich zu finden ist. Dann der, dann – verdammt nochmal, wenn man bloß wüßte, ob diese Voltairesche Seilschaft wirklich etwas gegen diese Nazis vorhat oder ob die – ach was, die machen doch nicht gemeinsame Sache! Dann hätte der dem Eube nicht die Papiere in die Wohnung schmuggeln wollen. Beobachten müßte man den – Quatsch. Einen Kindsmord aufklären muß man. Und sonst gar nichts. Auch wenn sonstwas dranklebt. Eins nach dem andern! Jetzt noch über die Kurfürstenstraße. Verdammt nochmal, wieso müssen die Ampeln gerade jetzt grün für die andern zeigen!
Sie zog die Tasche auf dem Beifahrersitz zu sich und tastete drin herum, während sie wartete, bis die Schlange der Autos auf der Straße, die sie kreuzen wollte, abriß. »Mist!« knurrte sie endlich. Sie hatte das Abhörgerät für ihren Anrufbeantworter zu Hause vergessen. Und das bedeutete

noch einen Anruf. Den sie sich lieber gespart oder wenigstens vorinformiert gemacht hätte. Denn daß Lang morgens an ihr Telefon ging, nachdem er es nachts auch nicht getan hatte, nur um sich viermal Helga anzuhören und ihr zu erzählen, ob sonst irgendetwas Bedeutendes dabei war, das glaubte sie kaum.

»NICHT VOR DEM WOCHENENDE ... aha. Und wie es Frollein Wolter geht, wollen Sie mir auch nicht sagen! So. Dürfen Sie nicht.« Heinz Klaus Jähder legte auf, bevor er sich ein Danke hätte abringen müssen. Er lehnte sich zurück in seinem Chefsessel, zog ein Taschentuch aus dem Jackett und zertupfte Perlen auf einem größeren Segment seiner ins Auberginefarbene spielenden Stirnglatze. So viel Zeit hatte er nicht! Zeit ist Geld. Wenn die da gestern soviel abgekriegt hatte, daß an ein Überleben gar nicht zu denken war, dann mußte er da sofort ran. Denn was er gestern abend in dem Inferno rund um sein Barbiecue aufgeschnappt hatte über dieses Frollein – wie hieß sie doch noch, Lolita Wolter? Dodo-doretta? Dolores! Diese Dolores Wolter mußte ja wohl jung sein. Also hatte die ja wohl auch ein gesundes Herz!
Die Perlen regenerierten und vervielfachten sich auf unheimliche Weise. In rasender Geschwindigkeit. Wie Zellen von einem besonders aktivistischen Gewächs. Und für den Fall, daß die doch durchkommen sollte, wäre sie immerhin in punkto Nieren interessant. Denn japanische Autos werden nicht von Leuten genommen, die Geld haben! Hähä – Morbus Mazda! Wer saß eigentlich noch in der Charité, den er von früher kannte?
Jähder ließ die Hand sinken und horchte. Dù-dung dù-dung dù-dung. Starrte auf die Uhr. Acht Uhr dreizehn. Zählte. Hundertzwei-hundertdrei-hundertvier ... Da! Dù-dung dù-rap-dung dù-dung dù-dung du-ràp. Es ging wieder los! Kein Wunder bei dem ganzen Schträss hier! Aber morgen früh um Punkt neun war er in Erkner und machte Günter die Hölle heiß! So oder so. Entweder der tanzt hier gar nicht erst aus der Reihe – ràp-du-dung ràp-dung bloàk-dung.
Das Taschentuch war inzwischen so naß wie Jähders Haut.

Auch das Hemd begann sich vollzusaugen. Er ächzte aus dem Drehsessel und riß das Fenster auf. Die anthrazitmatte Luft, die mit Abgasgestank und Baulärm zu ihm hochwehte, kam ihm vor wie eine frische Ostseebrise. Er schnappte danach und horchte weiter in sich hinein. Oder aber – und das war sooweso die ideale Sitteatzion: Sollte Günter morgen früh auch nur den geringsten Hinweis geben, dann war er fällig! Dann würde er, Heinz Klaus Jähder, persönlich dafür sorgen, daß –. Alles eine Frage der richtigen Organisation! Irgendein Hochhaus wird sich ja wohl finden lassen. Man könnte auch mal den Fernsehturm am Alex tschäcken – dù-rap dù-dung dù-dung ... Aha? Das Restorang da oben drauf – ha! Da könnte er eigentlich mit Karin hin, nachher? Zwei Fliegen mit einer Klappe. Das Essen wäre ein doppelter Fall von nützlichen Betriebskosten. Dù-dung dù-dung dù-dung ... Nein! Für Karin war das Grand Hotel der quallefizierte Ort.
Falls die nicht selber sowas vorhatte. Er ging wieder zurück und sank in den Sessel. Er mußte das heute mittag unbedingt herausfinden. Was war an dieser Frau? Irgendwie wurde er aus der nicht schlau. Irgendwas an ihr – Kabelbrand. Roch nach Kabelbrand. Kurzschlußhandlung. Irgendwie war ihr jede Art von Kurzschlußhandlung zuzutrauen! Er zog den Terminordner zu sich und entnahm ihm ein Blatt Papier. Geboren am 7. Oktober 1949 in Mödlareuth/Thüringen. Das war fast identisch. So weit war Thüringen von Berlin auch nicht weg. Und wenn die Quacksalber bei Eurotransplant hundertmal erzählten, ein übereinstimmendes Geburtsdatum sei kein Faktòr, kein *Fàktor* für ein Full-Haus. Die hatten doch alle keine Ahnung! Dù-dung dù-dung dù-dung. Na bitte!
Aber Günter war dran! Es war nur noch die Frage, wie schnell er eine funkzjenierende Klinik fand. Mit quallefiziertem Personal!
Und das Geld flüssig machen konnte. Daß aber auch ausgerechnet jetzt dauernd neue Kostenfaktoren auftreten mußten! Wieviel das wieder verschlang da! Der Wagen von der Oranienburger. Und abgeschleppt werden mußte der auch noch. Na, wehe, die Versicherung stand dafür nicht gerade! Und zwar per Vorkasse!

Neuer Schweiß brach ihm aus, als er daran dachte, mit wem er noch alles telefonieren mußte, bevor er endlich mit Karin essen gehen durfte. Das Chaos an organisatorischem Kleinkram verdrängte auch die ängstliche Frage, ob er sich gestern abend im Gespräch mit dieser Kriminalistin irgendwie – hatte er irgendetwas Falsches erzählt? Sich verraten? Er hatte sich ganz ang passang erkundigt, wo man Frollein Wolter untergebracht hatte. Wieso hatte die »wieso?« gefragt? Oh verdammter Mist! *Die* Verkäuferin fiel ja auch aus. Die nimmt doch bestimmt eine Woche Urlaub wegen Schock!

Mal langsam. Seine Finger klebten auf dem Personalblatt von Swetlana »Karin« Hall fest, als er es wieder in den Ordner schieben wollte. Heute bleibt der Wagen am Luxemburg-Platz eben zu! Der auf der Oranienburger kommt weg. Vielleicht kann man den Geschäftsverlust am Luxemburg-Platz auch der Versicherung draufdrücken. Mal abwarten. Wie Karin das sieht. Irgendwas – Bösartiges hat die ja auch. Wenn die sich hier richtig einarbeitet ... Die würde wahrscheinlich den ganzen Teil der Ortrans-Geschäfte vorbildlich abwickeln. Vielleicht kriegt die sogar die ganze Beschaffungsfrage endlich mal in systematische Bahnen! Ist ja immer noch der Schwachpunkt ... Irgendwie wirkt die in jeder Beziehung wie ein Gewinn. Im Entefäckt.

»KARIN?«Ein Timbre erquickend wie eine noch warme frische Schrippe mit Butter und Honig an einem viel zu frühen Morgen, an dem sachte und unaufhaltsam über dem Frühstückstisch die Frühlingssonne aufgeht. Mimi Jacob balancierte einen vollen Kaffeebecher in der einen, einen Packen betipptes Papier in der anderen Hand und hatte einen Ellbogen so hinter die Klinke gehakt, daß die Tür nirgends gegenknallen konnte.

Lietze saß am Schreibtisch, eingehüllt in blauen Dunst, mit dem Hörer zwischen Schulter und Ohr, und bemalte mit gereizten Strichen die Schreibunterlage. »Das gibt's doch überhaupt nicht! Leben wir hier in einem entwickelten Land am Ausgang des zwanzigsten Jahrhunderts oder in ei- ja? Ja

natürlich warte ich! Das tu ich übrigens seit vierzehn Minuten! ... Danke, Mimi!«
Mimi stellte den Becher ab und hielt Lietze den Papierstapel unter die Nase.
»Zweimal ist die Verbindung schon abgebrochen. Drei verschiedene Damen an irgendwelchen Nebenstellen haben behauptet, bei ihnen gäb's diese Frau Doktor nicht. Eine habe ich angebellt, *hier ist die Kriminalpolizei, verstehen Sie? Po-li-zei!* Das hat die gar nicht erschüttert. Da sagt die bloß, die Zeiten seien ja jetzt Gott sei Dank vorbei!« Lietze nahm den Stapel. »Gleich bin ich soweit, daß ich beim zuständigen Abschnitt anrufe und um uniformierte Amtshilfe ersuche!«
Mimi lächelte ihr balsamischstes Lächeln und nickte zustimmend. »Eine von Ihren, also von den beiden Ladies, die gestern hier waren, versucht dauernd, Sie anzurufen, Karin. Die jüngere. Ich hab ihr versprochen, ich sag Ihnen Bescheid – ich hab die Nummer mit Bleistift da oben drauf geschrieben.«
»Ja! ... Wieso nimmt in der Intensivstation keiner ab? ... Ja, ich möchte auch meine Leitung gern wieder frei kriegen, gnädige Frau! Also tun Sie mir einen Gefallen und geben Sie mir die Durchwahlnummer!« Lietze kritzelte wieder und warf schließlich den Hörer auf.
»Gnädige Frau?« grinste Mimi.
»Was soll man denn sonst sagen!« fragte Lietze und mußte auch grinsen. Sie griff zum Kaffeebecher. »Woher haben Sie eigentlich wieder Ihre unverschämt gute Laune?«
»Barbiecue!« strahlte Mimi. »Das war die Hutschnur. Als ich das gesehen habe gestern abend, diese blöde Wurstbude mit *dem* Namen, da hab ich gedacht, jetzt ist aus. Jetzt krieg ich die Wassersucht. Jetzt heule ich hier auf der Stelle eine Sündflut zusammen, da sollen sie alle drin ersaufen! Ich hatte nämlich meinen Onkel schon beschimpft dafür – ich hatte gedacht, jetzt übertreibt er aber mit seinen Horrorstories aus dem wilden Osten. Ehrlich, ich hab's nicht geglaubt!«
Das Telefon klingelte. Lietze nahm ab. »Moment, Schade ... nein, immer noch nicht ... Dann kommen Sie gleich rüber damit.«

»Aber dann hab ich gesehen, daß da jemand was draufgesprüht hatte – und das war's. Hotel Terminus – haben Sie's erkannt? Die Seite war ja ein bißchen geknautscht, aber man konnte es noch lesen! Das hat mich gerettet, Karin.« Mimi paddelte mit dem Armen durch den Raum. Sie schien irgendeinen luftigen Tanz zu simulieren. »Da hab ich die Tränen *gelacht*. Und seitdem ... Verstehen Sie, Karin? Mehr Witz! Was diesem Land fehlt, ist Witz. Und jeder Witz, der einem hier unter die Nase kommt, ist ein, ein – seelisches Passahfest, sozusagen!«
Lietze bestaunte die passah-fröhlich kichernde Seele des MI/3. »Der Herr Budenbesitzer scheint den nicht verstanden zu haben.«
»Jähder? Ho-ho-oi-oi! Der hat bei der Verteilung der Lach-Potenz genauso weit hinten gestanden wie – wie – diese ganzen Schießbudenfiguren, die ihr in diesem euerm Land an die Regierung laßt!«
Lietze schnaufte laut auf. »Meine Rede ... Was war das hier für eine Nummer? Ach so – du lieber Himmel ja. Kim! die muß ich sowieso anrufen.«
Aber erst will ich wissen, wann wir endlich zu Dolores Wolter dürfen, verdammt nochmal, beschloß Lietze, als Mimi die Tür durchtänzelt und hinter sich zugezogen hatte. Sie griff wieder zum Hörer und wählte. Besetzt. Wählte eine andere Nummer. Besetzt. Knallte den Hörer wieder auf und versuchte, das innere Gefauche zu beschwichtigen. Eins nach dem andern! Dolores Wolter läuft uns nicht weg. Über Christian Eube kriegt hoffentlich Roboldt etwas Neues raus. Dettmann rufe ich an, wenn ich den Ablauf des heutigen Abends mit Seidel geklärt habe. Was mit diesem Möchtl ist, interessiert hier nun wirklich nicht. Soll er sich selbst ausdenken. Ich kann den hier nicht gebrauchen. Und die Voltaire-Seilschaft hat Schade jetzt hoffentlich soweit –.
Schade hatte. Und stand mit einem weiteren Stapel Papier im Zimmer. »Haben Sie die Charité erreicht?«
Lietze schüttelte den Kopf und lud sie ein, auf dem Stuhl vor dem Schreibtisch Platz zu nehmen.
»Also ...«, Schade schien wirklich Geschmack an Kunstpausen gefunden zu haben, »... *schnell* ist da gar nichts drin.

Das sind sechs Leute. Von Köpenick über Hellersdorf bis Pankow. Allein die Fahrerei da hin kostet schon so viel Zeit und Nerven ...«
Abgesehen davon, daß wir nicht mal genug Leute haben, um zwei mögliche Aufenthaltsorte eines einzigen Mannes zu überprüfen! dachte Lietze, während sie Schades Mundbewegungen mit den Augen folgte. Fritz steht auch nicht morgen früh wieder auf der Matte. A propos – ob Fritz vielleicht noch irgendwo eine Telefonnummer von Ginette hatte? Hatte der nicht damals irgendwelche außerdienstlichen Kontakte mit Ginette –? Dann könnte man den Anruf bei Helga oder Kim noch ein bißchen verschieben. Wenn man Ginette direkt anrufen könnte ... Scheiße! Warum hast du gestern abend nicht doch einen Sprung in dieses Tacheles gemacht und sie gesucht!
Das Telefon schrillte. Lietze zuckte zusammen und riß den Hörer hoch. Schade ließ einen halben Satz in der Luft hängen und sah Lietze aufmerksam an.
»Ja, Lietze! ... Moment mal – Blutprobe? Was denn für ... ach du lieber Himmel, ja! Die Lederjacke ...« Oh nein! Nicht schon wieder! Es schien wirklich so zu sein, daß einem die Migräne pünktlich von irgendwoher durch den Kopf schoß, kaum daß man sie mal verdrängt hatte. »Wie! Was? ... Augenblick – wieso dieselbe? Welche selbe denn?« Lietzes Augen irrten zwischen der vollgekritzelten Schreibunterlage und Schade hin und her.
Schade sah amüsiert zu.
»Auf der Lederjacke ist dieselbe Blutgruppe wie auf dem Flickenteppich vor dem Kinderbett – ja, ich hab's gehört. Danke.« Lietze ließ fassungslos den Hörer auf die Gabel gleiten und brabbelte, während sie die Schublade aufzog und die Holzkiste mit der Aufschrift *Virginioff* hervorholte, etwas vor sich hin, das wie »Kommissar Zufall« klang.
Schades Blick war von der Kiste sofort zur Tür ins Schreibzimmer geschwenkt. In der stand, keuchend und mit einer krokeligen Selbstgedrehten in einer Hand, ein blauer Leder-Engel mit einer langen weißen Mähne über dem nachtschattigen Gesicht und einem Motorradhelm unterm Arm, fixierte den Ersten Kriminalhauptkommissar Lietze aus er-

regt flackernden Augen und sprach die rätselhaften Worte: »Wo isser, Karin? Ihr habt ne doch jekrallt – ... oder?«

IN DEM EINEN FENSTER im ersten Stock brannte noch immer Licht. Auch in manchen anderen Wohnungen des Hauses Böttgerstraße 17 war es zwischendurch hell geworden. Und dann wieder dunkel. Ein Paar mit zwei kleinen Kindern hatte das Haus kurz vor acht Uhr verlassen. Von allen vieren sah nur die Mutter irgendwie nordeuropäisch aus. Zwei Herren in mittleren beziehungsweise späteren Jahren, einer im Mantel, der andere im Armeeparka mit Pelzkapuze, waren von der Bastianstraße kommend ins Haus gegangen. Ein paar der Fenster wurden aufgerissen, in einem erschien eine Frau mit einem fest unter dem Kinn gebundenen dunklen Kopftuch und schüttelte eine Decke aus. Wieder ging die Haustür auf. Eine junge Frau mit einer räudigen Kaninchenjacke und Röhrenjeans schob ein eingemummeltes und quengelndes Kind vor sich her und hielt mit dem Arm, an dem ein Einkaufskorb und ein zusammengeklappter Buggy hingen, die Tür für eine alte Frau auf.
»Glaubst du im Ernst, der geht morgens zur Arbeit wie jeder Spießbürger, Detlev?« stichelte Dagmar Bendel und kurbelte die Rücklehne vom Beifahrersitz noch etwas flacher.
Roboldt schüttelte den Kopf, griff nach einem Papier mit einem durch häufiges Kopieren noch verwascheneren Foto und drückte die Tür auf. »Achte auf das Licht!«
Bendel sah ihm nach, wie er schräg über die Straße schlenderte und auf die junge Mutter zuging. Die kämpfte einen aussichtslosen Zweifrontenkrieg gegen Kind und Karre gleichzeitig. Die Karre rastete nicht richtig ein, und das Kind drohte auszurasten, falls es nicht sofort auf den Arm durfte. Zu allem Überfluß schien auch die alte Frau keine große Hilfe, sondern redete auf die junge ein, was die wiederum zu abrupten Körperbewegungen verleitete. Als ihr auch noch der Korb vom Arm rutschte, war Roboldt zur Stelle. Er erledigte, ganz *grace under pressure*, sein spezielles Roboldt-weiß-was-Frauen-brauchen-Programm, erntete erstaunte Blicke aus einem rotglühenden Gesicht, Angriffe auf sein

eines Hosenbein mittels zweier vermutlich nutellaverklebter Patscher und drückte der alten Frau jetzt graziös eine Hand auf den Mantelärmel, um sie an der Flucht zu hindern. Dann hielt er beiden Frauen das Foto hin. Die alte Frau wischte sich fast die Nase daran ab, schien aber trotzdem nichts erkennen zu können und verzog nur skeptisch das Gesicht. Die junge Frau hörte Roboldt zu, sah dann noch einmal lange auf das Bild, schüttelte den Kopf und sagte etwas, bevor sie sich verabschiedete und die Karre mit dem angeschnallten Kind in Richtung Pankstraße schob.

»Die sagt auch, solche Typen werden auf Flaschen gezogen«, stöhnte Roboldt, als er sich wieder auf den Fahrersitz fallenließ. »So sehen Tausende aus. Und im Haus kennt wieder keiner keinen.«

Bendel grinste. »Und jetzt? Worauf warten wir denn?«

Das hätte Roboldt auch nicht formulieren können.

»Kuck mal – sieht so der Gasmann heute aus?« fragte Bendel nach weiteren Minuten, in denen das Haus und die Straße aussahen wie ein Standfoto aus irgendeiner Sozialreportage über den toten Wedding. »Oder der Gerichtsvollzieher?«

»Moment mal –«, Roboldt beobachtete ebenfalls die beiden Herren in Mantel und Parka, die vor höchstens einer Viertelstunde in das Haus hineingegangen waren und jetzt wieder herauskamen.

Sie schienen es eilig zu haben.

»Seit wann kommt der Kuckuck zu zweit!« Roboldt sah nach oben zu dem Fenster, in dem immer noch dasselbe Licht brannte, dann hinter den Herren her, die um die Ecke in die Bastianstraße verschwanden, und dann in Bendels fragezeichenförmiges Gesicht. »Komm!«

»Detlev! Willst du dir nochmal eine blutige Nase holen wie gestern nacht!«

Ein dunkelgrüner *Volvo* kam aus der Bastianstraße gerast.

»Merk dir das Kennzeichen!« Roboldt riß die Tür auf und sprang heraus. Es waren die zwei Männer, die jetzt an ihm vorbeirauschten. Er sah dem Wagen nach und lief zum Haus Nr. 17. Er drückte die Tür auf, lehnte sich dagegen, zog den Reißverschluß seiner Jacke auf und fuhr mit der rechten

Hand drunter. Bendel hatte einen Zettel im Mund und die rechte Hand fest in der Jackentasche, als sie auf ihn zugelaufen kam.

»EENE TREPPE – STEHT MÜLLER DRAN!« hatte Kim noch ein zweites Mal gebrüllt. Wahrscheinlich hatte Schade es beim ersten Mal, als sie von dem Stuhl vor Lietzes Tisch hoch- und aus der Tür zum Flur geschossen war, wirklich nicht gehört. Lietze hatte der Kopf gerauscht, und sie war aufgesprungen und durch ein Gewühl von versprengten, karambolierenden, herumwuchernden und sich verknotenden Informationsfäden in ihrem Kopf hindurch an Kim vorbei in das Schreibzimmer gefegt, hatte Mimi zu Dettmann gescheucht, war wieder zurück an ihr Telefon gerannt, hatte die entsprechenden Stellen in Kenntnis gesetzt – na gut, um ehrlich zu sein: Es war ein geballtes Konzentrat von Marschbefehlen gewesen! Eine Überdosis Kasernenhof, für ihren Geschmack, aber es gab Situationen, da kam es auf die reine Substanz an, und die war in diesem Fall, zu garantieren, daß nicht sehr viel später als Schade uniformierte Verstärkung in der Böttgerstraße eintraf und daß diese *nicht* mit ihrem üblichen Halali vor dem Haus auffuhr, in dem sich Christian Eube womöglich bewaffnet verschanzt hatte!
Dann hatte sie eine *Lucky Luciano* gebraucht. Und danach waren die Fäden und Ösen in ihrem Kopf soweit sortiert, daß sie Kim, die immer noch im Türrahmen stand, bitten konnte, ihre Zigarette gern auch im Sitzen zu Ende zu drehen.
»Nich blöd, deine Kollegin!« hatte Kim erklärt. »Jefällt ma – hoffentlich hat *die* zujehört! Man weeß ja würkich nich, wieso man sich einklich n Arsch uffreißt und euch unter de Arme greift!«
Lietze hatte eine knappe Entschuldigung in Sachen Telefondefizite gemurmelt.
»Also weeßte, Karin –«, Kim hatte sich dichter zu Lietze gebeugt und leiser gesprochen, »– bevor de mir jetze noch sachst, et tut dir weher wie mir ... Ick habe und wir alle inne Migräne ham een jrößtet Intresse, det erstens dieset Arschloch und zweetens die janze Abzocker-Bagasche da ver-

schwindet aus unsre Jeschäftsbereiche. Und deshalb erzähl ick dir jetze noch wat ...«
Bei dem, was Kim dann erzählte, hatte Lietze augenblicklich vergessen, daß sie eigentlich bekannt dafür war, mit niemandem per »du« zu verkehren und einzig mit Mimi Jacob Kommunikation per Vornamen zu pflegen. Sie hatte statt dessen Uhrzeiten und andere Einzelheiten notiert und zum Schluß gefragt, ob Kim schon mit Ginette gesprochen hatte.
»Na logo – gloobst du etwa, irnkwer von uns hat heut nacht jepennt?« hatte Kim mit gespielter Empörung gekontert. »Ginette weeß ooch nich – einerseits, sacht se, könnt se's sein, der Typ, fijurmäßig und so. Andrerseits hat se andre Haare, und Ginette is nich ranjekomm an die Truppe. Da war wohl so een Jeschiebe.«
»Na dann –«, hatte Lietze gegrinst, »sind wir ja quitt!«
»Samma – det jeht zu weit! Hilfsbulle is Ginette ja nu nich, wa? Is ja wohl wat anderet, wie wenn du dein Telefon nich benutzt! Übriehngs noch wat – wat soll ick'n Helga erzählen? Die will unbedingt mit dir ne Sause durch Mitte machen.«
Auf diese und die nächste Frage, wat *sie* denn nu so uff de Platte hätten heut ahmt, so bullen – äh: polizeimeessich jesehn, also zur Unterstützung für de Migräne und so, hatte Lietze nur noch ein ungeduldiges »Abwarten!« geäußert und Kim sanft, aber herzlich im Nebenzimmer geparkt.
Und jetzt saß sie endlich wieder allein an ihrem Telefon, stellte zufrieden fest, daß man bei manchen Ostberliner Nummern sogar beim ersten Versuch durchkam und lehnte sich im Stuhl zurück. »... Lietze. Einen *wunder*schönen guten Morgen, Seidel ... Ja, naja – man soll am Tag nicht vor dem Abend toben, hähäh ... was heute abend betrifft – ich hätte Ihnen einen Tausch vorzuschlagen: Sie helfen mir, falls sie's wirklich ist, meine Serienmörderin festzunehmen, und ich präsentiere Ihnen die Plage der Oranienburger Straße in flagranti ... Ja, die Zuhälter – wen denn sonst ...«

DIE WOHNUNGSTÜR WAR NICHT MEHR verschlossen wie am Vorabend. Sie stand nur einen kleinen Spalt offen, aber der dünne Lichtstrahl war im dunklen Treppenhaus gut zu erkennen.
Detlev Roboldt horchte und zählte bis zwanzig. Dann trat er einen Schritt von der Tür zurück, beugte sich über das Treppengeländer nach unten, fuhr mit einem Arm durch die Luft, zog seine Pistole, entsicherte sie und trat wieder vor die Tür.
Dagmar Bendel verließ den Sicherungsposten im Erdgeschoß. Die alten hölzernen Treppenstufen knarzten bei jedem Schritt, aber das war jetzt auch egal. Sie hielt ihre Pistole ebenfalls entsichert in beiden Händen und fuhr herum, als die Haustür auf- und das Treppenhauslicht anging.
Sonja Schade kam, sah und hielt in letzter Sekunde die Haustür fest, bevor sie ins Schloß knallen und irgend jemanden aufmerksam machen konnte. Dann gab sie Bendel auf halber Treppe ein beschwichtigendes Zeichen und schlich die Treppe rauf. »Müller«, flüsterte sie und deutete mit dem Kopf auf den Treppenabsatz im ersten Stock.
Roboldt rollte die Augen und verzog den Mund, als ob er behaupten wollte, das wisse er längst. Dann drückte er mit dem Pistolenlauf die Tür weiter auf.
Schade und Bendel flüsterten zwei, drei Sätze miteinander, und Bendel stieg die Treppe wieder hinunter, steckte ihre Waffe in die Tasche und postierte sich vor der Haustür. Schade *zog* ihre Waffe und folgte Roboldt in die Wohnung.
Es stank nach Bier und absolut beschissenen Zuständen. In der Küche, die gleich rechts vom Flur abging, stand eine Kühlschranktür offen und gab den Bergen von dreckigem Geschirr gespenstische Konturen. Der Flur selbst war dunkel. Auch aus dem Fensterchen in der Tür gleich links neben dem Eingang kam kein Licht. Hinter der Küchentür stand eine schmalere Tür offen, wahrscheinlich das Klo. Die vierte Tür, die vom Flur nach links abging, in ein Zimmer, das zur Straße liegen mußte, war angelehnt. Es war das Zimmer, in dem gestern abend Licht gebrannt hatte und heute morgen immer noch.

Schade schlich vor und schob mit der Pistole in beiden Händen die Tür auf.
Christian Eube hing leblos zwischen einem zerschlissenen Sessel und einem umgekippten flachen Tisch inmitten von Dreck und zwei bräunlichen Lachen, die beide angetrocknet und mit ihm und dem fleckenstarrenden Teppich verklebt zu sein schienen.
In diesem Augenblick hielt unten vor dem Fenster ein VW-Bulli mit Getöse und einem schönen blauen Lichtspiel, das durch die ganze halbdunkle Straße blinkerte.

UM ZWÖLF UHR MITTAGS hingen die Wolken noch immer dicht und tief über der Stadt. Auch der Wind kam noch immer von Nordwesten. Aber er hatte nicht mehr die Kraft, unter Röcke zu fahren. Er streichelte nur noch über die wenige unbedeckte Haut. Es roch nach Erlösung. Bald. Jenseits des Tages. Nach ein paar Streifen Sonnenlicht und frühlingsmildem Regen.
Seit knapp zehn Minuten stand Swetlana »Karin« Hall neben der Bushaltestelle auf einer Westberliner Hauptstraße, in einiger Entfernung von der Wohnung, in der sie auch heute morgen Anita versorgt hatte.
»Mensch – was ist denn in *Sie* gefahren? Der Wurstmaxe etwa?« hatte Anita ungeniert durch das halbe Treppenhaus gebrüllt.
Sie hatte gelächelt, ein Gemisch aus Ingrimm und Heiterkeit, und erwidert, daß Liebesglück nach ihrer Beobachtung doch eigentlich nur noch innerhalb eines Geschlechts zu haben sei.
»Wer erzählt denn *den* Quark?« Anita hatte zum Gegenbeweis irgendeinen Kollegen von Sonja ins Feld geführt. »Wahrscheinlich hab ich Sie einfach angesteckt mit meinem galoppierenden Optimismus gestern – hm? Und ich hatte schon Angst, ich hätte sie verschreckt!«
Das Lächeln war ein bißchen grimmiger geworden. Warum wollten Wessis eigentlich immer Vorbild sein? Warum klang es so nach – Umschulung, wenn Anita erläuterte, es gebe Sphären im Leben, da komme es bloß darauf an, sich für sein Glück zu entscheiden?

»Das Geschlecht spielt da keine Rolle. Machtverhältnisse gibt's unter Männern und unter Frauen auch. Und aushebeln kann man die nur dadurch, daß man keine Angst vorm Glück hat. Das ist ein Überlebensprinzip, Swetlana – Karin –!«
Ganz recht. Ein Überlebensprinzip. Das Lächeln hatte sich wieder entspannt. Sie war sogar einverstanden gewesen, sich, nachdem sie Anita gebadet und angezogen hatte, ihrerseits von ihr schminken zu lassen. Bei den Haaren war nicht viel zu retten gewesen. Aber ihre Haut zeigte nicht mehr dieses Februargrau, und ihre Augen wirkten groß und klar unter den Lidschatten. Blau und grün, genau die Farben ihres Kostüms und der gestreiften Bluse.
»Sie – Sie sind nämlich eine Schönheit, in Wirklichkeit!« Das hatte verlegen geklungen. Schüchtern. »Ich werde aus Ihnen nicht schlau ... ich – möchte Sie gern – malen, Swetlana. Vielleicht begreife ich Sie dann ... darf ich?«
Endlich sah sie den roten *Porsche*, von dem er soviel erzählt hatte, die Straße entlangrasen und auf die Haltestelle zusteuern. Es gibt zwei Arten Autofahrer – war das nicht auch von Anita? Die einen brauchen eine Einkaufshilfe, die anderen eine Erektionshilfe. »*Da* können sie mit Geschlechtern kommen! Aber bei der Liebe – nee!«
Die Erektionshilfe kam kreischend vor ihren Füßen zu stehen. Ein paar der Leute im Wartehäuschen schüttelten mürrisch die Köpfe. Jähder drückte von innen die Tür auf. Sie glitt auf den Ledersitz. Er glotzte sie fassungslos an.
»Donnerwetter!« rang er sich schließlich ab. »Aussehen können Sie auch noch! Wollen Sie Ihr Gehalt hochtreiben?« Er rammte den Gang rein und startete durch, kreischend.
Sie lächelte und saß einfach da, die kornblumenblauen Pumps nebeneinander, die Hände auf den nylonglänzenden Knien, anwesend und doch nicht, unantastbar wie eine Sphinx und irdisch wie jede Frau in unpassender Kleidung.
»Ich – äh – meine: frieren Sie nicht?« Eine Antwort schien ihn nicht zu interessieren. Er hatte vollauf zu tun, den Wagen ebenso siegreich wie lautstark durch den Verkehr zu jagen. Er wollte auch nicht wissen, wo sie essen wollte. Er

hielt nach mindestens fünf akustischen und drei Lichthupenorgien und Bremsmanövern, die die Reifen Profil in Millimeterstärke gekostet haben mußten, vor dem Portal des Grand Hotels und übergab einem Livrierten huldvoll den Schlüssel.
Nein. Sie fror nicht. Sie spürte überhaupt keinen der alten Zustände mehr. Alles, was es in ihr gab, waren Übergänge. Sie existierte. Eine Freiheit, dachte sie, als sie in einem der Restaurants im ersten Stock Platz genommen hatte und hinab auf die Friedrichstraße und die Kreuzung Unter den Linden sah. Von einem der Tische aus, die immer für Stammgäste freigehalten werden. Jähder war hier sichtbar bekannt. Sie lächelte amüsiert. Ausgerechnet das auf thüringische Küche spezialisierte Restaurant hatte er ausgesucht. Es würde auch nichts nützen.
»Na? Ist das was für Sie, Karin! Zurück zu den Wurzeln, was? Soll erstklassig sein, die Küche hier!«
Sie bestellte einen großen Salat. Mit Blättern aus Übersee und französischem Dressing. Bloß nichts aus Thüringen. Die Klöße waren mit ihrer Mutter ausgestorben. Für immer. Niemand konnte sie mehr zubereiten. Und wenn doch, umso schlimmer. Das Lächeln bekam einen Stich ins Bösartige, als sie die Weinkarte durchblätterte und eine Sorte aus der Nähe ihrer alten Heimat zu elf Mark das Glas entdeckte. Jähders Verblüffung schien von Minute zu Minute anzuschwellen. Er beobachtete sich bei Dingen, die ihm an sich fremd waren. Er bestellte das teuerste Gericht mit Gänsefleisch, obwohl er sich Geflügel abgewöhnt hatte, weil er irgendwo gelesen hatte, Geflügel sei ungesund fürs Herz. Er orderte auch gleich die ganze Flasche von dem Wein. »Denn auf einem Bein, ich meine, auf einem Glas kann man nicht stehen – hähä!«
Sie nickte und lächelte.
Was war los mit dieser Frau? Wer war sie? Sie war wie ausgewechselt. Nichts mehr von dieser – aufregenden Lebensmüdigkeit. Oder hatte er sich geirrt gestern? Er horchte in sich hinein, nachdem der Kellner den Wein gebracht und er ihr vor lauter Aufregung das Kosten überlassen hatte, und tastete sie dann ab mit seinen kleinen kalten Augen. »Tja –

ja, dann Wohlsein, Karin! Ich schlage vor, wir sagen du, was?« Er wartete nicht ab, ob ihr das gefiel. »Sag mal, hast du nicht eine Freundin, die als Verkäuferin bei mir anfangen will – per sofort?«
Freundin. Die blaugrünen Lider verzogen sich unter den Lachfältchen. Sowas hatte sie schon lange nicht mehr gehabt. Vielleicht nie. Nie wirklich. Immer nur die Illusion. Die Hoffnung auf eine Heimat. In irgendeiner Bewegung. Aber das waren auch die Frauen nicht mehr. Die aus dem Osten nicht, und die aus dem Westen schon gar nicht. Solange man eine Juliane Weber nicht fragen durfte, ob sie den Kohl fett gemacht hatte oder umgekehrt, ohne wegen Majestätsbeleidigung dran zu sein, solange waren die im Westen auch nicht weiter. Sie wußten es nur noch nicht. Sie wollten nicht wahrhaben, daß ihre ganze schöne Frauenbefreiung von der Wiedervereinigung geschluckt wurde. Kusch, meine Damen! Wir haben jetzt Wichtigeres zu tun. Geschlechter können Sie haben, aber mit allem anderen können Sie sich den Arsch abwischen. Soviel zum Thema Rolle – auf Klopapier geschrieben, ihre klugen Analysen! Wisch! Sie würden es schon merken. Dann. Wenn alles weg war. Sogar die drei lächerlichen einzigen Errungenschaften für Frauen in der DDR – eigener Lohn, Fristenlösung und billige Scheidungen.
»... naja! Fakt ist jedenfalls, mit dir, Karin, habe ich viel vor! Und da will ich mich auch nicht lumpen lassen ...«
Sie sah durch das selbstgefällige Gesicht zwischen den überdimensionalen Ohren hindurch. Sie hörte auch nur einzelne Fetzen von dem, was Jähder redete. Sie flatterten zeitversetzt in ihre Gedanken. Er schien irgend etwas von armen Schluckern, die Geld brauchten, zu erzählen, als sie gerade beschlossen hatte, nein, sie würde nichts mehr schlucken, überhaupt nichts. Belustigt hob sie das Glas. Sie würde kein Glück mehr suchen und keine Heimat, schon gar nicht bei Frauen, und sie wollte auch nicht wissen, was für ein vielversprechendes Marktsegment Frauen waren und wieso sie sich speziell besonders gut darum verdient machen konnte. Besser als er. Sie war keine Frau. Alles, was es in ihr gab, waren. Waren. Gute Ware gegen gutes Geld. Der Tod anderer

als Rettung. Und zwar gerade der unnatürliche, Heinz! Was ging sie sein Günter an. Was sein Organhandel. Sie war immer die andere gewesen. Ausgesperrt. Keine Frau. Warum sollte sie für die Schwachstelle namens Beschaffung der Waren qualifiziert sein. Was sollte sie in Indien. Was hatte sie mit Zigeunern und Lagern zu schaffen. Mit letzten Möglichkeiten. Was interessierte sie, ob irgendetwas deutsch war oder nicht. Was redete der? Es nützte ihm doch sowieso nichts. Es gab eine Freiheit.

»Na, lassen wir das, bis du nächste Woche den Laden übernimmst, Karin. Ich planiere morgen das Terräng. Die Brangsche ist knallhart – wer in dem Schanger tätig ist, zieht jeden übern Tisch. Aber mich nicht! Jähder nicht. Kennst du dich eigentlich mit Versicherungen aus?« Seine Stimme klang wieder wie gestern. Hohl und hart und nach verrutschtem Don Juan.

Was wollte er von ihr? Sie würde ihm nie ihr Herz schenken. So nicht und so nicht. Es gibt eine Freiheit. Eine Bewegung. Sie trank das Glas leer und beobachtete die Hand des Kellners beim Nachschenken. Das Dasein ist keine notwendige Last. Für niemanden. Jedermann hat die Freiheit. Warum war da etwas Lauerndes in seinem Blick? Warum strotzte er so vor Wohlgefühl?

Heinz Klaus Jähder erhob sein volles Glas und stieß mit ihr an. Auf irgendeine strahlende Zukunft. Es war lange her, daß es ihm so gut gegangen war. Es war auch das letzte Mal. Für lange Zeit, länger als seine Vorstellung von Zukunft.

KRIMINALOBERRAT LANG, jetzt Dresden und dennoch seit zirka siebzehn Stunden in Berlin, sammelte das Wechselgeld bis auf fünf Mark vom Tellerchen, steckte es in die Tasche seines Jacketts und stand auf. »Also – ich höre dann von Ihnen. In drei, vier Wochen?«

»Ungefähr, ja«, sagte sein Anwalt und stand ebenfalls auf. »Vielleicht auch sechs. Unsere Familienrichter hier sind alle ein bißchen überfordert. Müssen ja jetzt die Scheidungen für ganz Berlin bearbeiten ... Strukturen aufbauen, naja, Sie kennen das!«

Und wie er das kannte. Vor allem das Wort »überfordert« kannte er! Es war seit einiger Zeit sein Lieblingsreizwort. Vor allem, wenn irgendwelche politischen Hoffnungsträger zu bedenken gaben, daß der gelernte DDR-Bürger überfordert sei mit anständigem Benehmen gegenüber türkischen Gemüsehändlern oder vietnamesischen Fabrikarbeitern! Er fragte sich jedesmal, ob es das Wort auch in anderen Sprachen gab.
Er drückte seinem Anwalt zum Abschied die Hand und erwiderte dessen spöttisches Lächeln. Dann zog er seinen Mantel über und verließ das Lokal. Als er den Schlüssel in die Autotür steckte, war aus dem Grinsen ein breites, befreites Lachen geworden. Er fühlte sich leicht und sehr sehr jung. Er war die paar hundert Meter vom Restaurant auf dem Ku-Damm bis zum Parkplatz auf der Cicerostraße gehüpft. Irgendwie hatte die Sonne geschienen, jedenfalls in seinem Kopf. Und für einen kurzen Augenblick war ihm das Herz übergeflossen. Es war ihm vollkommen wurscht, wer hier alles wovon überfordert war. Es war ihm piepegal, wann er das rechtskräftige Urteil zugestellt bekommen würde. Er war frei. Und sie hatte die Güte besessen, zum Termin nicht persönlich zu erscheinen. Mit ihrer Anwältin konnte man klarkommen. Aber ihre Anwältin hatte sich und ihm auch keine Strindbergschen Szenen einer Ehe geliefert.
Er fuhr los, und sein Wagen war nie so sanft gefedert gewesen. An einem Blumengeschäft fünf Häuser von Lietzes Wohnung entfernt fand er eine Parklücke. Er überlegte, ob er bei ihr in der Wohnung je eine Blumenvase gesehen hatte, und entschied sich dann – mithilfe der ebenso zuvorkommenden wie geschäftstüchtigen Inhaberin – für einen riesigen Topf blühender Gardenien.
Er lief durch die ganze Wohnung und fand schließlich eine Art Hocker im Schlafzimmer den passendsten Platz. Dann nahm er ein Buch, das aufgeschlagen neben dem Bett lag, hoch und ging damit in das zweite Zimmer, in dem ein antiker Sekretär für das feinere Stiftsfräulein herumstand. Deplaziert zwischen den anderen, nüchternen Möbeln aus diesem Jahrhundert und fast begraben unter einem Berg

Bügelwäsche und einem Stapel Zeitschriften. Er fand Papier und einen Umschlag und schickte einen fröhlichen Dank auf die Wolke, die Madame Gisèle jetzt vermutlich bewohnte. Den Küchentisch hatte er persönlich vor Stunden freigeräumt. Er war ein bißchen stolz auf sich, als er auf das abgewaschene Frühstücksgeschirr und die Gläser und Tassen der letzten hektischen Lietzeschen Tage sah.
»Liebe Karin«, schrieb er. »Ich hab's gefunden, und es paßt tatsächlich auf deine Geschichte mit dem Kaffeeduft.

DER AROMAT

Angeregt durch Korfs Geruchs-Sonaten,
gründen Freunde einen ›Aromaten‹.

Einen Raum, in welchem, kurz gesprochen,
nicht geschluckt wird, sondern nur gerochen.

Gegen Einwurf kleiner Münzen treten
aus der Wand balsamische Trompeten,

die den Gästen in geblähte Nasen,
was sie wünschen, leicht und lustig blasen.

Und zugleich erscheint auf einem Schild
des Gerichtes wohlgetroffnes Bild.

Viele Hunderte, um nicht zu lügen,
speisen nun erst wirklich mit Vergnügen.

A propos Gericht: Mein entscheidender Termin heute war mein Scheidungstermin. Auch wenn du vielleicht absichtlich nicht danach gefragt hast ... Alles weitere telefonieren wir aus. Ich –«
Er hielt inne und spürte der Welle nach, mit der ihm die Röte in die Wangen schoß.
»– liebe Dich, Karin. Die Nacht war ein Gedicht!«
Er bestaunte das Blatt. Seine Wangen fühlten sich an, als hätten sie subkutane Tauchsieder.
»Auch die himmlischste Liebe muß am Boden überleben – und *das* ist unsere Chance!«
Er staunte noch immer. Er schüttelte den Kopf. Er hatte das Gefühl, seine beiden Mundwinkel müßten an seinem Hin-

terkopf aneinanderstoßen. Er zückte noch einmal den Füllhalter.
»P. S. die anderen Galgenlieder sind auch eine Fundgrube.«
Er faltete das Blatt und beschriftete den Umschlag. Dann rief er einen Fahrradkurier an. Als er wieder ins Schlafzimmer kam, um seine Tasche zu holen, fiel er fast hintenüber. Der ganze Raum platzte vor Wohlgeruch. Die Gardenie hatte ihren betörenden Duft entfaltet. Er schüttelte wieder den Kopf, kichernd, fast betäubt. In Blumen hatte er sich nie ausgekannt. Aber wieso war die Frau in dem Laden darauf gekommen? Konnte man sowas – riechen?
Zurück in der Küche wickelte er den Wohnungsschlüssel so dick ein, daß man ihn nicht fühlen konnte, und stopfte ihn zusammen mit seinem Brief in den Umschlag. Als der drahtige Rennradler eine knappe halbe Stunde später die Tür öffnete, hatte sich die Gardenie olfaktorisch bis ins Treppenhaus vorgearbeitet. Lang wartete ab, bis der Kurier sein Fahrrad bestieg, nahm seine Tasche und zog die Wohnungstür fest hinter sich zu. Der Gedanke, das Aroma könnte mit ihm ins Auto steigen und bis nach Dresden mitfahren, ließ ihn auch diesen Bürgersteig entlanghüpfen. Die mißgünstigen Blicke von ein paar Passanten, die sein unverhohlenes Glücksgefühl für eine pornografische Darbietung zu halten schienen, entgingen ihm.

SIE HATTEN IHN seit Stunden, aber sie traten vorerst weiter auf der Stelle. Christian Eube, geboren am 15. 5. 1970 in Fohrbeck und dort laut Personalausweis und Mitgliedsausweis der **Deutschen Front** auch gemeldet, war deutlich vernehmungsunfähiger als Dolores Wolter. Es stand nicht einmal fest, ob er je wieder ansprechbar sein würde. Er hatte viel Blut verloren, vor allem aus der Wunde an seinem Hinterkopf, und die war, der Gerinnung nach, seit vermutlich zehn, zwölf Stunden unversorgt. Der Notarzt und die Rechtsmedizinerin hatten skeptisch die Brauen verzogen und Blicke mit dem Staatsanwalt, dem Kriminaloberrat und dem EKHK getauscht.
Kim, die zuerst begeistert mitgefahren war, gierig, ihren An-

greifer am Boden zu sehen, war schon im Flur der Wohnung, in der Eubes übel zugerichtete Reste lagen, kleinlaut geworden. Im Auto hatte sie Lietze noch verkündet, sie würde sofort riechen, ob er es war. Später, im Zimmer, zwischen den durcheinanderhastenden und überall herumfummelnden Spurensicherern und KriPo-Menschen, mitten in all dem Dreck und dem sehr anderen Gestank, war sie ausgesprochen stumm geworden. Schließlich hatte sie Lietze angekuckt, tapfer geschluckt und sich darauf konzentriert, niemanden zu duzen. Verabredet war das nicht, es war einfach ein Ablenkungsmanöver für ihre Sinne. Sie hatte Eube genau angesehen, bestätigt, daß sie ihm da ihre Nägel über die Haut geratscht hatte, wo in seinem Gesicht Schorf und Kratzer zu erkennen waren, auch in die verbundene Hand hatte sie gebissen. Dann war sie ans Fenster gestürzt, hatte ausgeatmet und tief Luft geholt, einen Satz zurück zu Eubes Füßen gemacht, gerade soviel ausgeatmet, daß sie eine ausreichende Geruchsprobe nehmen konnte, und die Wohnung mit einem »Der isset!« verlassen, hinter dem der ganze Druck ihrer angehaltenen Luft saß.

Sie wußten jetzt also definitiv, daß Christian Eube derjenige gewesen war, der sich an Kim vergriffen hatte. Und daß er die Blutgruppe hatte, von der neben dem Bettchen des ermordeten Kindes, wahrscheinlich seines Sohnes, eine Spur existierte. Der *Volvo*, dessen Nummer Bendel notiert hatte, gehörte jenem Hausfreund der Voltaires, der nicht bloß Teil der Familie, sondern auch Teil der Firma gewesen war, die jene schleswig-holsteinische Neonazi-Truppe und insbesondere Christian Eube im Visier gehabt hatte. Der Name Eube sprach außerdem eine allzu deutliche Sprache. Insofern bestand eigentlich kein Zweifel, daß dieses an seinen unfreiwilligen Ausscheidungen festgeklebte, leblose Bündel Mensch auch jener Kindsmörder war, nach dem sie seit Wochen suchten. Es war eigentlich nur noch die Frage, wer Eube als solchen identifizieren sollte, nachher, wenn er im Krankenbett oder womöglich auf dem Pathologietisch liegen würde, lebendig oder tot, aber jedenfalls gereinigt. Voltaires?

»Sollen wir die Krauses zu Eube schaffen?« Schade schien

Lietzes Gedanken lesen zu könen. »Voltaire weiß nämlich bisher bloß, daß Eube halb totgeschlagen worden ist. Aber er weiß noch nicht, ob er tot ist. Vielleicht muß er ja Schiß haben vor einem lebenden Eube, und seine Seilschaft da auch. Vielleicht provoziert die das noch zu Aktionen, und wir können die auch hochgehen lassen ...«
Lietze nickte abwesend. Sie fragte sich, warum die zwei im *Volvo* heute morgen in der Wohnung gewesen waren. Wollten sie nachsehen, ob sie am Abend davor gut gearbeitet hatten? Oder waren sie es gar nicht gewesen, gestern abend? Beziehungsweise *ihre* Leute? Hatten andere die Vorarbeit gemacht und sie dann bloß noch eins draufgesetzt? Sie schüttelte sich, sie fror. Die Vorstellung, daß jemand auf einen verletzten, am Boden liegenden, hilflosen Menschen eintritt und -schlägt, legte sich wie ein Eisbeutel über ihr Herz.
»Lietze – alles in Ordnung?« Schade fuhr rechts ran und bremste. Sie waren nicht mehr weit von der Charité entfernt. Es war fünf nach drei. Seit halb drei sollte Dolores Wolter vernehmungsfähig sein.
»Ja – wieso?« fragte Lietze und griff verwirrt nach der angezündeten Zigarette, die Schade ihr hinhielt. »Was glauben Sie, wer es war?«
»Ich weiß nicht. Ich hab das Gefühl, Eube, aber –.«
»Nein – ich meine, wer Eube zusammengeschlagen hat?«
»Achso – tja. Das weiß ich auch nicht.«
»Aber daß es keine Rache für den Mord war, das glauben Sie auch, oder?« Lietze nahm tiefe Lungenzüge und ließ den Rauch durch die Nase wieder raus. Das Chaos in ihren Gedanken lichtete sich Zug für Zug.
»Wer sollte den denn rächen? Nee!« Schade sah Lietze an.
»Gott ja – vielleicht stoßen wir demnächst auch noch auf irgendeine Seilschaft zum Schutz des geborenen Lebens – ach Quatsch!
»Angeführt von Mutter Krause und Oma Voltaire, was?« grinste Schade und fuhr wieder an.
»Schluß jetzt, Schade! Sagen Sie mir lieber, was Ihnen zum Thema Violetta einfällt. Der gute Seidel braucht klare Vorschläge nachher ...« Das Stöhnen klang etwas gespielt.

Sie hatten den Abend im Tacheles einigermaßen vorgeplant, als sie den Flur in der Charité entlanggingen und als einzigen Menschen einen uniformierten Polizeibeamten vor einer der Türen sitzen sahen. Er meldete, daß »Frolln Wolta« keinerlei Besuch außer solchem in weißen Kitteln gehabt hatte, und versprach, jemanden von den Ärzten suchen zu gehen.
Dolores Wolter lag blaß und kraftlos im Bett. Sie hatte eine Binde um den Kopf, die die Platzwunden schützte, und einen bandagierten Fuß. Vielleicht lag es an ihrem physischen Zustand, daß sie den beiden Kriminalpolizistinnen keinerlei Widerstand bieten zu wollen schien. Gehirnerschütterungen dämpfen jede Art von Kampflust, um so nachhaltiger vermutlich, je eindimensionaler das betreffende Gehirn jeweils arbeitete. Dolores Wolter schien nur einen Gedanken zu verfolgen: Daß »der Chris« seine »jerechte Strafe« bekam.
Schade wurde den Verdacht nicht los, daß Eubes größere abzubüßende Untat darin bestand, Dolores Wolter betrogen zu haben, »und denn mit billije Nutten!« Jedenfalls sprudelten deren Erzählungen zu diesem Punkt weitaus leichter als die Informationen über den Mord an ihrem Sohn Christian.
»Na, weeß ick doch auch nicht!« gab sie patzig zurück. »Ick *war* nich dabei! Wir hatten Krach jehabt, der Chris und icke, und ick bin abjehauen. Ick wollte mir nich schon wieder n Veilchen einfangen von dem! Anfangs war det ja in Ordnung so. Also, der Mann hat det Sahren, da jib's keen Vertun, wa? Det hat mir schon jefallen an dem. War ick so jewöhnt von zu Hause: Et jibt ein', der sacht, wo't korrekt lang jeht und so. Anfangs war det echt schau, aber –.«
Lietze beobachtete sie und versuchte sich vorzustellen, wie es sich von innen anfühlen mag, wenn man es toll findet, immer von jemandem gesagt zu bekommen, was man zu tun und zu lassen hat. Sie hatte oft mit Menschen zu tun, die so lebten. Allzu oft. Fast ausschließlich. Es war sogar meistens das einzige Bindeglied zwischen den Opfern und den Tätern und den Zuschauern gewesen, mit denen ihr Beruf sie zusammenbrachte. Umso drastischer, je mehr solche Menschen sich auf irgendwelchen Zwang beriefen, unter dem sie

angeblich gegen ihren Willen hätten handeln müssen
gar versuchten, ihre Taten als Akte menschlicher Freiheit zu veredeln. Täter und auch Zeugen hatten meistens immens viel Verständnis für sich beziehungsweise für die Taten. Und immens wenig Sinn für die Opfer. Im Gegenteil, manchmal wirkten sie, als neideten sie den tatsächlichen Opfern sogar noch die Opferrolle, so engagiert wußten sie sich selbst als die eigentlichen Opfer zu präsentieren. Etwas war schief in diesem Land, seit sie denken konnte, und das war ungefähr so lange, wie dieses Land existierte. In seinem Kleinformat. Und jetzt, wo es größer geworden war, war es noch schiefer geworden. Etwas stimmte nicht, stimmte zutiefst nicht. In den – Eingeweiden! Tief drinnen, da wo bei Menschen das Herz sitzt. »Und Sie sind erst spät abends zurückgekommen in Ihre Wohnung und –.«

»Naja! Nach Mitternacht. Der Chris war wech. Ick hab nach dem Kleenen jekuckt, naja, da hab ick's jesehn, also – na, ick war ja ziemlich voll. Ick mußte mir ja den Kummer echt wechsaufen, ne?«

Schief gewickelt. Schief aufgehängt. Als ob das Herz schief aufgehängt ist. Keine Balance beim Ausschlagen hat. Zur einen Seite rast, auf der anderen stillsteht. Taub, kalt, fühllos.

Auch Schade ließ immer wieder den Stift sinken und schien zu versuchen, in Dolores Wolters Gesicht zu lesen. Wenigstens einen verirrten Funken Entsetzen zu finden über das, was ihr Kind durchgemacht hatte. Aber die war ganz bei sich und ihrer Angst vor dem mörderischen Geliebten und der Ungemütlichkeit ihres Verstecks bei seinen »Jenossen, äh: Kammaraden da ohm in Fohrbeck! Die mochten mich nich ... so richtije Besserwessis, obwohl, von uns warn ooch n paar da – die ham mir vielleicht jestunken! Ick hab se mir immer vorjestellt, wie se kürzlich noch mit die blauen Halstücher rumjemacht haben ...«

Wieder im Auto, auf dem Weg zu Seidels Revier Invaliden/Ecke Brunnenstraße, waren der Erste Kriminalhauptkommissar und ihr Kriminaloberkommissar sicher, daß Dolores Wolter ihren ehemaligen Erlöser Christian Eube wahrheitsgemäß als Alleintäter beschrieben hatte.

»Die ist einfach zu blöd für raffinierte Lügen, selbst wenn sie drei Wochen Zeit zum Üben hatte!« verfügte Lietze freudlos und drückte die Tür auf.
»Ich sehe das anders!« Schade nahm den Gang raus und zog die Handbremse. »Es ist diese – Selbstgerechtigkeit. Sowas kann man nicht vortäuschen. Das ist echt. Die hält sich immer noch für die eigentlich Schlecht-Behandelte. In aller Treuherzigkeit!«
Lietze nickte, legte Schade zum Abschied kurz die Hand auf den Arm und stieg aus. Treuherzigkeit? überlegte sie, während sie in der Tür des Wachdienstleiters auf Seidel wartete, den Geruch von frischer Farbe in der Nase, den Krach von Schleif- und Bohrmaschinen im Ohr, Renovierungsarbeiten auf dem Flur und in ein paar leeren Zimmern gegenüber im Auge. Selbstmitleid. Der eigene Nabel als – Arsch der Welt. Selbstgerechtigkeit, ja. Schade hatte recht. Diese Selbstgerechtigkeit war unspielbar. Unlügbar. Eine Art von Wahrheit jenseits aller Hirntätigkeit, die sich durch Vernunft ansprechen ließe. Ein Gefühl, das alle anderen Gefühle übertäubte.

AUCH AN DIESEM ABEND würde die Nachtschicht in manchem Puff und Pornokino, Club und Apartment sowie auf gewissen Straßen Westberlins mit ansehnlicher Verspätung beginnen. Sogar in etlichen mehr als am Abend davor, denn was jetzt um kurz vor 21.00 die Oranienburger Straße in kleinen und größeren und zumeist polyphon gemischten Gruppen auf- und abschwärmte und immer spürbarer für Beunruhigung sorgte, war etwa eine halbe Hundertschaft der normalerweise an den oben erwähnten Sexindustriestandorten werktätigen Bevölkerung. Gefolgt von zwei Teams mit mittelgroßen Profi-Kameras, die von Grüppchen zu Grüppchen liefen und versuchten, mit den sehr dunkel- bis sehr hellhäutigen, blonden, schwarz-, braun- oder rothaarigen, rubensrunden oder mapplethorpemuskulösen oder brigittediätgenormten oder dixgroszen oder modiglianidünnen oder präraffaelitisch kräftigen Mädels aus diverser Huren Länder in Lackmänteln und Lederanzügen,

Plüschzebras und Polyesternerzen, Teddyjacken und Designerjeans und auf Schuhwerk in jeder Höhe, optisch und akustisch Kontakt zu halten. Es roch nach Krawall. Und es schien nicht unwahrscheinlich, daß einige Etablissements des Westteils heute nacht überhaupt geschlossen bleiben mußten, weil die diesbezüglichen Damen sich horizontale Perspektiven für die nächste Zeit nur noch in einem Krankenhausbett würden erlauben können.

Was da vorging, war dem Dutzend auf der Oranienburger Straße anschaffenden Mädels und den meisten der Passanten rätselhaft. Die Touristen brachten ihre Camcorder und Fotoapparate in Anschlag. Die Mädels traten nervös von einem Fuß auf den anderen. Aus dem Café Orange, dem Oren, dem Silberstein und sogar aus der Assel stürzten Gäste und postierten sich auf dem Bürgersteig. Sie wußten nicht warum, sie wußten nur, daß es Stunk geben würde. Sie witterten Randale, weil sie in der Luft lag, zum Greifen nah unter dem klaustrophobisch engen, tiefen und nur von den Lichtern der Stadt erhellten Himmel. Sie sahen die Kameras und beruhigten sich mit der Erklärung, daß vermutlich doch bloß ein Film gedreht wurde. Oder Reality-TV. Aber sie konnten keine Beleuchtung und vor allem keine Regie erkennen. Auch sahen einige der bunt gemischten Frauen in den Grüppchen selber aus wie Huren. War hier ein Verteilungskampf im Gange? Ein paar der Zuschauer rieben sich die Hände. *Ja sicher! Berlin war doch immer noch für Überraschungen gut! Einen original Territorialkrieg bekamen sie hier geboten! Huren gegen Huren! Ha! Spitze. Besser als Frauen-Catchen! Oh was würden sie erzählen können daheim vom heißesten Großstadtpflaster Europas!*

Die große schlanke Frau mit dem graublonden Herrenschnitt im Trenchcoat, der die gut fünfzig Lebens- und die gut dreißig Polizeijahre nicht am Gesicht abzulesen waren, und der geschmeidige jüngere Mann im körnigen Pfeffer-und-Salz-Mantel schlenderten von der Großen Hamburger Straße die Oranienburger hoch und beobachteten das Geschehen auf der Fahrbahn und der anderen Straßenseite offensichtlich mit Befriedigung. Ab und zu blieben sie stehen, und Lietze flüsterte Seidel etwas ins Ohr. Seidel nickte oder schüttelte leicht den Kopf. Es war für niemanden zu erkennen, daß es um gewisse Autos ging, die in den Nebenstraßen der Oranienburger parkten, mit dem Fahrer drin und manchmal auch noch einem oder zwei weiteren Männern, oder die Oranienburger Straße im Schleichgang herauf- und herunterfuhren. Seidel hatte den Kragen hochgeschlagen und die Krempe des extra geliehenen echten Borsalinos so weit in die Stirn gezogen, daß nicht einmal der Zuhälter, der ihn vor ein paar Wochen im Revier um eine »jäschäftliche Unterrädunk in Sochen Strisch« ersucht hatte, ihn eines Blickes für wert befand.

Lietze sah auf die Uhr. Zwei Minuten noch. Um Punkt 21.00 würden die lockeren Grüppchen anfangen, auf die arbeitenwollenden Kolleginnen zuzugehen, und sie in Gespräche verwickeln. Zum Beispiel über angeblich im Umlauf befindliche Gutscheine für kostenlosen Sex, »Verkehrbongs«, wie Kim das genannt hatte. Es würde in kürzester Zeit laut werden. Vor allem, wenn die Migräne-Mädels dazu übergehen würden, »det Thema Luden ma anzureißen«, und zwar vor den Augen und Ohren der Öffentlichkeit, und wenn man vom Teufel spricht, ist er bekanntlich nicht weit, und dann – »aber hallo! Denn jib's Keile, und ick schwör dir, Karin, die sehn keene Sonne, die Abzocker! So wahr ick heute zum zweeten Mal die Keesebeene, und nich bloß die!, von diesen Scheißkerl inne Neese jehabt habe!«

Nach einer gehörigen Keilerei, so der Tagesbefehl des Kopfnuß-Kombinats weiter, durften dann »jern ooch die Trottel vonne Schmiere antanzen und absammmeln – aber wehe, die rühren *eene* Frau an!«

Lietze hatte sich das nachdenklich angehört und zustimmend gekuckt, die mitgebrachte, mittlerweile kalte Portion Gyros zu Ende gegessen und die Räume des MIGRÄNE e. V. in Richtung Invaliden/Ecke Brunnenstraße verlassen, um mit Seidel und seinen nicht in Zivil operierenden Leuten *den* Einsatz zu besprechen, den sie sich vorstellte.

»Hoffentlich vermasselt Ihre Truppe das nicht«, flüsterte sie jetzt, »wenn die nur drei Minuten zu spät kommen ...«

»Können Sie beten?«

Lietze verneinte.

Seidel lächelte. »Dann denken Sie jetzt an was Schönes!«
Sie standen am Nebeneingang der Synagoge, vor der heute abend zwei Wachmänner postiert waren. Sie konnten die ersten Fetzen Pöbelei von gegenüber hören. Kitty, Nadine und fünf weitere Migränes lieferten sich eine Redeschlacht mit zwei anderen Huren, die auch kein Blatt vor den Mund nahmen und ständig hilfesuchend nach rechts und links kuckten. Helga stand dabei. Erst, als die eine der beiden Kitty in die rote Mähne grapschte und zu treten anfing, mischte sie sich ein, bekam aber sofort eine derbe Ohrfeige, was ihrer Perücke weniger ausmachte als ihrem Gleichgewicht, und flog aufs Pflaster. Lietze unterdrückte einen Schrei. Seidel packte ihren Arm und nickte den Wachmännern zu. Einer sprach sofort in ein Funkgerät, der andere riß die Tür hinter sich auf. Vier Männer im demo-festen Outfit rannten über die Straße.
Helgas Sturz war die Zündung für Action auf der ganzen Straße. Direkt vor Lietze und Seidel schlugen, bissen und kratzten neun Frauen aufeinander ein, nachdem Kitty Helga aus der Frontlinie bugsiert hatte. Die vier Polizisten verschwanden sofort im Gewühl und tauchten erst später blessiert wieder auf. Das Handgemenge in Griff bekamen sie nicht.
Lietzes Blick raste die Straße auf und ab. Kein Bulli, keine Wanne weit und breit. Sie stampfte auf, zitterte am ganzen Leib, brüllte die Wachmänner an, fauchte: »Seidel, das wird nix! Wo bleiben die denn!« Funkelte ihn gereizt an und starrte immer wieder dahin, wo Helga liegen mußte. Bilder jagten ihr durch den Kopf. Von dem Abend, als es am Dienstboteneingang des Charlottenburger Nobelpuffs geklingelt und Madame Gisèle eine verstörte Edith und eine magere kleine Helga mit weit aufgerissenen müden Augen in die Küche gelassen und vor zwei Teller Suppe gesetzt hatte, beide dem Tod näher als dem Leben – sie durften ihr nichts tun! Nicht schon wieder!
»Da – jetzt kommen die Ratten aus ihren Löchern, sehen Sie sie?« Seidel war auch nicht mehr die Ruhe selbst.
»Nein, nein, nein«, preßte Lietze so leise wie möglich hervor. »Das war eine verdammte Scheißidee, Seidel! Ich hätte mich

nie drauf einlassen sollen! Das gibt ein Blutbad, die – da, der Typ, das ist doch – ein Stock – ein Baseballschläger!«
Zwei, drei, dann vier, fünf, schließlich acht Männer liefen aus den Nebenstraßen auf die Klumpen sich anbrüllender und an den Haaren reißender und karatemäßig zupackender und schlagender Frauen zu. Drei hatten Baseballschläger und benutzten sie auch. Frauen schrien auf, ließen von den anderen Frauen ab, stürzten sich zu sechst, zu siebt, zu zehnt auf die Männer, bissen, kratzten, traten mit ihren stabilen, manchmal metallbeschlagenen Absätzen auf sie ein, kreischend, außer sich vor Wut und Schmerz, wie in einem Rausch.
Autos kamen nur noch spärlich die Oranienburger von der Friedrichstraße her herunter. Drei fuhren aufeinander, obwohl sie nur Schrittempo haben konnten. Zuschauer brachten ihre Camcorder und Kameras in Sicherheit und flüchteten in die Lokale und Kneipen oder gleich in die Nebenstraßen. Hunde jaulten auf, irgendwo klirrte Glas, quietschten Reifen, schrie jemand nach der Polizei.
Und dann kam sie, fünf Bullis und eine Wanne, mit Blaulicht und Lalülala, die Oranienburger rauf und die Oranienburger runter, aus der August- und der Tucholsky- und der Großen Hamburger Straße. Und Frauen und Männer im Kampfanzug mit Stiefeln und Helm sprangen aus den Bullis und hasteten durcheinander, und der eine oder die andere zog eine Pistole aus der Tasche und hielt sie drohend in die Luft, und kurz darauf glotzten sie sich verdutzt an und sahen sich um nach jemandem, der ihnen die Lage erklären konnte. Mit dem Anblick direkt vor ihrer Nase hätte niemand von ihnen gerechnet. Entlang des Bordsteins auf der südlichen Seite der Oranienburger zwischen der Tucholsky- und der Gabelung zur Burgstraße bildeten – teils noch immer in Angriffsstellung mit geballten Fäusten und kampflüsternem Blick, teils schluchzend, blutend, mit verrenkten Gliedern und verwilderten Haaren – gut sechzig Frauen ein ziemlich fraktales Muster, während vor und hinter und neben und zwischen ihnen insgesamt acht wimmernde Männer in Trainingsanzügen oder Lederblousons ein Bild des Jammers boten.

»Hier«, Kim tippte einer Polizistin auf die Schulter, »nehm Se mir det bloß ab!« Sie legte ihr angeekelt eine Pistole in die Hand.
Neben den drei Baseballschlägern und der Pistole wurden fünf Messer, ein Totschläger und ein Morgenstern abgeliefert. Das Zittern in Lietzes Körper ließ erst nach, als sie die Uniformierten sämtlichen acht Männern Handschellen anlegen und vom Hackeschen Markt her mehrere Rettungs- und einen Notarztwagen kommen sah. »Pffhh!« keuchte sie ein letztes Mal und sah Seidel mit hochgezogenen Augenbrauen an. »Bis hierher haben Ihre Leute die Sache ja gut gemacht!«
Seidel seufzte ebenfalls und gestand, daß ihm auch irgendwann das Herz fast stehengeblieben wäre.
»Gratuliere, Seidel: Daran sieht man, Sie haben eins!« Sie griff in die Manteltasche. »Und jetzt können Sie eine Ladung Nikotin vertragen, hm?«
Seidel murmelte etwas von Zigarette danach, während sie ihm die *Lucky Luciano* ansteckte.
»Irrtum – das Zigarillo davor!« Wie lange es wohl dauern würde, fiel ihr ein, bis sie Lang diese labberigen Filterzigaretten abgewöhnt hatte ... »Wir sind noch nicht fertig!«
Sie gingen die Oranienburger hoch und hielten eine knappe Lagebesprechung mit dem Einsatzleiter. Nein, einen Grund, weshalb nicht zwei, drei Bullis sofort woanders eingesetzt werden könnten, sah er nicht. »Aber sowat hab icke im janzen Leben noch nich jesehen!« schloß er. »Dat muß so mit Karacho – wer solln da rechtzeitich da sein? Wat ick damit sahren will: *Jesehn*, wie die Loddel Frauen angreifen, det hat von *uns* keen Schwein ...«
»Aber von uns! Zweitens haben Sie die Waffen, und drittens kriegen Sie von vielen der Frauen Aussagen«, tröstete Lietze ihn und grinste zufrieden. »So, Seidel, jetzt hab ich fast Lust auf den zweiten Akt. Wenn ich heute abend auch noch meine Männermörderin kriege, dann – dann –.« Was dann, fiel ihr so schnell nicht ein. Und als sie mit Seidel im Tacheles eintraf, war für derlei Fragen auch kein Gramm Gehirn mehr frei. Das erste, was ihr zu denken gab, war das Plakat der »Helsinki Cowboys« – es kündigte in wilden Farben

und ebensolchen Lettern den Auftritt einer Vorgruppe namens BTM an. Was unmittelbar zur nächsten bangen Frage führte, ob ihr womöglich gleich ein gewisser Jalta über den Weg zu laufen drohte. Die versuchte sie dadurch zu verscheuchen, daß sie sich auf das Fallenlassen und Austreten der Zigarillokippe inmitten des wogenden Pulks unkonventioneller junger Menschen konzentrierte. Als sie wieder hochsah, mit der Frage, ob Seidel vielleicht schon im Gedränge verlorengegangen war, hatte sie kurz das Gefühl zu halluzinieren. Aber es war wirklich Roboldts Gesicht, in das sie staunte. Seidel stand links neben ihm, sagte seinen Namen und: »'n Abend, Sie sind Kobold?«, woraufhin Roboldts Stirn in melodramatische Faltenwürfe verfiel. Sie schwenkte nach rechts, einer atemberaubend kunstvoll geschminkten Schönheit direkt in die strahlenden Augen.

»Na – wie ist es ausgegangen? Hat die freie Marktwirtschaft gesiegt?«

Lietze kniff eine Sekunde die Augen zu und wünschte sich, den Kopf und alles, was dranhing, nach Art der Katzen schütteln zu können. »Ginette – ähm: Wo sind die BTMs?«

»Müßten allmählich die Verstärker warmlaufen lassen – wieso?« Sie wartete nicht lange auf Antwort. »Die wollen übrigens unser Lied auch wieder bringen, aber die aktualisierte Fassung – mit ner Hommage an die gewonnene Schlacht! Und deswegen müßte ich jetzt mal wissen, wie's war –.«

»Sind Sie wahnsinnig?« brauste Lietze auf. »Was haben Sie denen erzählt?«

Roboldt und Seidel sahen erst sich, dann Lietze, dann Ginette an.

»Na, nix. Nix Genaues jedenfalls. Aber die wollen das natürlich wissen, bevor sie anfangen.«

»Kommt überhaupt nicht in Frage! Uns interessiert erstmal ganz was anderes!« fauchte Lietze, zum Amüsement von Seidel und Roboldt, die miteinander getuschelt hatten. »Wir finden ein ruhiges Plätzchen, und dann erzählen *Sie* mal –.«

»Ach du Literpott, Mensch! Das hatte ich schon fast

vergessen!« Ginette wurde feuerrot und sah Lietze verlegen an. »Ist nicht Violetta, ich hab mit ihr geredet. Was heißt geredet – ich kann ja kein Russisch. Aber Kaki, den Nachnamen kann ich mir nie merken, die ist jedenfalls nicht mehr und nicht weniger Frau als ich. Gar kein Vergleich mit Violetta!«

SIE SASS MIT KALTER RESIGNATION am Tisch und starrte ruhig hinaus. Keine Ahnung, keine Angst. Nur wuchs ein dumpfer Drang in ihr, je mehr die Stadt da unten sich in der Finsternis verlor.

Um 20 vor 10 ging Hall durchs Lokal. Die Kellner, die fröhlichen Zecher im Ohr, die Wände entlang durch lebhaften Lärm, müde Farben, Türen, das WC.

Sie schloß sich ein und spürte eine Lust, die fast wehe tat. Nie mehr der Sonne nachlaufen. Sie tastete nach dem Vierkantschlüssel. Es wurde ihr heimlich nach und nach. Es war nicht mehr als sei sie doppelt, und der eine Teil suche den anderen zu retten und riefe sich selbst zu. Sie war sich selbst ein Traum geworden. Es lag jetzt in allem eine unaussprechliche Harmonie. Sie steckte das schwere Metall in die Verriegelung. Kein Griff zum Öffnen, wir haben hier keinen Griff, keinen Schlüssel müssen Sie selber mitbringen. Ein Ton. Eine Seligkeit. Das wenige durch die Nacht gestreute Licht, als ihre Augen an die Dunkelheit gewöhnt waren. Nur die Avus unten bildete eine scharfe Linie. Die Stadt war wie ein verschwommener Pokal. Der ganze Himmel ein taubes graues Aug. Sie trat auf die Fensterbank. Es war ihr, als stieße sie mit den Händen an die Wolken. Sie stand nun am Abgrund. Sie spürte an sich ein Regen und Wimmeln nach der Tiefe, zu der eine unerbittliche Gewalt sie riß. Ahnungen von ihrem alten Zustande durchzuckten sie und warfen Streiflichter in das träge Chaos ihres Geistes. Fetzen ihres Lebens. Nachklänge ihrer Taten. Die Bilder. Die Bücher. Verbrannt. Keine Spuren. Keine Enge. So leicht. So leer. Als wäre die ganze Seligkeit nur in einem kleinem Sprung.

Nur ein bißchen Ruhe jetzt, wo es mir ein wenig wohl wird!

BRIDGE

Fürs Leben

»NA WIEDER'N KONGTRÖH, Herr Inschpeckter?« Die alte Dame schlägt sofort eine sonnengefleckte schmale Hand auf den Mund. »Ach Gott Sie haben ja jemand dabei warum sagen Sie mir das denn nicht sagen Sie mal ... Herr Inschpeckter? Jetzt kommen Sie aber mal schnell rein sonst sieht man ja gar ...«
Und Roboldt schiebt Neumann durch den Flur in das Wohnzimmer mit dem geblümten Klappsofa, während die alte Dame vor Aufregung vergißt, den Riegel vor die Tür zu legen, aber mit der Polizei im Haus da muß man ja keine Angst nicht ist nochmal richtig kalt geworden Herr Inschpeckter wissen Sie noch letztes Jahr um diese Zeit lag dicker Schnee und das Jahr davor hatten wir Frühlingstemperaturen ist ja völlig verrückt geworden das Wetter bin so gespannt wie das unten auf den Kanarien so ...
»Das ist sie, Detlef«, sagt Detlev, und: »Fräulein von Thurau – das ist der Mann meines Lebens, Detlef Neumann!«
Und sie wechseln ein paar Worte in relativ hohem Deutsch, aber Frl. von Thurau bemerkt, vom Schränkchen her, aus dem sie drei Kristallgläschen und drei Bastuntersetzer und eine halbvolle Flasche Orangenlikör nimmt: »Ein Sachse!«
»Und das ist Issiwuh«, sagt Roboldt und zeigt auf eine gelbrote getigerte Katze, die behäbig auf der Sofalehne ruht und keinen Millimeter weicht, als Neumann sich danebensetzt.
»Um Himmelswillen – keinen Alkohol! Nicht morgens um acht!«
»Vormals Blondie!« kichert Frl. von Thurau und stellt die Gläser auf die Untersetzer. »Soll man ja nicht sagen aber was bin ich froh daß der alte Stinkstiefel damals mit weg also wie kann man eine Katze nach dem Hund von diesem Reichsverweser denn verwest hat er's doch wirklich ...«
Und Neumann lehnt sich zurück und winkt ab, als die Fla-

sche Orangenlikör über seinem Glas schwebt. »Aber James Baldwin haben Sie nicht zufällig auch gekannt?« Und beobachtet, wie Frl. von Thurau die Flasche absetzt und Roboldt die Luft anhält, weil Issiwuh sich gereckt hat und jetzt auf Neumanns Schoß steht, ihn ansieht, beschnuppert, die linken Barthaare an seinem Bauch schabt, da wo unter dem weiten schwarzen Pullover die Gürtelschnalle sitzt, und sich auf seinem Schoß einrollt und weiterdöst.
»Scheems Bollwinn – nein. Ach Gott sehen Sie mal Herr äh ist das nicht schön da kann ich doch morgen ganz in Ruhe fliegen haben Sie auch schon mal eine Reise gewonnen Herr Neumann? Nein? Wer soll denn das sein Bollwinn na denn Prost ihr Lieben und Issiwuh ist gut versorgt die hat Sie ja sofort ins Herz geschlossen!« Frl. von Thurau kippt ihr Gläschen leer und schenkt sich nach.
Und Neumann zwinkert Roboldt zu. »Wo geht's denn hin?«
»Tenneriffa! Eine Woche! Na denn Prost ihr beiden Sie haben's vielleicht gut Sie kriegen keine rote Nase wenn's friert was Herr Neumann ach was ist das schön!«

UND MANCHMAL REISST ES ihm in der Brust, gegen Mittag, als der Wind auffrischt. Dann steht er keuchend, den Leib vorwärts gebogen, Augen und Mund weit offen, und horcht in sich hinein. Er ist allein, ganz allein in dieser Plattenwüste Jottweedee. So hat ihn noch nie jemand an der Nase herumgeführt. Dù-dung-rap du-ràp-dung bloàk-dung. Er empfindet ein heißes tiefes Mitleid mit sich selbst. Einen unendlichen Trieb, mit allem um ihn willkürlich umzugehen. Wo ihn keiner kennt. Das leise Singen des Mädchens. Die Stimme der Alten. Das Lager. Weit draußen. Wo ihn keiner kennt. Wo ein fliederfarbener Imbißwagen gern angenommen wird. Belebender Tupfer. Barbiecue ist der Clou! Dùng-rap-bloàk. Dieser heiße Fettdunst. Dieser lausige Frost. Diese menschliche Enttäuschung. Die größte, seit seine Frau die Kinder geschnappt und sich in den Westen abgesetzt hat. Ràp-du-rùng ràp-dung. Erst Günter. Verräter. Verreist. Einfach weg. Und in der ganzen stinkfeinen Klinik in Erkner kein Mensch, der ihm guten Tag sagt. Unverschämt. Wer hat die denn da hinfinanziert! Wer denn! Wer hat denn für Aufträge gesorgt und Arbeitsplätze geschaffen! Noch die letzte Schlampe verdankt Heinz-Klaus Jähder ihren verdammten Putzjob im OP! Ràp-durùng ràp-rung. Undank ist der Welt Lohn. Diese Wolter. Wird einfach wieder gesund. Diese Versicherung. Wird einfach frech. Und dann wieder so ein Anruf von der Polizei. Hiobsbotschaft ist gar kein Ausdruck. Dù-dung-rap du-ràp-dung. Springt die einfach vom Funkturm! Was hatte er mit ihr alles vorgehabt! Undankbare Ziege. Denken alle nur an sich. Und wer kümmert sich jetzt um die stagnierende Beschaffung! Bloak-dung-rap dù-rung. Kein Verlaß. Auf niemanden. Wenn man nicht alles dù-rung rap-dùng selber macht! Hemd und Jackett sind durchgeschwitzt, und der Mantel glänzt unter einer stinkenden Schicht Frittürenfett. Heinz Klaus Jähder ist nicht auf die Welt gekommen, um Pommes frites in einen brodelnden gurgelnden Sud zu hängen und Würstchen hin- und herzurollen! Dù-rap-dung dù-rung. Die Gören mit den Glatzen gehen ja noch. Bierdosen haben eine gewisse Handelsspanne. Außerdem räumen die auf. Ràp-dù-rung. Wollen das Pack hier auch nicht. Das Lager. Alles Zigeuner. Gauner. Du-rung-ràp dung-ràp. So tief ist er gesunken! Weil ihn alle im Stich gelassen haben. Alle! Und dieser Scheißpolacke hat inzwischen ein Monopol auf arme Deutsche. Anders ginge das gar nicht. Rap-du-rùng. Fakt ist, kein Platz für anständige Deutsche. Im eigenen Land! Rap-dùng du-ràp. Deswegen muß ich auf diesen Abschaum hier zurückgreifen. Zigeuner. Ich! Du-rap-dùng bloàk-rup. Ich! Aber noch ist Jähder nicht verloren. Das wollen wir doch erstmal sehen. Eine Niere ist eine Niere. Steht schließlich nicht dran, wo die früher dringesteckt hat. Und ein Herz ist ein du-dùng du-dùng rap-dùng vielleicht. Er jagt mit rasender Geschwindigkeit die Idee durch. »Konsequent, konsequent!« Er könnte aussuchen, und die Glatzen könnten die bearbeiten. Von den Vorteilen überzeugen. Von der Machbarkeit. Eine Niere genügt vollkommen, wenn man wenig Geld hat. Und wenn wirklich mal einer hops geht bei der Überzeugungsarbeit – Hauptsache jemand, der ein funktionierendes Herz hat. Ja. Das würde die Sitteatzion schlagartig entspannen. Das muß man mal durchdenken. Wer führt die hier eigentlich an, diese Glatzen? Alles eine Frage der richtigen Organisation. Dù-dung dù-dung dù-dung ...

»WIE'N VERFAULTET JEBISS! So sieht det hier aus!« Helgas Gesicht wird kantig und eisig, je dichter der nasse Schleier in ihren Augen wird. »Det is ja noch viel schlimmer wie achtnfürzich! Nee! Fritze hat's jut, disser det allet nich mehr erlehm mußte!«
Lietze zieht die Hände aus den Manteltaschen und legt sie auf Helgas Schultern. Helga fröstelt. Aber es ist nicht die Kälte, weshalb sie bebt. Lietze zieht sie an sich. »Wein, Helga. Man muß nicht alles schlucken. Heul's raus.«
»Bin ick blöd!« trumpft Helga auf. »Soll ick mir fleicht Eiszapfen uff de Backe flennen!«
Mehr kriegt sie nicht am Kloß neben dem Kehlkopf vorbei. Helga schluchzt und klammert sich an Lietze fest, und Lietze spürt die zerbrechlichen alten Knochen, und in ihrem Kopf mischen sich Bilder von dem ermordeten kleinen Jungen, den sie vor über einem Monat mit eigenen Augen gesehen hat, und Bilder aus dem Fernsehen, von kleinen Mädchen mit schwarzen Zöpfen, die halb verbrannt aus einem Haus getragen wurden, und die Erinnerung an ferne ferne Zeiten, als sie sich zitternd und schluchzend in die Arme von Helga geflüchtet hat, die damals schon groß war, fast erwachsen, die kein kleines keckes dummes Mädchen mehr war und nicht wildfremde Leute mit »Drei Liter!« begrüßte, so laut, daß jeder hören konnte, daß es *nicht* »Heil Hitler!« war. Die Ohrfeige von Madame Gisèle hatte auch gebrannt. Aber Helgas magere Arme waren eine weiche Zuflucht gewesen.
»Wär ick bloß nie wieder hierherjekomm'!« sagt Helga schließlich. »Wenn nich ma mehr det Haus steht, wo die Mulackritze drin jewesen war ...«
»Wer ist denn Fritze?« fragt Lietze, als sie die Mulackstraße hoch zur Alten Schönhauser schlendern.
»Fritze? Ho, Fritze! Fritz Brandt, dem hat se jehört damals.« Helga bleibt stehen, zieht ein Taschentuch aus dem Mantel

und gibt einen jerichoreifen Trompetenstoß von sich. Aber keins der bröckeligen Häuser stürzt in sich zusammen. »Seit ewig. Der hat uns versteckt, Edith und mich, bevor ick denn zu euch nach Westen jekomm' bin, weeßte? Bevor se Edith – ach nee.« Eine Stimme wie auf der fiebrigen Suche nach irgendeinem Fehdehandschuh.

»Was ist eigentlich mit Edith passiert?«

»Fritze war schon lange tot, wie ick nochma rüber bin, achtnfürzich. Da war bloß noch Minna, die hatte wohl den Laden von Fritze übernommen fümmunfürzich. Und Alfred. Alfred war ihr Mann. Minna hatte ja früher schon da jearbeitet, aber achtndreißich durfte se nich mehr, weil se ja Jüdin war. 'ne jebohrne Levinthal oder so. Mann – jetzte fallen se mir alle wieder ein! Alfred nich, der war ›Arjer‹ ... ach, is ooch wurscht. Ick will hier wech, Karin.« Helga packt Lietze am Ärmel und zieht sie mit. »Ick schmeiß ma bloß noch aus Kellerfenster, wenn ick weiter rumgrüble! Erzähl mir lieber, wat für ne Schose du uns da mitte Schmiere ausjeschinscht hast!«

Lietze lächelt. »Erst erzählst du mir von Edith!«

»Kommt nich inne Tüte!« Der Fehdehandschuh paßt. »Erst du. Also, wir sollen Schulung für die Bullen machen? Von wehng anständjer Umjank mit Huren und so? Als Migräne?«

»Ja klar!« Lietze lacht und schließt die Tür des baufälligen *Renault* auf. »In Mitte. Das hat mein Kollege Seidel auch eine gute Idee gefunden. Oder kennst du jemanden, der das besser könnte als ihr?«

»Nö!« Helga quetscht sich hoheitsvoll durch die Beifahrertür. »Icke bei die Schmiere – det hätte Madame Gisèle sehen sollen!«

»Und Edith erst – komm, erzähl!«

»WAS? ANITA!« Schade fällt der Zettel mit den von Fläming recherchierten Namen der »Seilschaft Voltaire« aus der Hand.

»Nochmal: Denn hinderlich wie überall / ist hier der eig'ne Todesfall.«

»Meine Nerven, deine Krimis werden aber auch immer zynischer!«
»Nix Krimi – Wilhelm Busch, Sonnie! Außerdem – was ist daran zynisch? Ich lese jetzt seit drei Stunden in dem Tagebuch rum, das heißt, in dem, was deine Kollegen davon aus dem Ofen gefischt haben. Viel kann man ja nicht mehr lesen.«
Schade schwirrt der Kopf. Die stimmen doch überein, die Namen. Das sind dieselben Typen, die der lockere Riese meint und die ich bei Gauck gefunden habe. »Dann laß es doch bleiben. Warum ziehst du dir das Zeug rein?«
»Weil's das Spannendste ist, was ich seit langem in die Finger gekriegt habe, Sonnielein. Hör mal – ›*gebt uns einen Jungen, ehe er sieben ist, und wir haben ihn fürs Leben*‹, hat sie hier geschrieben, und dahinter in Klammern ›*angebliche Jesuitenmaxime*‹, und dann: ›*Verglichen damit war der Sozialismus ein wahrer Fortschritt: Der hat auch die Mädchen genommen!*‹ Komisch ist, daß das die letzte Eintragung ist und daß sie die mit Buntstift geschrieben hat. Alles andere ist Kuli.«
»Und – was schließen Miss Mahlow daraus?« Schade ist woanders. Schade will ihren Teil des Berichts über die Kindstötung/Wolter abschließen. Schade hat keine Lust auf noch mehr östliche Besonderheiten. Auf Schades Laune liegt der Schatten namens Voltaire. Klär ein Verbrechen auf, und du kriegst so tiefe Einblicke in andere, die vielleicht dranhängen, daß du alles hinschmeißen möchtest. Die ganze Welt ist ein Faß ohne Boden.
»Weiß nicht, Herzlein – stör ich dich?«
»Nein, nein.« Was kann Anita dafür, daß diese merkwürdige Frau zwei Telefonnummern in der Tasche gehabt hat, als sie in den Tod gesprungen ist, und daß eine davon ihre ist. Und daß die Kollegen, die sie gefunden haben, natürlich selig sind, daß sie auch Polizistin ist und eine Freundin mit einem Faible für Abseitiges hat. »Doch, Anita. Im Augenblick habe ich keinen Kopf für andere Sachen. Tut mir leid.«
»Wieso denn andere Sachen – kuck mal, Sonnie. Diese Geschichte mit diesem J., alles, was Swetlana dazu geschrieben hat, deutet darauf hin, daß da irgendwas Krummes laufen

sollte. Wenn der auf ihr Herz scharf war, dann könnte er doch geplant haben, sie umzubringen.«

»Mein Gott, Anita! Hör auf. Du liest wirklich zuviel blühenden Unsinn!«

»So? Tu ich das? Dann kannst du ja lachen, anstatt mich anzublaffen. Aber wenn ich recht habe, dann lach auch gleich mit über die komische kleine Tatsache, daß du zufällig, während ihr euch da mit einem Mord rumschlagt, den nächsten auf dem Tablett serviert kriegst. Als work in progress sozusagen – ich meine, so rum könnte man das ja auch sehen. Falls man überhaupt was sehen will, ja? Und ich hätte Swetlana gern danach gefragt. Aber das geht ja nun nicht mehr.«

GEGEN DREI UHR NACHMITTAGS haben sich die Wolken aus der Höhe dicht über den Dächern etwas weiter nach oben verzogen. Der westliche Wind ist milder geworden und scheint die Luft getrocknet und ihr ein bißchen vom Druck genommen zu haben. Sogar die Sonne schickt vereinzelte feine Goldwellen über Straßen und Häuserwände, taucht Ölspuren auf Asphaltbelägen und Hundehaufen auf Bürgersteigen und Pisseflecken an Hauseingängen in ein Licht von bizarrer Friedlichkeit und nimmt den schreienden Reklamefarben die lautesten Spitzen, bevor sie in Zimmern verschwindet, in denen man vom Fußboden essen kann, oder sich zwischen ungemachten Betten verliert, zum Beispiel.

»Das Kind hat geschrien, und er wollte seine Ruhe haben, so einfach ist das, Lothar.« Das Rascheln des Konditoreipapiers übertönt die Stimme von Miriam Jacob, obwohl die fern jeder balsamischen Sanftheit ist. »Für dich habe ich Rote Grütze mitgebracht – die kannst du doch schlucken, oder?«

»Mimi – ich kann alles schlucken. Ich liege hier bloß noch rum, weil die Quacksalber beschlossen haben, meine Herzklappen vorm Degenerieren zu bewahren.«

»Was Christian Eube und Dolores Wolter so von sich gegeben haben, das hättest *du nicht* geschluckt, wetten?« Mimi setzt sich auf den Rand des Krankenhausbettes und hält

Fritz eine Plastikschüssel hin. »Und vor allem – wie!«
»Eiskalt, nehme ich an.«
Mimi betrachtet das Tortenstück auf ihrem Schoß. «Die haben dieses Kind malträtiert, das darf man sich gar nicht ausmalen. Von Anfang an. Also er. Aber sie hat es gesehen und nichts gemacht ...«
Fritz stellt die Rote Grütze auf den Rollwagen neben seinem Kopf. Alle Nasen lang, denkt er, sowas passiert alle Nasen lang. Überall. In den besten Familien und in den anderen. Er schweigt.
Auch Mimi schweigt und starrt die Torte an. »Meine Cousine hat recht, die Luft ist schwer geworden. Das ist nicht mehr die Berliner Luft, hat sie gesagt, als sie aus dem Zug gestiegen ist.«
»Nee! Weiß Gott nicht!«
»Und vielleicht hat mein Neffe auch recht.« Mimi sieht Fritz an.
»Mit was?«
Ein Sonnenstrahl wandert blaß wie ein Zitronenfalter über die weiße Bettdecke zwischen Fritz und Mimi.
»Am 9. November 1988 haben wir's angekündigt gekriegt und am 9. November 1989 bestätigt. Das war kein Zufall, daß die Mauer an dem Tag aufgemacht worden ist. Das war ein Geburtsfehler, von dem das zur Welt gezwungene Balg sich nicht mehr erholt. Nicht zu unseren Lebzeiten. Mein Neffe ist neunzehn. Glaubst du, daß ich hierbleiben soll, Lothar?«
Den Sonnenstrahl hat Fritz' blaugrau gestreifter Schlafanzug getilgt. Fritz schweigt. Fritz denkt an Beate, die vor drei Tagen mit einem verstauchten Handgelenk und einem Bluterguß am Oberarm an seinem Krankenhausbett saß, am hellichten Tag, angegriffen von einem deutschen Rüpel, der nach Schnaps gestunken und dem es nicht gepaßt hat, daß sie ihn bat, seinen Platz in der U-Bahn für eine schwangere bleiche Frau mit einem dicken Kopftuch freizumachen. Nein, er würde Mimi nicht erzählen, was der Mann von sich gegeben hatte, bevor er auf Beate losgegangen war. Bevor Beate ihm ihrerseits die Faust in den Magen gehauen hatte.
»Ich weiß nicht, Mimi. Ich weiß nur, daß ich das will.«

»Wenn der Deutsche den Patriotismus entdeckt und nur noch enger Deutscher sein will? Wenn sein Herz sich zusammenzieht wie Leder in der Kälte? Wenn er alles Fremdländische haßt? Nur noch Haß, Haß wie bei Eube, der sein eigenes Kind zertrümmert wie einen Plattenspieler, den man nicht leise genug stellen kann? Oder weil ihm die Musik gerade nicht paßt?«
Fritz hat nie eine solche Schwingung in Mimis Stimme gehört. Sie zerrt seine mühsam vergrabene Angst ans Licht. Er hat nichts, buchstäblich nichts, was er Mimi bieten kann. Außer seinem Wunsch, daß sie nicht gehen müssen möge. Er fragt leise nach dem 9. November 1988, aber der Name Jenninger sagt ihm nichts. Er hört nie Bundestagsreden. Er kann betretene und betroffene Politikervisagen nicht leiden. Er hätte, wenn er zufällig mitangehört hätte, wie so ein Repräsentant anhebt: »Meine Damen und Herren, die Juden in aller Welt und auch wir Deutschen ...«, womöglich den Aschenbecher oder das Bierglas in den Fernseher geschleudert. Er hat ein Gespür dafür, wann etwas unheimlich ist. Bedrohlich. Und er hat Beate, deren Kopf er dann am allermeisten braucht.
Jetzt hat er nur deutlich ein Gespür dafür, daß es so nicht weitergehen kann.

«UND JETZT?« Lang ist ziemlich angeschickert, als er Lietze in den Mantel hilft.
»Jetzt – hmhm!« Lietze, die mindestens ebenso viel Promille im Blut hat, kramt in einer der vier Manteltaschen, befördert einen Ring mit zwei Schlüsseln ins Freie und schwenkt ihn vor Langs Nase herum. »Deiner – hck, oh pardon!«
»Ich soll dich aber nicht über die Schwelle tragen?«
»Untersteh dich!« Lietze wirft einen letzten Blick auf ein paar Sake-Krüge auf einem der Tische, bevor sie auf den Eingang des japanischen Restaurants zusteuert. »Roher Fisch – hck – gute Idee, Lang! Man trägt eine Frau nicht über ihre eigene Schwelle!«
Der Taxifahrer scheint seine Ohren im Fonds zu haben und ein Fan des herrschaftsfreien Diskurses zu sein. Auf Lietzes

und Langs vom Eßtisch herübergeretteten Wortwechsel m
in dem es zum x-ten Mal um eigentliche sozialistische Ideen und eigentlich von vornherein nicht funktionieren könnende Menschenbilder im allgemeinen und Verdrängen deutscher Geschichte und verordneten Antifaschismus im besonderen geht, ein bißchen wirr, ein bißchen grobmaschig, ein bißchen sake-verfusselt, schwingt er sich ungefragt auf zu einem Crash-Exkurs: »Det is Keese allet, det janze Jequatsche von Antifaschismus und der hätte die DDR zusammjehalten an sich, so als nobler Untergrund ma jesehn. Jequirlte Kacke. Wissen Se wat ick gloobe? Der einzje Untergrund, der die zusammjehalten hat, die janzen Ulbrichts und Honeckers und Mielkes und wie se alle heißen, det war eene Angst. Ick sahre bloß Weimar. Weimar is Chaos und Anarchie und sonst jarnischt jewesen. Für die. Und det, wissen Se, det haben se jemeinsam mit unsre Andenauers bis ins Enkelglied. Det is die jemeinsame Wurzel für't Prinzip Auschwitz wie für't Prinzip Wandlitz ...«
»Junger Mann!« Lang ist auf einen Schlag wieder nüchtern. »Jetzt halten Sie mal die Luft an!«
Lietze kichert und sieht ihn amüsiert an.
»Na, wieso denn!« Der Taxifahrer ist nicht zu bremsen. »Ihr seid doch bestimmt ooch so Leute, so frisch außem Westen, den Osten abwickeln, Treuhand wa? Und denn kiekt ihr euch um in dem Laden und versteht die Welt nicht mehr. Typisch! Keene Bodenhaftung, keen Riecher für't wirkliche Leben, keene einzije Jeschmacksknospe für de Realität – aber allet bestimm' wollen! Und plötzlich huch – wo kommt se denn her, die janze Jewalttätigkeit da bei die Ossis und überhaupt, wa? Soll ick euch ma wat sahng?«
Lietze und Lang sehen sich an und schütteln die Köpfe. Aber das sieht der Fahrer nicht im Dunkel der Wolken, die sich am späten Abend des 18. Februar 1992 wieder tiefer über die Stadt gelegt haben.
»Det is völlich logisch. Wat hier jetze ausjebrochen is, und det wird noch viel schlimmer, Provojebärde und Brandanschläje und allet, die janze laute Jewalt, det is det Jehngstück zu die janze lautlose Jewalt, mit der ihr hier allet zerkloppt habt, in Windeseile, flächendeckend. Mit euerm Prinzip

Mafia. Verstehn Se?« Er nimmt die letzte Kurve vor Lietzes Haustür heftig.
Lietze rutscht Lang in die Flanke.
»Wollen Sie sagen, alles gar nicht so schlimm, alles bloß verständlicher Protest, wenn Leute zusammengeschlagen und ihnen die Wohnung über dem Kopf angezündet wird!« Sie brüllt und versucht, sich wieder aufrecht zu setzen.
Lang zahlt.
»Im Jehngteil. Denken Se ma drüber nach, wenn Se vor lauter Vollmond heut nacht ne Minute Zeit dazwischen ham!« grinst der Taxifahrer und jagt davon.
»Ganz unrecht hat der nicht«, sagt Lang und bleibt wartend vor der Haustür stehen. »*Wir* haben versagt. Flächendeckend. Nichts, das wir mit Sinn und Verstand angepackt hätten, von der Verwaltung über die Schulen bis hin zur Polizei, Justiz, die organisierte Kriminalität ist integraler Bestandteil, und Mafia ist keine Vereinsform, sondern eine Mentalität.«
Lietze sieht ihn an und wartet ebenfalls.
»Es gibt nämlich zwischen Ost- und Westdeutschen mehr Gemeinsamkeiten, als –.«
»Gefällt dir dein neuer Schlüssel nicht?«
»Ach so, ja!« Lang schließt die Haustür auf. »Anspruchshaltung, Sicherheitsdenken, diese verdammte Panik vor Chaos ...«
Lietze schiebt ihn sanft von der Tür weg, nimmt ihm den Schlüssel aus der Hand, schließt die Tür von innen ab und steckt den Schlüssel in seine Manteltasche zurück.
»Jetzt frag ich mich bloß noch eins«, sagt sie, während sie vor dem Schlafzimmerfenster steht, in die Wolkendecke starrt, hinter der der volle weiße Mond stehen muß, und sich langsam auszieht, »wenn das alles so ist, wieso machen wir eigentlich weiter? Ich hier, du da in Dresden ...?«
»Weil's jetzt erst richtig losgeht, Karin.«

LETZTE WORTE

Wer heutzutage etwas zählen will, hat *BeraterInnen*. Ich zähle diesmal 28 – ohne die, wie immer, alles nicht wirklich möglich gewesen wäre. Warum auch?
Heinz-Heidi Biermann, Ruth Cavin, Cécile Bloc-Rodot & Jerome Charyn, Robin »Derek Raymond« Cook, Hanno Harnisch, Sigrid Herrmann, Olaf Karras, Heinz Knobloch, Michel R. Lang, Carola & Bernhard Maaz, Dietrich Mühlberg, Norbert Nickel, Danuta Pogorzełska, Manfred Präcklein, Hilde Radusch, Michael de Ridder, Arndt Schaffner, Sylvia Schliep, Sonja Schröter, Horst Steinert, Werner Stockfisch, Barbara Winkelmann, die Damen von der Meteorologischen Institutsbibliothek/FU, Gertrud & Thomas Wörtche.
Wer weiß, unter welchen Bedingungen Literatur entstehen kann, weiß auch, daß zu den unverzichtbaren Voraussetzungen *anderer Leute Werke* gehören. Die Industria Zulieferendis bestand diesmal unter anderem aus:
Matthias Bröckers, Georg Büchner, Wilhelm Busch, Adalbert von Chamisso, Jerome Charyn, Theodor Fontane, Eike Geisel, Heinrich Heine, Georg Hensel, Sam »Ligthnin« Hopkins, den Soundtrackers von THE HOT SPOT und insbesondere Miles Davis und Taj Mahal, Heinz Knobloch, Anita Kugler, Clarice Lispector, Karen Margolis, Monika Maron, Bascha Mika, Memphis Minnie, Christian Morgenstern, Ingrid Mylo, Chaim Noll, Marcel Ophüls, Dorothy Parker, Dietger Pforte, Carl Pietzcker, Plutonia Plarre, Werner Raith, Klaus Scheurenberg, SPIEGEL TV (Stefan Aust, Gunther Latsch und Georg Mascolo), Jutta Voigt, Joseph Wambaugh und Thomas Wörtche.
Ihnen allen, gerade auch denen, mit denen ich keineswegs einer Meinung bin, meinen *Dank aus vollem Herzen.*
Aus vollem Magen und ebenso herzlich danke ich den Köchen des *Kalkutta* in Berlin-Charlottenburg, deren *Kunst* mir immer wieder klarmacht, daß die *Liebe zum Leben* auch durch den Magen geht, sowie allen, die dort für ihre Gäste sorgen und deren *Warmherzigkeit* und *Liebe zum Gelächter* mir immer wieder zeigen, wie gut es ist, daß auf der Welt nicht nur Teutonen wohnen.
Sie sind hier stellvertretend für alle genannt, die diese Stadt vor »ethnischer Reinheit« bewahren – und *ich hoffe von Herzen, es werden mehr!*

PIEKE BIERMANN IM ROTBUCH VERLAG

POTSDAMER ABLEBEN

Westberlin, um den Potsdamer Platz, irgendwann am Ende der 80er Jahre. Noch deliriert der post-urbane Zeitgeist, dabei ist er schon so tot wie Béatrice Bitterlich, seine Radiostimme.
... beweist, daß der Kriminalroman der vielleicht lebendigste Ort ist, um unsere Gesellschaft zu reflektieren. Gaie Pied
Ein einzigartiger Roman. Le Monde

Rotbuch Taschenbuch 21
168 Seiten, DM 12

VIOLETTA

Westberlin, um den Wittenberg-/Nollendorfplatz, Hochsommer 1989. Nicht nur zwei Mordserien versetzen die Stadt in fiebrige Hochspannung. Eine Explosion steht bevor. Unter der Hitzeglocke braut sich sichtbar Bedrohliches zusammen.
... in Pieke Biermanns Crimes ist eine Berlin-Atmosphäre, die man erst später formulieren können wird. Heinz Knobloch
Jedes Buch ein Bestseller. La Vanguardia
Deutscher Krimi-Preis 1991

Rotbuch Taschenbuch 22
248 Seiten, DM 15